Sean Coughlan

Das kleine Buch vom Schlafen

SEAN COUGHLAN

DAS KLEINE BUCH
VOM SCHLAFEN

*Von Bettgeflüster bis
Schäfchenzählen*

Aus dem Englischen von
Susanne Kuhlmann-Krieg

Deutsche Verlags-Anstalt

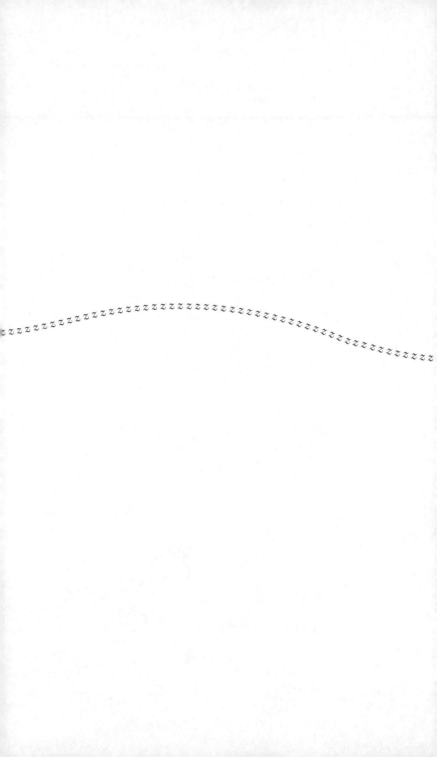

Für meine Mutter und meinen Vater – voll Dankbarkeit für die Erfindung des Achtuhrmanns, mit dem sie mich am Abend zum Schlafen brachten

z z z z z z z z z z z z z z z z z z z z z z z z z z z z z z z z z z z z z z z z z z z z z z z z z z z z z z z

Inhalt

Nächtliche Reise

Schlafhölle

Geheimnisvolle Reise

Zum Lob des Schlafes...

Schlaf ist für den modernen Menschen zu einer Obsession geworden. In unserer überbevölkerten, permanent gehetzten Welt gibt es wenig, wonach wir uns mehr sehnen als nach Schlaf. Wenn uns die Zeit davonläuft, kommt unser Schlaf zu kurz, dann werden Müdigkeit und Schlafmangel zu täglicher Selbstkasteiung.

Größer noch wird die Narretei dadurch, dass Schlaf uns doch eigentlich einen so ungeheuren Genuss verschaffen kann. Er ist das schönste und geheimnisvollste Geschenk der Natur; eine unerschöpfliche Quelle der Ruhe und Erholung, selige Verschnaufpause in dem hektischen Getriebe und Gestrampel allerorten. Statt am Schlaf zu sparen, sollten wir ihn in vollen Zügen genießen.

In einer ausgebrannten Rund-um-die-Uhr-Kultur ist Schlaf das letzte kühle Fleckchen weichen, saftig-grünen Grases, ein Ort, an dem man verschnaufen und den Blick zum Himmel richten kann. Schlaf ist ein essenzieller Teil des menschlichen Lebens. Er scheint das einzig verbliebene Daseinsstadium, in dem niemand von Ihnen erwartet, dass Sie arbeiten oder einkaufen.

Warum behandeln wir den Schlaf so schäbig? Warum kosten wir ihn nicht aus, genießen seine Annehmlichkeiten, machen uns kundig über seine Geschichte, Kultur und Bedeutung? Wenn Schlaf zu Restaurantpreisen gehandelt würde, hätten wir womöglich Schlafgourmets und Schlafrezepte, die unseren nächtlichen Schlummer zu einem epikureischen Großereignis machten. Stattdessen stutzen wir am Schlaf herum, knapsen ihn uns ab, versuchen, ohne auszukommen.

Es ist nicht so, als hätten wir keine Ahnung von den Folgen. Welche Gefahren es mit sich bringt, wenn man nicht genug schläft, ist kein Geheimnis. Kaum ein Monat vergeht, ohne dass irgendeine medizinische Studie den körperlichen Schaden aufzeigt, der uns durch zu wenig Schlaf entsteht. Schlafmangel macht uns ängstlich und reizbar, und er beeinträchtigt unsere Konzentrationsfähigkeit. Weniger als

fünf Stunden Schlaf lassen einen bei der Durchführung einfacher Aufgaben aussehen, als wäre man volltrunken. Nicht genügend Schlaf über einen längeren Zeitraum erhöht das Risiko für Herzerkrankungen dramatisch; außerdem besteht ein Zusammenhang mit dem vermehrten Auftreten von Übergewicht und Diabetes. Schlafmangel erschwert Lernen und Erinnern.

Warum also gehen wir, wenn wir doch all das wissen, mit unserem Schlaf derart nachlässig um? Wie kriegen wir es fertig, ein solches Katastrophengebiet daraus zu machen – so viele Menschen klagen über Schlafmangel oder Schlaflosigkeit und zunehmend auch über das Problem der Schlafapnoe. Jeder schläft. Vielleicht nicht immer so viel, wie er gerne würde, aber es handelt sich um eine menschliche Grunderfahrung, so instinktgesteuert wie das Atmen. Doch wir haben es hinbekommen, etwas, das uns so selbstverständlich zu Gebote stehen sollte, in ein Problem zu verkehren.

Wir sind mit unserem Schlafverhalten in eine Zwickmühle geraten. Es gibt in unser aller ruhelosem Breitbandleben derart viele Anforderungen und Zerstreuungen, dass wir viel zu spät zu Bett gehen, viel zu früh aufstehen und nie zu dem Mittagsschlaf kommen, den unser Körper als Ausgleich nötig hätte. Als wäre das nicht schon genug, gibt es gegenwärtig die irregeleitete Tendenz, den Schlaf in Verruf zu bringen und seine Verdienste zu leugnen, indem man ihn als Zeitverschwendung, den Feind harter Arbeit und aller Zielstrebigkeit hinstellt. Die Tatsache, dass ausreichend Schlaf eine physische Notwendigkeit ist, und wir an Schlafmangel eher sterben würden als an einem Mangel an Nahrung, scheint niemand zur Kenntnis nehmen zu wollen.

Es ist nicht so, dass wir allzu viel Rechtfertigendes vorbringen könnten, um unseren Verzicht auf Schlaf zu entschuldigen. Man mag Regenwasser privatisiert und die Luft verpestet haben, aber Schlaf gibt es noch immer kostenlos in Hülle und Fülle. Keine Gebühr fürs Auftanken. Schlaf ist ein Gesundbrunnen, der ohne Unterlass sprudelt. Er ist durch und durch egalitär. Der Dichter Samuel Johnson nannte ihn einmal einen »unparteiischen Wohltäter«, ohne Ansehen der Person bereit zur Rettung von Heiden und Heiligen, Königen und Knastbrüdern. Beim Schlaf gibt es keine VIPs. Trotzdem schaffen wir es, ihn uns gründlich zu vermasseln, sparen daran und ernten einen scheußlichen Tag mit dem, was die Ärzte als chronische Tagesmüdigkeit bezeichnen.

Wir allen waren schon einmal an dem Punkt, da uns ein Stündchen Schlaf mehr bedeutet hätte als alles andere. Wenn Sie völlig erschöpft in irgendeiner lausigen Abflughalle sitzen und Ihr Flug gerade gestrichen wurde, kann sich Ihr Schlafmangel kratziger anfühlen als die Teppichfliesen unter Ihren Füßen. Oder die Erschöpfung nach einer langen Winternacht, wenn Sie unermüdlich ein weinendes Kind zu beruhigen versucht haben und nun das erste Morgenrot über die Nachbardächer strahlt. Oder das hirnweiche Gefühl im Kopf, wenn Sie nach einer so kurzen Nachtruhe zur Arbeit gehen müssen, dass der Schlafmangel Ihnen geradezu physisch wehtut. Das Einzige, wonach wir uns in solchen Situationen sehnen, ist, dass der Schlaf uns zu Hilfe eilt, uns Mühselige und Beladene rettet, uns in seinen schwarzen Mantel hüllt.

Dieses Buch handelt von der Wiederherstellung des Gleichgewichts, es rühmt den so lange vernachlässigten erholsamen Nachtschlaf in seiner ganzen Pracht. Statt uns sorgenvolle Gedanken über unser Schlafbedürfnis zu machen oder Schlaf als vergeudete Zeit abzutun, sollten wir ihn als erlesene Delikatesse behandeln, ein exquisites Vergnügen, dessen wir uns wieder und wieder erfreuen können, ein magisches Gefährt, das uns Träumen und Abenteuern entgegenchauffiert, uns eine Gratistour durch unser Unterbewusstsein ermöglicht – einen Ort mit einer ganz eigenen Geschichte und längst vergessenen Kultur. Wir sollten uns eingestehen, dass es für ein menschliches Wesen kaum einen erleseneren Genuss gibt als den Augenblick, an dem wir unserem Verlangen nach Schlaf nachgeben.

Schlaf verbindet uns mit etwas, das in der Natur zutiefst verwurzelt ist, er ist der Moment, in dem wir loslassen, uns zusammen mit allen anderen lebenden Kreaturen dem Rhythmus von Schlafen und Wachen unterwerfen und von den lauten Anforderungen des Tages zurücktreten. Für weniger zu Bett zu gehen lohnt nicht.

Dies ist eine Gutenachtgeschichte für die Schlafmütze in jedem von uns.

... und des Bettes

Gibt es eine bessere Erfindung als das Bett? Es ist eine Einrichtung sondergleichen. Es benötigt wenig Wartung und liefert phantastische Ergebnisse. Es ist der einzig wahre vierbeinige Freund. Und wir? Ehren wir seine Geschichte? Steht etwa in jeder Stadt eine Statue zu seinem Gedenken?

Wo immer es Menschen gab, hat es auch Betten gegeben. In der Jungsteinzeit schliefen die Menschen unter Häuten und Fellen auf Lagern aus Gras und Heidekraut. Auf den steinigen Orkneys finden sich an einer archäologischen Fundstätte, der 5000 Jahre alten Siedlung Skara Brae, kastenförmige steinerne Betten, die vermutlich mit Fellen und Farnkraut ausgepolstert wurden.

Die Geschichte eines Gegenstands liefert in der Regel einen chronologischen Abriss seiner Entwicklung, zeigt, wie sehr sich seine Gestalt und Funktion im Laufe der Jahrhunderte verändert haben. Die wundersame Vollkommenheit des Bettes lässt sich jedoch gerade daran ablesen, dass es sich so gut wie gar nicht verändert hat. Alle möglichen Formen hätte es annehmen können, aber schauen Sie einmal in ein altes ägyptisches Grab – wie sieht das Bett darin aus? Ein rechteckiger hölzerner Rahmen auf vier kurzen Beinen. Etwas Ähnliches können Sie heute in jedem Möbelhaus erstehen. Freilich hatten die Pharaonen ein Faible für Verzierungen, sodass ihre Betten wesentlich prunkvoller, mit allen möglichen Tierfiguren dekoriert waren. Das Grunddesign aber ist unverändert geblieben.

Das römische Schlafzimmer hieß Cubiculum und war meist ein schlicht-funktionaler, würfelförmiger Raum. Die Betten, die die Römer bei ihrer Eroberung Britanniens mitbrachten, waren flach und praktisch – nicht unähnlich jenen, die sehr viel später von skandinavischen Eroberern eingeführt wurden, einem Stamm namens Ikea. Das römische Bett bestand aus einem rechtwinkligen Holz- oder Metallrahmen mit Metallbändern, Seilen oder Stoffstreifen an beiden Enden, die weiches, mit Federn oder Stroh gefülltes Bettzeug an seinem Platz hielten.

Das Wort »Bett«, so schlicht und einfach, wie der Gegenstand, den es beschreibt, wurde von den Angelsachsen eingeführt. In alten angelsächsischen Schriften finden sich Beschreibungen von Bettvorhängen, die darauf schließen lassen, dass man diese um das Bett herum angebracht hat, um die Wärme drinnen zu halten. Kissen wurden mit Stroh gefüllt, Bettdecken bestanden aus Ziegen- oder Bärenfell. Für eine Person von Macht und Einfluss muss das Bett ein wichtiger Besitz gewesen sein. Bei der Ausgrabung einer Begräbnisstätte in Yorkshire fand man kürzlich den Leichnam einer Frau, der mit Juwelen geschmückt auf einem Bett aufgebahrt war. Dieses eigens für den ewigen Schlaf angefertigte Totenlager war aus Holz und wurde mit Eisen in Form gehalten.

Das Bett Eduards des Bekenners ist auf dem Teppich von Bayeux verewigt. Die Stickerei aus dem 11. Jahrhundert zeigt ihn auf einem Polster liegend; das hölzerne Bett ist mit geschnitzten Tierköpfen verziert, die große Ähnlichkeit haben mit denen, die man an den Betten der

Wikinger in Norwegen gefunden hat. Diese Schnitzereien sind den Galionsfiguren am Bug großer Boote nachempfunden.

Die Normannen, mehr auf Kettenpanzer denn auf Komfort geeicht, führten zunächst die Tradition spartanisch einfacher Schlafstätten fort. Doch wie Touristen, die plötzlich von etwas Exotischem inspiriert werden und dies in der Heimat verbreiten, sind sie für einen der ganz großen Fortschritte im Bettenbauen zuständig. Die an ihre zugigen Schlafzimmer in ungeheizten Burgen und Schlössern gewöhnten Kreuzfahrer trafen im Nahen Osten nämlich auf ihnen völlig fremde Schlafgewohnheiten. Dort schliefen die Menschen in Zelten und sonnendurchfluteten Häusern auf weichen Kissen, umgeben von Seide und schmeichelnden Stoffen. Es gab sogar ein neues Wort, mit dem sich das komfortable Etwas, auf dem sie ruhten, jene bequemen, auf den Fußboden verteilten Kissen, beschreiben ließ, ein Wort, das sich von dem arabischen Wort *matrah* für »etwas auf den Boden Geworfenes« herleitet. Das geheimnisvolle neue Wort lautete »Matratze«.

Im 14. Jahrhundert trat dann das Himmelbett auf den Plan, ein vierpfostiges, von einem Baldachin überdachtes Paradebett, ein Möbelstück, das als handfestes Symbol für Macht und Wohlstand galt. Noch bequemer wurden diese Betten durch mit Federn gefüllte Matratzen, die man aus dem eleganten Frankreich importierte. Wenn sich die Monarchen des Mittelalters auf Reisen begaben, führten sie diese mächtigen Betten zerlegt mit sich und ließen sie wieder aufbauen, wo immer sie zu nächtigen gedachten. Der hölzerne Rahmen war von bestickten Vorhängen umgeben, mit Edelsteinen besetzt und mit Textilien geschmückt, die sich die Monarchen von den äußersten Enden der ihnen bekannten Welt hatten bringen lassen. König und Königin ruhten inmitten all dieser Pracht wie zwei kleine Perlen in einer kostbar verzierten Schale.

Doch wenn der Monarch plötzlich seine Beliebtheit oder gar sein Haupt einbüßte, war das Bett eines der ersten Dinge, die Plünderern und Dieben zum Opfer fielen, und wurde bis auf die blanken Bretter ausgenommen. Im *Gentleman's Magazine,* einer Monatsschrift aus der Blütezeit des Viktorianischen Zeitalters, findet sich eine prachtvoll ausgeschmückte Darstellung dessen, was mit dem Bett König Richards III. nach dessen Niederlage in der Schlacht von Bosworth 1485 geschah. Das Bett des besiegten Königs wurde von Räubern und Soldaten geplündert, die alles von Wert an sich nahmen, was irgend transportabel war. Mit Edelsteinen und feinen Stoffen machten sie sich auf und davon. Der hölzerne Rahmen des Bettes aber war zu groß und zu schwer, als dass man ihn hätte stehlen können, und so endete er im Besitz eines Gastwirts in Leicester – eines stolzen Kneipiers, der in diesem protzigen Bett von nun an selbst nächtigte.

Das nächste Jahrhundert hindurch blieb das Bett in seinem Pub und wurde von Pächter zu Pächter weitergegeben, bis schließlich einer der Wirte herausfand, warum es so schwer war: Es verfügte über ein Geheimfach voller Goldmünzen aus dem Besitz des Königs. Dieser unverhoffte Geldsegen verhalf dem Finder zu einem raschen sozialen Aufstieg, an dessen Ende dieser Mann aus kleinen Verhältnissen zum örtlichen Friedensrichter erhoben wurde. Wie unschwer abzusehen, fiel nach seinem Tod alle Welt über das Geld her. Seine Witwe wurde ermordet, die Münzen gestohlen, sieben Menschen wurden gehenkt, und einer landete auf dem Scheiterhaufen. Solcherart war das bittere

Erbe dieser, der Legende nach »letzten erhaltenen Liege-
statt des letzten Königs im Mittelalter«.

Eine Erzählung beschreibt besagtes Bett folgendermaßen:

> Reich und eigentümlich verziert, aus Eichenholz
> geschnitzt und über und über mit königlichen Lilien
> versehen, die Holzverkleidungen mit Intarsien in
> Schwarz, Braun und Weiß geschmückt, die Pfosten
> mit Hochreliefs von Sarazenen-Figuren, belegt die
> Einzigartigkeit seiner Konstruktion den eigentlichen
> Zweck, für den es gebaut worden war. Jedes Teil
> daran mit Ausnahme des Korpus war so gemacht,
> dass es sich nach Belieben in Einzelteile zerlegen und
> rasch wieder zusammenbauen ließ, so dass man es für
> die Reise in eine riesige Truhe umwandeln konnte.

Die viktorianischen Gentlemen, die sich diese Geschichte
in ihren ledernen Lehnsesseln zu Gemüte führten, konnten
sich noch an etlichen weiteren Details ergötzen, die ihre
Phantasie heftig beflügelt haben dürften. Richards Toten-
wache hatte noch in aller Pracht stattgefunden, am Ende
des Tages aber wurde sein Bett vom Landvolk auseinander-
genommen und sein Leichnam »so nackt, wie er geboren
worden war«, in einer Kirche aufgebahrt. Die Tatsache,
dass die Legende möglicherweise aus nicht ganz zuverläs-
siger Quelle stammt, wird der Geschichte nicht sonderlich
abträglich gewesen sein.

Diese kunstvoll verzierten, mit üppigen Baldachinen
und Vorhängen versehenen Betten waren in den ansonsten
ungeheizten Häusern Oasen der Wärme. In der Malerei,
in der Betten gerne als Requisiten für sich lasziv räkelnde
Göttinnen oder ergreifende Totenbettszenen fungierten,

können Sie Exemplare mit schweren Bettdecken, langen Vorhängen und Brokatbaldachinen bewundern. Die kalte Luft blieb draußen, das Innere bildete einen wärmenden Kokon. In weniger zugigen Ländern wie Italien fehlen den im Hintergrund vieler Gemälde vorhandenen Betten die Vorhänge. Ein um 1320 entstandenes religiöses Gemälde von Lorenzetti zeigt Bett, Decke, Laken und Kissen, wie sie in jedem modernen Haus zu finden sein könnten; auf einem hundert Jahre später entstandenen Gemälde von Sano di Pietro sieht man Ähnliches.

Für Arme bestand ein Schlaflager unterdessen nicht selten aus einem Strohhäuflein in einer Ecke, auf dem sie sich zusammenzurollen und mit ein paar Wolldecken oder was immer sie hatten, warm zu halten bemühten. Die Armen auf dem Lande, die sich ihren Lebensunterhalt durch die Ernte zu verdienen suchten, verbrachten die Nächte meist in Scheunen oder Heuhaufen. Berichte aus der Zeit erzählen von solchen armen Wanderarbeitern, die zum Schlafen nebeneinander im Stroh, aufgereiht wie Vogelscheuchen, lagen.

Aber dann begann die Mittelklasse sich für Betten zu erwärmen. Das Schöner-Wohnen-Gen machte sich bemerkbar, und die elisabethanische Mittelklasse wollte »mehr Bett«. Die robusten Kleinbauern hatten Jahrhunderte hindurch schlichte nüchterne Holzbetten besessen, jetzt stieg das Verlangen nach etwas Luxuriöserem. Im Haus eines wohlhabenden Kaufmanns konnte man zumeist mehrere Himmelbetten mit bestickten Vorhängen finden. Die Matratzen waren mit Federn oder Wolle gestopft.

Auch Betten mit lächerlichen Dimensionen kamen in Mode. Das Große Bett von Ware, vermutlich um 1590 für einen Gasthof im gleichnamigen Städtchen der Grafschaft

Hertfordshire gebaut, war groß genug, um einem Dutzend
Menschen Platz zum Schlafen zu bieten. Es wurde zu einer
Touristenattraktion und findet sogar in Shakespeares *Was
ihr wollt* Erwähnung. Um von ihren Untertanen nicht ausge-
stochen zu werden, verlangte Königin Elisabeth I. ein Bett,
das ebenso prunkvoll wie riesig, dazu mit Gold, Silber und
Straußenfedern verziert sein sollte. Dennoch vermochte
dieses grandiose Stück Handwerkskunst Elizabeth auf ihre
letzten Tage leider nur wenig Trost zu spenden. Zeitgenös-
sischen Berichten von ihrem Ableben zufolge weigerte sie
sich, ihr Bett aufzusuchen, sondern zog es vor, gestützt von
ein paar Kissen, auf dem Fußboden zu ruhen.

Der französischen König Ludwig XIV. blieb von solcherlei Unbill verschont, seine Schlafstatt in Versailles kündet
davon, in was für einer güldenen Pracht der Sonnenkönig
ruhte. Das Prunkbett seiner Majestät war das Zentrum
einer königlichen Zeremonie, bei der der König seine
Untertanen empfing. Es gab fünf verschiedene Kategorien
von Betten, säuberlich unterschieden danach, inwieweit sie
der Präsentation in der Öffentlichkeit und inwieweit sie
privaten Zwecken dienten. Es wird behauptet, der Sonnenkönig habe insgesamt um die vierhundert Betten besessen.

Trotzdem gab es genug Menschen, die solchen Luxus
nicht kannten. Dienstboten zum Beispiel ruhten vielleicht
nicht mehr auf Stroh, aber mehr als ein bescheidenes Roll-
bett oder Truhenbett, das für die Nacht hervorgeholt oder
umfunktioniert wurde, stand ihnen nicht zu.

Es gab andere, praktische Erwägungen. Die Werbung
eines Londoner Bettenschreiners aus der letzten Dekade
des 18. Jahrhunderts kündigte eine »neue und verbesserte
Bauart für Himmelbetten« an, die versprach, »der Ungezie-
ferplage wahrhaft Herr zu werden«. In derselben Anzeige für

23

Antiwanzen-Schlafstätten wurden auch »verbesserte Couch-betten« angeboten – das klingt doch überraschend modern.

Mitte des 19. Jahrhunderts gab es wieder andere Über-legungen. In den bescheideneren viktorianischen Haushal-ten beanspruchten die großen Betten mit Baldachinen und Vorhängen unangemessen viel Raum. Auch gab es Bedenken hinsichtlich der Hygiene und der Staubmengen, die diese riesigen, klobigen Mahagonimonster fingen. So kam eine gesündere Alternative in Mode: in Massen gefertigte Messingbetten mit Federkernmatratzen und ohne Seitenvorhänge.

Aber das hieß noch lange nicht, dass nun jedermann sein eigenes Bett hatte. Die viktorianischen Sozial-reformer, die entschieden gegen die beengten Wohnverhält-nisse mobil machten, wussten von Pensionen in Lancashire zu berichten, in denen sich in den fünfziger Jahren des 19. Jahr-hunderts sechzehn Menschen ein einziges Schlafzimmer teil-ten. Häuser mit zwei Schlafzimmern, wie man sie zehn Jahre später in Industriestädten an Familien aus der Arbeiterschicht vermietete, beherbergten oftmals zehn und mehr Mieter.

Schlafräume und Betten zu teilen, gehörte zum täglichen Leben. Das konnte eine durchaus geruchsintensive Erfah-rung sein, wie sich an Schilderungen aus Gasthäusern im Amerika des 18. Jahrhunderts ablesen lässt, in denen es als völlig normal galt, wenn die Gäste ein Bett mit Frem-den teilen mussten. Da liest man die Klage, man habe sein Bett mit einem »schmierigen Hauswirt« teilen müssen oder mit einem Mann, der unter den Betttüchern »abscheuliche

Geräusche« von sich gegeben habe. Eine neunköpfige Familie brachte es fertig, in einem einzigen Bett zu schlafen, »alle aufs Lieblichste zusammengepfercht«.

Die Tatsache, dass »zusammen schlafen« heute etwas so ganz anderes bedeutet, zeigt, wie sehr sich unsere Schlafgewohnheiten verändert haben. Das 20. Jahrhundert erlebte die Privatisierung des Schlafes; eine immer wohlhabender werdende Gesellschaft befand, dass Einzelnen und Pärchen ihr eigenes Bett zustehe. Das Bett selbst hörte auf, Statussymbol zu sein, da die Leute geeignetere Möglichkeiten fanden, ihren Erfolg zur Schau zu stellen. Sie verlegten sich mehr und mehr auf Autos, ihr Zuhause und irgendwelche Gerätschaften als Präsentationsobjekte.

Das moderne Bett erfuhr weitere technische Neuerungen – Formgedächtnis-Polymere um nur eine zu nennen. Eigentlich aber ist die Geschichte des Bettes eine von ruhmreicher Kontinuität. Suchen Sie ein Museum in Rom auf, und schauen Sie sich ein etruskisches Bettgestell an – wenn Sie anschließend ein paar Straßen weiter in ein Möbelhaus gehen, werden Sie dort Dinge im Angebot sehen, die sich nicht wesentlich davon unterscheiden.

Das wahre Wunder ist, dass ein so einfaches Ding die Wiege von so viel Leben gewesen ist. Der französische Dichter Isaac de Benserade beschrieb das Bett als ein Theater des Lachens und Weinens. Samuel Johnson übersetzte dies für sich mit folgenden Worten: »In bed we laugh, in bed we cry; And born in bed, in bed we die.«

Ein Hoch also auf die sträflich vernachlässigten Bettenbauer und Matratzenstopfer. Seit Jahrhunderten haben sie geschuftet, damit wir in Frieden ruhen können.

Siehe auch Nestwärme: die elektrische Heizdecke, Seite 82

Schlafrezepte für Genießer

Das Verlangen nach Schlaf ist bunt und vielfältig. Im Folgenden eine komplett unwissenschaftliche Aufzählung fünf klassischer Schläferstündchen.

Weihnachtsmittag
Sie haben ein derart üppiges Weihnachtsmahl verzehrt, dass die Verdauung desselben Ihren gesamten Körper beansprucht. Nahezu ihre gesamten geistigen Fähigkeiten sind im Augenblick dadurch lahmgelegt, dass Sie gigantische Berge von Christmas-Pudding zu verdauen haben. Jeder um Sie herum hat diesen glasigen Blick, den alle alten Leute bekommen, wenn sie auf Hochzeiten zu viel trinken. Vorsichtig steuern Sie den Lehnstuhl an und lassen sich gemächlich in seine einladende Umarmung sinken. Die Fernbedienung in die Hand zu nehmen, würde viel zu viel Anstrengung erfordern, und so lassen Sie mit halb geschlossenen Augen den Vorspann von *Der Schneemann* an sich vorüberziehen. Er marschiert durch die Luft. Noch einmal. Kein Erwachsener hat je den Mittelteil von *Der Schneemann* gesehen, denn nach einem wirklich spannenden Anfang – fliegender Schneemann, interessante Luftaufnahmen von Brighton – lässt die wiegenliedartige Musik den Drang zu schlafen übermächtig werden. Geben Sie diesem Drang nach. Ihr Körper befindet sich in digestiver Paralyse, und Ihr Magen sieht aus wie das Photo einer Schlange, die soeben ein Schaf verschlungen hat. Ihre Sinne lassen sich einlullen. Jede Faser Ihres Körpers lechzt nach Schlaf. Ergeben Sie sich in Ihr köstliches Schicksal. Ein schöneres Weihnachtsgeschenk werden Sie nicht bekommen.

Elterliche Schlafparadiese

Wenn Sie je einer Tagung oder eines anderen arbeitsbedingten Anlasses wegen eine Nacht außer Haus verbringen müssen, sollten Sie einmal auf die Eltern von Kleinkindern achten. Während jeder andere verstohlen seinen Ehering verschwinden lässt und sich auf eine durchzechte Nacht freut, sind Eltern auf Dienstreise von einem völlig anderen Ehrgeiz beseelt. Seit Monaten haben sie sich dieses Hotelbett ausgemalt, sich seine Umrisse und die adretten Ecken eines aufgeschütteten Kissens vorgestellt, sich an der Vision von einladender Sauberkeit und glatt gestrichenem frischem Bettzeug gelabt. Vielleicht liegt sogar ein Stückchen Schokolade auf der Bettdecke und irgendwelches Geschreibsel über Umweltschutz und nicht zu viele Handtücher verwenden. Das wundervolle große Bett wird ihnen allein gehören. Monat um Monat sind sie des Nachts durch ein Kind aus dem Schlaf gerissen worden, ihr Schlafmangel ist zu einer Obsession geworden; nach nichts verlangt es sie mehr als nach einer langen ungestörten Nacht. Während alle anderen also der Bar zustreben, entschuldigen sie sich mit einer lahmen Ausrede, etwa, sie müssten noch kurz ihre Mails checken und würden später zu den Partylöwen stoßen. Keine Chance. Zu unanständig früher Stunde schütteln sie alle anderen ab und eilen stante pede auf ihr Zimmer, beseelt von dem Luxus, schlafen zu können, ohne dass jemand sie aufweckt. Es ist der süßeste Augenblick seit Langem, das Wahrwerden eines Traums, der ihnen so lange versagt geblieben ist, das große Glas kühlen Wassers inmitten einer Wüste.

Bitte nicht stören.

> *Es ist der süßeste Augenblick seit Langem, das Wahrwerden eines Traums, der ihnen so lange versagt geblieben ist, das große Glas kühlen Wassers inmitten einer Wüste. Bitte nicht stören.*

Erster Urlaubsmorgen

Wäre Schadenfreude ein liebliches kleines Dorf vor den Toren Salzburgs, könnte ich mir vorstellen, dort mal kurz vorbeizuschauen. Denn am ersten Urlaubsmorgen aufzuwachen, ist ein zutiefst egoistisches Vergnügen. Ein kurzer Blick auf die Uhr und Sie können mutmaßen, was all die armen Tröpfe bei der Arbeit gerade tun. Für Sie, mein Freund, macht der Krieg Pause. Sie haben Urlaub, es wartet keine Arbeit auf Sie, nur dieses Kissen harrt einer innigen Beziehung zu ihrer Wange. Dieses Herumgammeln könnte ewig dauern, der ganze Urlaub liegt vor Ihnen. Sie sind dem Schlaf-Nirwana so nahe wie nie.

Fauler Sommernachmittag im Grünen

Das Vergnügen, im Freien einzuschlafen, hat etwas Wildes, Ungezähmtes. Unter freiem Himmel und ziehenden Wolken aufzuwachen ist etwas ganz anderes, als zu sich zu kommen und die Zimmerdecke anzustarren. Den Erdboden unter sich zu spüren und den Geruch von Gras einzuatmen vervollkommnet die Vorstadtidylle, ein Leben in der Wildnis, nur ein paar Schritte von der Haustür entfernt. Es ist vielleicht nicht ganz dasselbe, wie in mannshohem Steppengras zu versinken, aber der Garten hinter dem Haus oder irgendein anderes Fleckchen Grün kann Ihnen ein köstliches Scheibchen Schlaf bescheren. Die kühle Brise, die Ihr Gesicht streichelt, verströmt angenehme Frische, es ist nicht so stickig wie drinnen, alles fühlt sich natürlicher an. Unsere Vorfahren haben viele tausend Jahre draußen geschlafen, bis das Doppelbett erfunden war. Die Geräusche und Gerüche dort fügen sich zu einem Wiegenlied. Das beruhigende Geratter von Zügen, die Tenniskommentare aus dem Fernseher im Nachbarhaus, Insekten, die sich im

Sturzflug über Blüten hermachen, Geschrei und Getöse aus Plantschbecken, der Geruch von Sonnenmilch und Grillwürstchen ... Mir fallen die Augen schon beim Gedanken daran zu.

Im Stehen schlafen
Natürlich sind die köstlichsten Gerichte solche, die man nur ein einziges Mal kosten durfte und die einem dann für immer im Gedächtnis bleiben. Niemand schläft je wieder so gut wie damals als Kind – mit von der Sonne glühendem Gesicht nach langen, im Freien durchtobten Tagen, nach Sommernachmittagen, die kein Ende zu nehmen, Abenden, die ewig zu währen schienen. Es mag Nostalgie sein, die romantische Verklärung eines goldenen Zeitalters, das es so nie gab, aber an der totalen Hingabe, mit der Kinder schlafen können, ist etwas Besonderes. Stunde um Stunde rennen sie unermüdlich umher, und dann auf einmal, als hätte man einen Schalter umgelegt, fallen sie in den tiefsten Schlummer. Wenn meine kleinen Töchter auf diese Weise in Tiefschlaf sinken, ist die Welt um sie herum plötzlich nicht mehr vorhanden. Man kann sie ins Bett tragen, ohne dass sie sich auch nur rühren. So ist es, wenn man einschläft ohne einen Gedanken an den nächsten Tag zu verschwenden, ohne Sorge um Geld und Arbeit, wenn man buchstäblich im Stehen einschläft.

Siehe auch Wahrhaft wohlverdienter Schlaf, Seite 96

Wo hast du den Pyjama her?

Pyjamas sind ein bekleidungstechnisches Relikt der britischen Kolonialherrschaft über Indien und jahrhundertelanger europäischer Herrschaftsbestrebungen in Südostasien. Die Briten brachten so manches Wort aus Indien mit, zum Beispiel »Bungalow«, »Karavan« und »Guru«. »Pyjamas« waren Teil dieses kulturellen Gepäcks, sie beschrieben ein Gewand, das die Beine verhüllte. Ausgangs des 19. Jahrhunderts wurden diese neumodischen Kleidungsstücke als nächtliche Bekleidung für den Herrn die modische Alternative zum langen Nachtgewand. In den zwanziger Jahren begannen auch emanzipierte Frauen Pyjamas zu tragen und machten diese so für die Damenwelt populär.

Wie Pyjamas zu Beginn aufgenommen wurden, zeigt ein Blick in das von Henry Yule und A. C. Burnell herausgegebene (heute noch erhältliche) Standardwörterbuch anglo-indischer Begriffe *A Glossary of Anglo-Indian Words and Phrases* – besser bekannt als *Hobson-Jobson Dictionary* – aus der Zeit König Eduards zu werfen.

> Pyjammas, s. Hind. pāē-jāma (siehe JAMMA), wörtlich: »Beinkleid«. Ein Paar lose fallender Hosen oder Unterhosen, die an der Taille gebunden werden. Dieses Kleidungsstück wird in Indien von vielen Menschen getragen, zum Beispiel von Frauen verschiedener Kasten, Sikh-Männern und den meisten Mohammedanern beiderlei Geschlechts. Es wurde von den Europäern als Gewand der Intimsphäre und zur Nacht übernommen und ist gleichbedeutend mit langen Unterhosen.

Siehe auch Das unmännliche Kissen, Seite 33

Schlafwagen: Mörder auf roten Teppichen

Schon das Wort Schlafwagen muss man sich einmal auf der Zunge zergehen lassen. Es beschwört Erinnerungen an Werbeplakate aus den Dreißigern herauf: windschnittige Konturen und lebhafte Farben, ein Zug im Begriff, in die Nacht zu entschwinden. Riesige Dampfwolken ausstoßend durchquerten diese Züge ganze Kontinente, während mondäne Passagiere in seidenem Luxus ihre Cocktails schlürften. Hin und wieder wurde jemand von einem mysteriösen Doppelagenten erschossen, dem sich dann prompt eine Heerschar von eleganten Detektiven und Kriminalautoren an die Fersen heftete. Nachdem der Täter von einem Polizisten in schneidiger Uniform dingfest gemacht worden war, begaben sich alle auf einen gekühlten Longdrink zurück an die Bar.

Schlafwagenzüge haben ihren Ursprung in den Vereinigten Staaten. Der Bedarf daran war dort schon allein durch die Dauer vieler Reisen gegeben. Irgendwann später begann diesen nächtlichen Reisen dann ein romantisch-elegantes, beinahe abenteuerliches Image anzuhaften.

Schlafwagenzüge haben ihren Ursprung in den Vereinigten Staaten. Der Bedarf daran war dort schon allein durch die Dauer vieler Reisen gegeben. Irgendwann später begann diesen nächtlichen Reisen dann ein romantisch-elegantes, beinahe abenteuerliches Image anzuhaften. Hier wurden Fremde bunt zusammengewürfelt, manche versuchten die Gelegenheit zur Flucht zu nutzen, verschiedene Kulturen reisten Seite an Seite.

Das waren Züge, deren Namen ihrer Großartigkeit Rechnung trugen: Zwischen New York und Chicago verkehrte der luxuriöse *20th Century Limited*, der 1902 auf die

Schiene ging. Auf die aussteigenden Passagiere wartete ein roter Teppich. Nach dem Zug, der in den dreißiger Jahren im klassischen Art-déco-Stil umgebaut wurde, ist sogar ein Cocktail benannt. Es gab einen Friseur an Bord und einen Waggon, der als Hochzeitssuite genutzt werden konnte.

Wenn Sie an die überfüllten Abflugterminals, die langen Warteschlangen und die überall gleich aussehenden Läden unserer Flughäfen heute denken, halten diese dem Vergleich mit der Romantik einer Langstreckenreise mit der Bahn, auf der der schläfrige Reisende aus dem Fenster schauen und einen Blick auf russische Wälder oder die Gipfel der Pyrenäen erhaschen konnte, natürlich nicht stand. Vor dem Ersten Weltkrieg verließ der luxuriöse *Nord-Express* Paris und schlängelte sich quer über den europäischen Kontinent bis nach Sankt Petersburg, der *Süd-Express* dampfte von Paris gen Spanien und Portugal. Auf dem *Orient-Express* reisten Spione, Liebespaare und Millionäre von Paris nach Budapest und Wien und von dort aus zu den fernen Ufern des Schwarzen Meers. *Le Train Bleu* brachte Playboys und Blaustrümpfe in den zwanziger Jahren von Calais und Paris hinunter zu den Stränden und Hotels der Französischen Riviera.

In Großbritannien gibt es noch heute zwei Schlafwagenangebote: den *Caledonian Sleeper*, der zwischen London Euston und einer Reihe von schottischen Bahnstationen pendelt, und den *Night Riviera*, der zwischen London Paddington und Cornwall verkehrt.

Die Namen lassen an die Gedichte W. A. Audens denken *(Der Nachtzug* aus dem Jahre 1935, in dem es heißt »This ist the Night Mail crossing the border, Bringing the cheque and the postal order«), und die ihnen anhaftende Romantik bringt jene klassische Zwei-Fremde-im-Zug-Szene aus *Der unsichtbare Dritte* in Erinnerung, in der Cary Grant und Eva Marie Saint sich zum ersten Mal küssen.

Siehe auch Schäfchen zählen, Seite 180

Das unmännliche Kissen

Für einen Gegenstand von so ungeheurer Nützlichkeit wird dem Kopfkissen reichlich wenig Würdigung zuteil. Ja, genau genommen wurde es die längste Zeit eher mit Argwohn beäugt.

Diese kritische Haltung zum Kopfkissen hat eine lange Tradition. Der elisabethanische Dichter William Harrison geißelte die verzärtelten Männer um 1570 als derart verweichlicht, dass sie sich sogar Kissen unter ihre unmännlichen Häupter gelegt hätten. Zu Lebzeiten seines Vaters sei ein Kissen nur von gebärenden Frauen verwendet worden.

»Vergesst eure weibischen Kissen«, pflegte Harrison zu sagen. Als er ein Jüngling gewesen sei, hätten sich wahre Männer statt eines Kissens oder eines Nackenpolsters einen anständigen Baumstamm unter den Kopf gelegt. Dazu habe es Strohballen oder rohe Matten gegeben, die nur mit einem Laken bedeckt wurden, darüber grobes Bettzeug: Lumpen und Linnen. Habe er den Luxus eines Sacks Spreu unter dem Kopf genießen dürfen, habe er sich »so gut gebettet gefühlt, als sei er der Herr der Stadt«.

Monthy Pythons legendären Four-Yorkshiremen-Sketch vorausnehmend erklärt er mit deutlicher Früher-waren-

Es gibt Kopfkissen mit eingebauten Lautsprechern, duftende Kissen in Form von Früchten, ein Kissen, das das Geräusch eines schlagenden Herzens von sich gibt, und Kissen mit sanfter Beleuchtung im Inneren.

wir-arm-aber-glücklich-Attitüde, ein derart bescheidenes Leben finde sich im Norden noch immer, auch in manchen Teilen von Bedfordshire und »andernorts in einiger Entfernung von unseren südlichen Regionen«. All das sei der Fehler jener verweichlichten Südengländer, denen das entfernte Bedfordshire gefährlich polar vorkomme. Allerdings bedeutete, nebenbei bemerkt, die Redewendung »sich nach Bedfordshire begeben« im Volksmund jener Zeit »zu Bett gehen« – es kann also auch eine geografische Wortspielerei gewesen sein.

Eine andere Art von Ruhelager für den Kopf war das Nackenpolster, ein langes dünnes Kissen, das die gesamte Breite des Bettes einnehmen konnte. Noch vor nicht allzu langer Zeit ließ sich in altmodischen Häusern und Hotels in England hin und wieder eine solche, die ganze Bettbreite einnehmende Nackenrolle finden. In Anbetracht ihrer mangelnden Bequemlichkeit verwundert es jedoch kaum, dass sie vom individuellen Kopfkissen verdrängt wurde.

Im ostasiatischen Raum hat das Nackenpolster bis heute überlebt, dort fungiert es als beruhigender Trostspender vor allem für Kinder. In Japan gibt es das *dakimakura* (auf Deutsch so viel wie »Umarmungskissen«).

Ein *husband pillow* gibt es auch, es verfügt über stützende Arme – genau wie oder ganz anders als ein echter Ehemann, kommt drauf an, was Sie gewöhnt sind. Es gibt davon auch recht finster wirkende Exemplare mit Riesenhänden, die ein bisschen so aussehen, als habe man eine Zeichentrickfigur in eine Kissenhülle gesperrt. In Japan kann man überdies Schoßkissen kaufen, die aussehen, wie der Schoß einer kurvenreichen Dame. Womit sich weitere Worte erübrigen.

Daneben gibt es vollkommen abgedrehte Kissen mit allen möglichen Sorten von Gerätschaften darin: Kopfkissen mit eingebauten Lautsprechern, duftende Kissen in Form von Früchten, ein Kissen, das das Geräusch eines schlagenden Herzens von sich gibt, und Kissen mit sanfter Beleuchtung im Inneren.

Als Tribut an den Mafiaspruch, lieber nicht mit einem Pferdekopf im Bett aufwachen zu wollen (eingedenk der Sitte, Gegnern als Drohung den Kopf eines toten Pferdes ins Bett zu legen), gibt es sogar ein Kissen in Form eines Pferdekopfs – »gefüllt mit hypoallergenem Weichpolyester«. Möglicherweise handelt es sich dabei um eine Todesdrohung, aber wenigstens müssen Sie nicht niesen.

Kissenschlachten haben sich ebenfalls weiterentwickelt seit jenen anspruchslosen Tagen, da auf Betten hopsende Kinder sich auf diese Weise aneinander abgearbeitet haben. Sie sind zu einem seltsamen und offensichtlich ansteckenden über das Internet organisierten Happening geworden, bei dem sich »Flashmobs« zusammenfinden, um eine Riesenkissenschlacht auszufechten, sich dabei gegenseitig zu fotografieren und die Bilder ins Internet zu stellen. In Frankreich und der Schweiz gibt es eigene Clubs für Kissenschlachten, wo selbige unter dem exotischen Namen »la pillow-fight« firmieren. In Rom hat man Schlachten zwischen elegant gekleideten Gegnern in stimmungsvollem Schwarz-Weiß aufgenommen. Nur die Italiener bekommen es hin, eine Kissenschlacht wunderbar stilvoll aussehen zu lassen – jedes Federchen an seinem Platz.

Während man in Italien aus Kissenschlachten eine Kunst macht, wird in Kanada und den Vereinigten Staaten mit einer Kissenschlachtliga Geld verdient. Bei diesem Publikumssport lässt man Frauen mit Namen wie Olivia

Neutronen-Bombe und Dynah Mit gegeneinander antreten. Vor einer lärmenden Zuschauermenge verprügeln die Kämpferinnen einander voller Elan mit zwei Kopfkissen, bis eine von beiden zur Siegerin erklärt wird. Es gibt dabei übrigens mehr Tattoos zu bestaunen als beim Kameradschaftstreffen abgemusterter Seeleute.

Siehe auch Protest im Bett Seite 99

Wie man ein Bett bezieht

In England können Sie vermutlich alles, was Sie über Nachkriegsgeschichte wissen müssen, aus der jeweiligen Beschaffenheit des Bettzeugs ablesen.

Die Zeit der Entbehrung nach dem Krieg und die Swinging Sixties im Anschluss daran waren noch beherrscht von zwei Schichten aus kratzigen Bettlaken, Wolldecken und einem Überwurf. Bettenmachen war lästig und zeitaufwendig, eine Hausarbeit, die voraussetzte, dass jemand zu Hause war und diese Arbeit Morgen für Morgen in allen Schlafzimmern des Hauses übernahm.

Auftritt: das Deckbett. Es verströmte die exotische Aura von Ferien auf dem Kontinent und einer schönen neuen Welt des Komforts. In den Küchenschränken standen Fertigkartoffelbrei und Puddingpulver, im Schlafzimmer hielt das Deckbett Einzug. Kein mühseliges Lakengezupfe mehr – einfaches Aufschütteln und das Bett war wieder in Form. Das Schlafzimmer sollte nie mehr dasselbe sein.

Diese ersten Bettdecken warben mit modernen Materialien. Während Wolldecken aus altmodischer Schafwolle gewebt wurden, waren die neuen Oberbetten mit geheimnisvollen, nach neuesten wissenschaftlichen Erkenntnissen synthetisch gewonnenen Fasern gefüllt – Zeug, aus dem

36

man wahrscheinlich auch Astronautenunterwäsche herstellt. Die Tatsache, dass sie in der Nähe von Zigaretten leicht Feuer fingen, trug nur dazu bei, ihnen ein hemmungslos modernes Flair zu verleihen.

Deckbetten haben alle Vorgänger verdrängt und sind heute in der gesamten westlichen Hemisphäre das Bettzeug Nummer eins. Sie kamen, sahen und deckten. Der Nimbus eines Imports vom Kontinent kam ihnen abhanden; man bekommt sie heute gefüllt mit den verschiedensten Materialien.

Ein Problem aber ist bestehen geblieben. Wie bekommen Sie das Deckbett in den Bettbezug? Wie vermeiden Sie es, dabei wie ein betrunkener Matrose auszusehen, der mit einem Rahsegel kämpft?

z z z z z z z z z z z z z z z z z z z z z z z z z z z z z z z z z z z z z z z z z z z z z z z z z z z

Hier die Antwort: Drehen Sie den Bettbezug auf links und fahren Sie dann mit beiden Armen in die beiden am weitesten von Ihnen entfernten Ecken des umgedrehten Bezugs. Nehmen Sie diese in die Hand. Mit beiden Armen noch immer im Bezug, packen Sie nun die beiden Zipfel der Bettdecke (aus irgendwelchen Gründen sehe ich diese Ecken immer als Ohren). Jetzt beginnt der angenehme Teil. Sie halten die Zipfel weiter fest und schütteln nun die Decke samt Bezug heftig, sodass sich Letzterer allmählich mit der richtigen Seite nach außen über die Bettdecke entfaltet. Binnen kürzester Zeit haben Sie so den Bezug auf die Bettdecke gezogen.

So was sollte wirklich nicht so unverschämt viel Spaß machen.

Siehe auch Wie unsere Vorfahren schliefen, Seite 120

Morpheus als Filmstar:
die besten Filme zum Thema Schlaf

Einer Theorie zufolge besteht ein Teil der unbewussten Faszination, die von Filmen ausgeht, darin, dass das Anschauen so ähnlich ist wie Träumen. Der Zuschauer sitzt regungslos in einem dunklen Raum und verliert sich, völlig vereinnahmt von den Bildern auf der Leinwand und den Geräuschen aus den Lautsprechern, in der Erzählung.

Regisseure haben schon immer ein Faible für Traumsequenzen gehabt. Sie verwendeten sie als Mittel, um dem Gang der Erzählung in die Vergangenheit zu folgen oder etwas in Szene zu setzen, was in der Realität niemals passieren könnte. Schlafen und Träumen sind zum unverzichtbaren Bestandteil der Cineastensprache geworden.

Was also sind die besten Filme zum Thema Schlaf? Hier in zwangloser Folge zehn Filme mit einem Bezug zu Traum und Schlaf. Es handelt sich um eine willkürliche und ganz und gar unwissenschaftlich zusammengestellte Liste, ohne vorherige Gruppendiskussion oder Telefonumfragen. Und das ist auch gut so.

Tote schlafen fest

Dieser zigarettenrauchdurchwehte Filmklassiker aus dem Jahr 1946, mit Humphrey Bogart und Lauren Bacall in den Hauptrollen, ist einer der berühmtesten Detektivfilme aus dem Genre des Film Noir. Im Drehbuch geht es um Erpressung, schöne Frauen und Mord, und der Titel spiegelt eine der ältesten Bedeutungsverknüpfungen der Weltliteratur wieder: Schlaf und Tod. Er geht direkt zurück auf die griechische Mythologie, der zufolge der Gott des Todes und der Gott des Schlafes Zwillingsbrüder sind.

Und täglich grüßt das Murmeltier

Morgen für Morgen schaltet sich der Radiowecker zu immer genau derselben Zeit mit immer genau demselben Song (Sonny und Cher mit »I got you, Babe«) und genau demselben nervenden Spruch des Radiosprechers ein. Allein dieser Augenblick macht diese Filmkomödie von 1993 mit Bill Murray in der Hauptrolle zu einem genialen Schlaf-Film. In der Endlosschleife eines sich ewig wiederholenden Tages gefangen, gerät der knurrig-zynische Bill Murray widerstrebend auf den Pfad der Liebe. Ein Traum im Traum im Traum?

Belle de Jour – Schöne des Tages

Es wird behauptet, Sigmund Freud habe sich nur ein einziges Mal einen Film im Kino angesehen, einen nicht sehr guten Cowboyfilm. Aber das Drehbuch für *Belle de Jour*, 1967 von Luis Buñuel mit Catherine Deneuve in der Hauptrolle gedreht, hätte von ihm sein können. Es geht darin um die Erfüllung von sexuellen Phantasien, Träumen und Wünschen, Unterdrückung und Befreiung. Im Mittelpunkt der Story steht eine junge Ehefrau, die an den Nachmittagen als Prostituierte arbeitet. Sehr europäisch, sehr surreal.

Schneewittchen

Dieses Kinderepos aus dem Jahre 1937 um den Zauberschlaf einer Königstochter ist der älteste aller Zeichentrickfilme. Walt Disneys erster Streifen in Spielfilmlänge bewies, dass auch Cartoons an der Kinokasse punkten können, und widerlegte damit Mrs. Disneys Überzeugung, niemand werde »einen Penny zahlen, um sich einen Zwergenfilm anzuschauen«. Dieses Kunstwerk ist von phantastischem Detailreichtum und ungemein wohltuend – etwas ganz anderes als die heutigen computeranimierten Bilder. Adolf Hitler soll ein leidenschaftlicher Fan dieses Films gewesen sein. Man fragt sich nur, mit wem er sich wohl identifiziert hat.

Wayne's World 2

Der Jim-Morrison-Traum und die Idee, dass man in eine Traumsequenz gelangen kann, indem man wie eine Cartoonfigur mit den Armen wedelt, sorgen dafür, dass dieser Mike-Myers-Film aus dem Jahre 1993 als weiterer großer Beitrag zum Genre der Filme über den Schlaf gezählt werden muss. »Hat Jim Morrison dir Del Prestons exakte Adresse gegeben?« »Ja, er hat gesagt: ›London, England, exakt.‹«

Wilde Erdbeeren

Dieses schwedische Meisterwerk ist die Komposition aus einer Reihe von Träumen und Rückblenden, in denen ein alternder Professor auf sein Leben zurückblickt. Der Film, bei dem Ingmar Bergmann nicht nur Regie geführt, sondern auch das Drehbuch geschrieben hatte, kam 1957 in die Kinos. Übrigens sollte man die DVD-Hülle ruhig im Haus herumliegen lassen, das macht einen kultivierten Eindruck. Das Bonbon daran ist, dass es sich außerdem um einen echt guten Film handelt.

Verbrechen und andere Kleinigkeiten

Dieser Woody-Allen-Film aus dem Jahr 1989 ist ebenso grausam und düster wie komisch. Es handelt sich dabei weniger um ein Rühr- als um ein Schauerstück und fällt sehr viel deftiger aus als Allen-Fans es normalerweise erwarten würden. Aus zwei Gründen steht der Film auf dieser Liste: Einerseits fängt er das stürmisch-ruhelose Gefühl ein, nicht

schlafen zu können, andererseits gibt es darin eine Rückblende, in der die Hauptfigur in das Haus ihrer Kindheit
zurückversetzt wird, eine unverblümte Verneigung vor
Bergmanns *Wilden Erdbeeren*. Auch mit *Der Schläfer* hätte sich
Allen auf diese Liste setzen lassen können.

Monster-AG

Allabendlichen Kinderängsten vor irgendwelchen im Dunkeln lauernden Kreaturen wird hierin Leben eingehaucht,
doch am Ende wandeln sich die Protagonisten zu überaus
sympathischen Wesen. Schließlich handelt es sich nur um
ganz gewöhnliche Monster, die versuchen, ihren Lebensunterhalt zu bestreiten, Rechnungen zu bezahlen und ein
Höhlendach über dem Kopf zu haben. Wer immer sich im
Jahre 2001 einen DVD-Player zugelegt hat, wird fast unaus-
weichlich auch eine Kopie davon gekauft haben.

Vier Hochzeiten und ein Todesfall

Dieser Film enthält eine der besten Darstellungen jenes
Augenblicks, in dem man aufwacht und einem klar wird,
dass man für ein extrem wichtiges Ereignis, zu dem man
einen langen Anfahrtsweg hat, bereits viel zu spät dran ist.
Wenn es eine eigene Oscar-Kategorie für Filme über das
Verschlafen gäbe – und offen gestanden wäre die vermutlich
spannender als etliche der anderen Kategorien – hätte diese
Komödie aus dem Jahre 1994 mit einem ordentlichen Bravo
dazugehört. Nun ja, vielleicht nicht mit einem einstimmigen,
denn die Partridge-Familie hätte womöglich opponiert ...

Der Zauberer von Oz

Es gibt drei unwiderlegbare Gründe dafür, dass dieser Fan-
tasy-Klassiker aus dem Jahre 1939 auf die Liste gehört.

Zum einen ist das gesamte Märchenland Oz eine opulente Traumsequenz und so verrückt wie eine Schachtel bekiffter Frösche. Zweitens kann sich jeder, der schon einmal an einem heißen Nachmittag eingedöst ist, mit der Szene identifizieren, in der Dorothy in einem Feld voller Mohnblumen die Augen nicht mehr aufhalten kann. Sie trifft den verführerischen Drang einzuschlafen wirklich haargenau. Drittens ist er so oft im Fernsehen gesendet worden, dass das Angucken ein bisschen jenem Aufenthalt im Mohnfeld gleichkommt: Sie wissen, Sie sollten nicht einschlafen, aber es ist gerade so gemütlich ... das Nächste, was Sie wahrnehmen, sind haufenweise geflügelte Affen.

zzzzzzzzzzzzzzzzzzzzzzzzzzzzzzzzzzzzzzzzzzzzzzzzzzzzzzzzzzzzzzzzzzzzzzzzzz

Taxi Driver

Jawohl, das hier ist eine Top-Ten-Liste. Aber auf Platz elf folgt jener hundertmal gesehene, immer noch bis zum Morgengrauen wach haltende Klassiker mit Robert de Niro als schlaflosem Taxifahrer, der gierig nach mehr sucht als dem, was er auf den vermüllten Straßen von New York allnächtlich zu sehen bekommt. Das ist Schlaflosigkeit im Quadrat, Handlungsunfähigkeit und Verlorensein. Und vielleicht ist es Zufall, aber der Taxifahrer trägt den Namen einer anderen großen erschöpften, von Schlaflosigkeit gepeinigten Filmfigur, Travis, den von Harry Dean Stanton dargestellten verlorenen Bruder aus *Paris, Texas*. »Sie schlafen nicht viel, stimmt's?«

Und wenn diese Bestenliste hundert Filme umfasste, für *Schlaflos in Seattle* wäre kein Platz darauf.

Siehe auch Das Vergnügen, sich querzulegen Seite 148

Strubbelköpfe – Out-of-bed

Hierbei handelt es sich um den Fachbegriff für die zerzauste Wirrnis, die auf dem menschlichen Kopf herrscht, wenn man dessen Besitzer unsanft aus dem Bett aufgeschreckt hat. Das Haar sieht aus wie ein Weizenfeld, durch das ein Tornado gefegt ist. Alles, was aufrecht stehen sollte, liegt, alles, was liegen sollte, steht aufrecht. Ein solchermaßen unfrisierter Zustand ist häufig der äußere Ausdruck innerer Orientierungslosigkeit. In der Regel tritt er auf, wenn man verschlafen hat oder als Folge des »Wochenend-Jetlags«, eines Partygängerleidens nach größeren Festivitäten.

Später im Leben, wenn der Partygänger zum Elternteil geworden ist, wird er unter Umständen von einer körperlich sehr viel schmerzhafteren Variante des Strubbelkopfs heimgesucht, dem sogenannten Stockbett-Strubbelkopf. Zu dieser Verletzung kommt es, wenn Eltern ihren Kindern ein Stockbett kaufen. Vater oder Mutter beugen sich hinab, um ihren kleinen Liebling warm einzupacken, geben ihm einen Gutenachtkuss und richten sich dann in einem Zustand leichter Umnachtung ruckartig auf – wobei sie sich den Hinterkopf heftig und schmerzhaft am Stockbett anschlagen.

Diese elterliche Verletzung ist ähnlich häufig wie der »Rollerknöchel« – er entsteht, wenn Eltern den metallenen Roller ihrer Kinder am Lenker tragen und dabei vergessen, dass der freischwebende Rest des Geräts einen perfekten Halbkreis beschreibt, bei dem die scharfe Kante des Trittbretts gerne mit dem elterlichen Knöchel kollidiert. Ein weiteres Gesundheitsproblem in dieser Kategorie ist der »Legofuß«, bei dem der barfüßige Elternteil schlagartig den Verbleib des so sehr vermissten Bausteins entdeckt. Alle

Fälle sind von lauten Überraschungsbekundungen unter-
malt.

Siehe auch Wochenend-Jetlag, Seite 47

Eine kleine Schlafmusik – Schlafkonzerte

Wann immer ich mich im Kino niederlasse, kostet es mich
ungeheure Mühe, nicht in süßen Schlummer zu entglei-
ten – ich kann mich noch so sehr auf den Film gefreut haben.
Es ist warm, es ist dunkel, die Sessel sind tief und bequem,
niemand redet auf mich ein, das Handy ist ausgeschaltet –
die Bedingungen eignen sich in perfekter Weise für eine
Privatvorstellung von *Tote schlafen fest*. Nachdem sich die
Lider gesenkt haben, ist das Nächste, was Sie wahrnehmen,
ein Stoß in die Rippen, weil Sie begonnen haben, Schnarchlaute von sich zu geben, die nach einer Kettensäge in einem
Metallcontainer klingen.

Die stets kreativen Japaner haben sich etwas ausge-
dacht, das diesem Bedürfnis Rechnung trägt. Es handelt
sich um ein Schlafkonzert, allein dazu gedacht, gestressten
Angestellten eine salonfähige Gelegenheit zu verschaffen,
um ausgiebig die Augen zu schließen. Die Leute zahlen Ein-
tritt, machen es sich in ihren Sitzen gemütlich, lauschen der
Musik und tun ihr Bestes, um rasch einzuschlafen. Es gibt
ein paar tolle Fotos von langen Reihen dösender Konzert-
besucher, die hocherfreut über die soziale Erlaubnis sind,
sich auszuklinken und ein bisschen Schlaf nachzuholen.

Man hat diese Idee nach Spanien exportiert, in der dor-
tigen Variante wird der Zuhörerschaft »heilende Musik«
vorgespielt, und man ermuntert die Anwesenden, sich bei
erstbester Gelegenheit dem Schlaf hinzugeben. Die Musik
soll das Gefühl vermitteln, man blicke zum Sternenhimmel

empor oder höre das Rauschen des Windes. Wahrscheinlicher ist, dass das Klangbild etwas ganz anderes bewirkt,
nämlich das erleichterte Aufseufzen einer großen Schar
von Menschen, die nun guten Gewissens einschlafen dürfen, statt so tun zu müssen, als seien sie ganz fasziniert von
der Darbietung.

Es gibt CDs mit der Musik von solchen Schlafkonzerten,
doch ohne an einer phantastischen Idee kratzen zu wollen:
Wenn sie etwas taugen und funktionieren, wie sollen Sie
dann je herausbekommen, wie sie enden? Ist der Name
bei Titeln wie *Silence* wirklich Programm? Legt die Band,
wenn alle eingedöst sind, die Instrumente aus der Hand und
schlendert auf einen Drink zur Bar, um gen Ende, wenn alle
aufwachen und heimgehen müssen, für eine kurze Einlage
an die Mikros zurückzukehren? Woher wollen Sie wissen,
dass sie überhaupt gespielt hat?

Siehe auch Im Schlaf lernen, Seite 273

Bettentester, Spezialisten im Probeliegen

Die Gesäßbacken von Graham Butterfield sind mit einer
Million Pfund versichert. Es kann in Lancashire nicht viele
Großväter geben, auf die das zutrifft. Doch Mr. Butterfields
große Stärke ist, dass er extrem gut Betten testen kann. Er
arbeitet in der Bettenfabrik Silentnight in Barnoldswick, wo
sein sensibles Hinterteil die Qualität von Betten beurteilt.

Bettentester klingt nach einem jener märchenhaften
Schlendrianjobs wie Schokoladentester oder Händler für
Flaggen zum Krönungstag. Aber Mr. Butterfields Hinterteil hat eine wichtige Aufgabe zu erfüllen. »Es mag albern
klingen, aber mein Gesäß ist wirklich nicht wie das jedes
anderen«, erklärt der bettenhupfende Mr. Butterfield. Tex-

tur, Füllung, Härte und Stützvermögen – alles wird von seinem feinfühligen Testinstrument geprüft.

Betten testen ist etwas, das jeder von uns tun sollte, wenn er ein neues Bett ersteht, doch nach Angaben der britischen Organisation Sleep Council ist es vier von fünf Kunden zu peinlich, im Ausstellungsraum Probe zu liegen. Vier Millionen Betten werden jährlich in Großbritannien verkauft, die meisten davon jungfräulich unberührt.

Diese Scheu ist absolut unbegründet, erklärt Sleep Council, denn die Ausstellungsstücke sind vor Schmutz durch Kleidung oder Schuhen geschützt. Die Organisation empfiehlt auch, die Betten mit dem Schlafpartner zusammen auszuprobieren, und zwar jedes Bett mindestens fünfzehn Minuten. Das alles beginnt langsam ein bisschen unangenehm zu klingen. Sie brauchten Nerven wie Drahtseile, wenn Sie in einem stark frequentierten Ausstellungsraum eine ganze Viertelstunde lang still liegen wollten.

Auch was die richtige Festigkeit eines Bettes betrifft, hat Sleep Council einen Rat: »Schieben Sie, auf dem Rücken liegend, Ihre Hand unter Ihr Kreuz und versuchen Sie, sie hin und her zu bewegen. Geht das zu leicht, ist das Bett zu hart für Sie, haben Sie Mühe, sie zu bewegen, ist es zu weich. Können Sie die Hand gegen einen geringen Widerstand verschieben, dann ist das Bett genau richtig für Sie.«

Es gibt Freiwillige, die Hotelbetten testen – nicht auf Komfort, sondern auf Leistung der Sprungfedern. Jede Menge Internetseiten zeigen Fotos von Leuten, die rings um die Welt so etwas wie Trampolinspringen auf Hotelbetten veranstalten. Gelangweilte Geschäftsleute, hyperaktive Familien und energiegeladene Tagungsteilnehmer lassen sich ablichten, wie sie auf Hotelbetten herumhopsen, wobei meist nicht im klassischen Sinne auf und ab gehüpft, sondern in liegender Position auf und ab gefedert wird, so dass es aussieht, als schwebe der Betreffende über dem Bett, stehe in der Luft oder fliege wie Superman durch die Gegend.

Warum? Sie sind auf Ihr Zimmer gegangen. Sie haben den Fernseher, die Minibar und das Badezimmer begutachtet. Was können Sie sonst noch tun? Auf dem Bett hopsen. Getreu dem berühmten Ausspruch des Komikers Billy Connolly: »Trau niemals einem Mann, der sich nicht den Kaffeewärmer auf den Kopf setzt, wenn man ihn damit allein lässt.«

Siehe auch Protest im Bett, Seite 99

Wochenend-Jetlag

Rechnen Sie nicht mit Mitleid, denn er ist die Quittung für ein bisschen zu viel Spaß am Wochenende. Wenn sehr spätes Zubettgehen an Freitagen und Samstagen Ihren Schlafrhythmus durcheinandergebracht hat und Ihr Körper das Gefühl haben muss, das Wochenende in einer anderen Zeitzone verbracht zu haben, dann beschert Ihnen der Montagmorgen einen ordentlichen »Wochenend-Jetlag«. Der Wecker mag zwar klingeln, aber Ihr Körper weiß nicht, ob zum Frühstück oder zum Schlafengehen.

Vor allem betroffen sind hiervon junge Partygänger. Bei Teenagern besteht nämlich zudem das Problem, dass sie auch unter der Woche nicht ausreichend gesunden Schlaf bekommen. Man hat gelegentlich die Bezeichnung »Junkschlaf« benutzt, um den unruhigen, wenig erholsamen Schlaf von jungen Leuten zu beschreiben, die ihre Fernseher und Computerspiele nie abschalten mögen.

Eine Untersuchung der Organisation Sleep Council kam im Jahr 2007 zu dem Schluss, dass ein Viertel der britischen Teenager mindestens einmal pro Woche bei noch eingeschaltetem Musikplayer oder Fernsehgerät einschläft. Diese Jugendlichen, die mit fest umklammerter Fernbedienung oder iPod-Stöpseln im Ohr ins Bett gingen, waren am anderen Tag mit schöner Regelmäßigkeit unausgeschlafen und reizbar. So, wie sie im Gehen irgendeinen Imbiss in sich hineinfuttern, schnappen sich diese Jugendlichen auch hier und da ein paar Stunden Schlaf, bekommen aber nie genügend echte, nahrhafte Ruhe. Sie leiden unter Schlafmangelernährung.

Eine weitere Bedrohung für den Schlaf unserer Teenager ist das Übernachten bei Freunden. Treffender Begriff übrigens – hinterher sind alle übernächtigt – vor allem die gastgebende Familie …

Siehe auch Jetlag, Seite 217

Wiegenlieder

Schon der Name klingt tröstlich, ein Lied, das ein Baby in den Schlaf begleitet. Natürlich kommt es vor, dass das Baby nicht aufhört zu heulen und Sie in zunehmend hysterischer Tonlage singen, aber an dem Prinzip Schlaflied ist nichts auszusetzen. Die Wiederholung, der rhythmische Singsang und die Stimme von Vater oder Mutter schaffen eine anheimelnd-tröstliche Atmosphäre. In vielen Fällen empfinden die Klänge das Hin- und Herschwingen einer Wiege nach. Meist sind die Texte friedfertig und tröstlich, nur in manchen Fällen sind sie nicht ganz ohne:

Schlaf, Kindchen, schlafe!
Im Stalle steh'n zwei Schafe,
ein schwarzes und ein weißes,
und wenn das Kind nicht schlafen will,
dann kommt das schwarze und beißt es!

Eine andere (noch etwas grausamere) Variante lautet:

Maikäfer flieg!
Der Vater ist im Krieg.
Die Mutter ist in Pommerland,
Pommerland ist abgebrannt.
Maikäfer flieg!

Ein weiteres nicht eben friedfertiges, eher tarantinomäßiges
Gutenachtlied wäre das aus Mähren überlieferte »Schlaf,
Kindchen, süße«, dessen zweite Strophe lautet:

Schlaf, Kindlein, lange,
der Tod sitzt auf der Stange,
er hat einen gelben Schlitten mit
und nimmt die bösen Kinder mit.

Oder aus »Still, still, die Sonn entweichen will«:

Still! Still! Still! Halt ein dein Saithenspiel
willst aber du nicht schlafen
ergreift man andre Waffen.
Still! Still! Still! Sonst giebt man Schläg dir viel.

Wiegenlieder bedienen sich häufig vieler erfundener Worte,
die, vielfach wiederholt, dazu beitragen, eine Schlaf för-

dernde Atmosphäre zu schaffen. Es ist nicht leicht, sie zu singen, ohne wie ein Moderator aus dem Kinderfernsehen der sechziger Jahre zu klingen, dessen schneidender Akzent den Wunsch nach Schutzkleidung erweckt.

Diesen einfachen Reimen haftet jedoch etwas zutiefst Beruhigendes an, etwas Hypnotisches, das uns an unsere eigene Kindheit erinnert, etwas, das eher mit Stimmung und Gefühlen zu tun hat, denn mit Bedeutung.

Aba haidschi bumbaidschi schlaf süße ...

Wen interessiert, was das bedeutet, es klingt einfach toll.
Und viele Wiegenlieder nehmen kein Ende, haben unzählige Strophen. Hier eines aus dem 18. Jahrhundert:

Der Abend ist gekommen, das Glöcklein ruft zur Ruh,
der Hirte mit den Schäflein zieht froh dem Dorfe zu.

Und weiter und weiter. Worte von fließender Honigsüße ...

Das Vöglein in dem Walde schlüpft müde in sein Nest,
das Kindlein in der Wiegen, das schläft schon süß und fest.

Wiegenlieder gibt es in jeder Kultur, und gegenwärtig läuft ein von der EU gefördertes Projekt, in dem Wiegenlieder aus ganz Europa als eigene Folkloregattung zusammengetragen werden (Titel: *Languages from the Cradle*, zu finden unter www.lullabiesofeurope.wetpaint.com). Ein rascher Blick auf einige der Titel spricht sehr für die Theorie, dass Wiegenlieder – ein bisschen wie die Beiträge zum Eurovision Song Contest – mehr auf Klang als auf Bedeutung setzen. Eines der rumänischen Lieder heißt »Haia Haia,

Mica Baia«, die Griechen bieten »Nani Mine, Nani Nani«, die Tschechen singen »Spi, Janíčku, spi« oder »Halaj, belaj, malučký«, der türkische Beitrag heißt »Dandini Dandini Dastana«, und aus Großbritannien tönt es »Twinkle, Twinkle, Little Star«.

In Großbritannien lassen sich Wiegenlieder bis ins Mittelalter zurückverfolgen. Manchmal handelte es sich um eine Art Weihnachtslied, ein Gutenachtlied, dem Jesuskind an der Krippe zu singen. Zum Beispiel das alte Wiegenlied »Joseph, lieber Joseph mein«, das im 14. Jahrhundert bei Krippenspielen als Lied der Jungfrau Maria gesungen wurde. Die uns heute bekannte Musik dazu stammt aber erst aus dem 17. Jahrhundert.

Doch die Praxis des Wiegenliedsingens geht noch um einiges weiter zurück. Schon vor über 4000 Jahren kannten die Sumerer ein Wiegenlied, das uns noch heute vertraut klingt – der ewige Wunsch der Eltern, ihr Kind möge doch einschlafen, auf dass sie selbst Schlaf fänden. Genau das ist es, was Schlaf quer durch alle Zeiten und Kulturen zu einer so universellen Erfahrung macht.

Komm, Schlaf, komm, Schlaf,
Komm zu meinem Sohn.
Schlaf, eil zu meinem Sohn,
Schließ seine offnen Augen,
Leg die Hand auf seinen Blick,
Auf seine plappernde Zunge auch,
Lass das Geschwätz seinen Schlaf nicht stören.

Siehe auch Im Schlaf lernen, Seite 273

Samuel Pepys ist vermutlich der einzige Tagebuchschreiber, der seine Einträge in schöner Regelmäßigkeit mit dem persönlichen Wahlspruch: »…und dann zu Bett« beschlossen hat. Dieser Chronist des Londoner Alltagslebens um 1660 liebte sein Bett über alle Maßen. Nach den langen Schilderungen seines Tagwerks und der Menschen, die ihm begegnet waren, folgt wieder und wieder dasselbe Motiv: der Beschluss des Tages mit Abendessen und Zubettgehen.

Pepys Sinn für Details liefert uns einen Bericht aus erster Hand, wie unsere Vorfahren zur Zeit der Stuarts geschlafen haben. Jedem, der häufig zu lange arbeitet und zu wenig schläft, wird seine Darstellung überraschend vertraut vorkommen. Er beschwert sich bitter, wenn er um sechs Uhr morgens aufstehen muss, um einer Konferenz um sieben beizuwohnen, und er berichtet, dass seine Frau nie vor ein Uhr nachts zu Bett gehe, oder darüber, wie spät er in die Federn komme, wenn er zu lange bei seiner Arbeit im Marineamt (das er übrigens immer »das Amt« nennt) verbringe. Am 19. Juni 1665 schreibt er: »Dann also nach Hause und zu Abend gegessen, ein Weilchen ins Arbeitszimmer, Kopf und Geist mächtig in Rage ob der Menge an Papieren und Geschäften, die vor mir liegen, und der wenigen Zeit, die mir dafür bleibt. Dann ins Bett.« Wenn sich die Gelegenheit bot, gönnte er sich, ausgiebig auszuschlafen, um sich zu erholen. »Lag lange im Bett«, beginnt er seinen Eintrag für den 10. Juni 1665, und endet: »…und dann nach Hause zu Bett, beunruhigt über die Seuche und mein Kopf voll von anderen Dingen und besonders, wie ich Vermögen und Besitz ordnen soll, falls es Gott gefallen sollte, mich abzuberufen, was Gott zu seinem Ruhme lenken möge!« An Sonntagen blieben Mr. und Mrs. Pepys durchaus bis zehn oder elf Uhr im Bett.

Zubettgehen war nicht immer eine reine Privatangelegenheit. War Pepys auf Reisen, musste er hin und wieder das Zimmer mit jemand anderem teilen, und wenn ein unverheiratetes Paar über Nacht blieb, schlief Samuel mit dem Mann in einem Bett, während seine Frau Elisabeth bei dem weiblichen Gast nächtigte.

Pepys zeichnete seine Gedanken in einer besonderen Form von Kurzschrift auf, und je delikater das Thema des Eintrags – beispielsweise mit einem Zimmermädchen in besonders kompromittierender Pose erwischt worden zu sein –, desto kunstvoller verschlüsselt der Code, dessen er sich beim Schreiben bediente. Abgesehen davon, dass er damit seine Gedanken nur indirekt preisgibt, hat man den Eindruck, er vermeide es auch, unverblümt über etwas zu schreiben, das ihm peinlich war. Er verwendet bunt gemixt mal französische, mal spanische und italienische Brocken, dann wieder seinen eigenen Code. Am 16.1.1664 heißt es: »Mit dem Boot nach Westminster Hall zu Mrs. Lane, und *de là elle* und ich ins *cabaret* bei der *cloche* in der *rue du roy*. Nachdem ich sie eine Weile befingert hatte, *je l'ay foutée de la chaise deux* Male, das zweite Mal mit dem größten Vergnügen.« Ein häufig von ihm verwendetes Code-Wort ist »cosa« – das italienische Wort für »Ding« oder »Gegenstand«. Er berichtet, eine Freundin habe »tocar mi cosa con suo mano«, wobei er sich häufig besorgt über sein Verlangen, seine erotischen Begegnungen und seine Angst betreffs deren Aufdeckung auslässt.

Die Sprache, in der er schreibt, hat etwas von Schuljungenprosa. »Abends im Bett amüsierte ich mich (Gott möge es mir verzeihen) in Gedanken mit der jungen Señora, die heute mit uns zu Mittag aß.«

Oder im folgenden Jahr: »Ging zu Mylord, traf aber niemanden an außer einer Frau, die mich einließ, und die Haushälterin Sarah im Obergeschoss. Ich ging zu ihr hinauf und schwatzte und scherzte mit ihr und – Gott verzeih mir – befingerte sie, worüber ich sehr beschämt bin. Mehr tat ich jedoch nicht, obwohl ich so erregt war, dass es mir in die Hose ging.«

Solche Eskapaden waren jedoch nicht immer nur Sex am Wegesrand, sondern oftmals ziemlich kalkuliert. Pepys arbeitete in der Verwaltung des Marineamts, und er verbrachte einen ordentlichen Teil seiner Zeit mit den Ehemännern seiner Geliebten und half diesen, Karriere zu machen. Besonders hilfreich war er, wenn es darum ging, den Gatten Jobs zu verschaffen, zu denen lange Seereisen nötig waren …

Doch zurück zum Bett. Pepys machte keinen Hehl daraus, dass es zwei Dinge im Leben gab, denen er nicht widerstehen konnte: Frauen und Musik. Wenn er sich zum Hof begab, beäugte er voller Leidenschaft die Schönen des Tages, beobachtete den Pfauenstolz des Restaurationsadels und seiner Schmeichler. Diese Geliebten und Günstlinge von Charles II wurden von Pepys nicht nur in dessen Tagebuch verewigt, sondern sie bevölkerten auch seine Träume, denn Pepys war, was Frauen anbelangte, ein leidenschaftlicher Träumer. Im Schlaf konnte er seinem »Sport« ohne jedes Schuldgefühl und ohne Angst, erwischt zu werden, frönen, und dies sogar mit so mächtigen Gestalten wie der Geliebten des Königs, Lady Castlemaine:

Um vier Uhr früh aufgestanden und zu Fuß nach Greenwich. Mir fiel dabei der Traum der letzten Nacht wieder ein, der wohl schönste, den ich je hatte. Ich träumte, ich hätte Lady Castlemaine in Armen und dürfte mit ihr tun, was ich wollte, und dann träumte ich, dass es unmöglich war, sondern nur ein Traum sein konnte. Aber da es nur ein Traum war und ich dennoch so viel echtes Vergnügen verspürte, wie großartig wäre es erst, könnten wir in unserem Grab träumen (wie auch Shakespeare sagt), und zwar solche Träume wie die meinen – weil wir dann den Tod nicht so zu fürchten brauchten wie in dieser Zeit der Pest.

Samuel Pepys, der Aufsteiger mit der pfiffigen Beobachtungsgabe, berichtete auch, er »treibe es in [s]einer Phantasie« mit der Königin und mit Frances Stuart, jener großen Schönheit, die sich dem offensiven Charme von Charles II entzog.

Was aber war mit Mrs. Pepys? Was empfand sie, wenn sie über seine notorischen Anfälle von Untreue und seinen ungezügelte Lüsternheit stolperte? Mit entsprechender Heuchelei gab Pepys sich seinerseits äußerst eifersüchtig, wenn seine Frau Zeit mit ihrem Tanzlehrer zubrachte, und lauschte aufmerksam, ob die Füße im oberen Stockwerk über ihm auch gehörig in Bewegung waren.

Treffenderweise wählte Mrs. Pepys, als sie beschloss, eine ihrer Zwistigkeiten über sein hemmungsloses Fremdgehen auf die Spitze zu treiben, einen Zeitpunkt, an dem sich ihr Mann an seinem Lieblingsort befand – in seinem Bett. Um ein Uhr morgens riss sie voller Wut die Vorhänge beiseite, wobei sie eine rot glühende Feuerzange schwang. Man muss nicht lange rätseln, was sie damit vorhatte. Sie schafften es jedoch, sich zu versöhnen, und ein paar Tage später gingen sie zusammen ins Theater, wo passenderweise *Der Sturm* gegeben wurde. Pepys Erleichterung ist seinem Tagebucheintrag deutlich anzumerken: »Beim Nachhause-kommen waren wir die besten Freunde, dann gelesen, zu Abend gegessen und dann ins Bett.«

Nicht lange nach diesem Eintrag hörte Pepys auf, Tagebuch zu führen, und der penibel notierten Details aus seinem Alltagsleben ist ein Ende. Man hat jedoch nach-geforscht, was weiter geschah. Bei dem großen Krach, der mit Mrs. Pepys Drohung endete, ihn mit der Feuerzange zu entmannen, war es um ein Mädchen namens Debs gegangen – ein Dienstmädchen, das mit vollem Namen Deborah Willet hieß. Debs, von der Pepys anscheinend einigermaßen besessen gewesen war, wurde gefeuert. Jahre später trat Debs jedoch an den inzwischen sehr viel einflussreicher gewordenen Samuel Pepys heran und ver-langte von ihm, er solle ihrer Familie helfen. Er war ihr natürlich nur zu gerne zu Gefallen. Debs hatte einen Theo-logen geheiratet, und Pepys, der nicht weit entfernt von den beiden in London lebte, fand eine geeignete Stellung für diesen – als Marinekaplan; was leider hieß, dass der Gute einen Großteil des Jahres würde auf See verbringen müssen.

Andy Warhols Fünf-Stunden-Film »Schlaf«

Da gibt es im Kino diesen scheußlichen Augenblick der Erkenntnis, in dem Ihnen aufgeht, dass der Film sehr viel länger gehen wird als erwartet. Sie fangen an, auf die Uhr zu gucken und auf dem Sitz herumzurutschen ... wird alles geschlossen haben, wenn Sie da rauskommen? Vielleicht sollten Sie sich vor dem Ende hinausstehlen.

Was halten Sie denn dann von einem Film, der fünf Stunden und 21 Minuten läuft und in dem rein gar nichts passiert? Niemand sagt auch nur ein Wort. Und das Ganze obendrein noch in Schwarz-Weiß?

Um ein Haar wäre er sogar noch länger geworden. Als die Idee geboren wurde, hatte der Künstler Andy Warhol einen Film im Sinn gehabt, der einen nächtlichen Schlummer in Echtzeit wiedergeben sollte. Er hätte acht Stunden dauern und nichts weiter zeigen sollen als den Anblick und die Geräusche eines Schlafenden – eine Stunde nach der anderen.

Die ursprüngliche Idee zu dem Projekt sah vor, Brigitte Bardot für die Hauptrolle zu verpflichten, am Ende aber lief es auf den Dichter John Giorno hinaus, der sich im Sommer 1963 mit nur einer einzigen Stativkamera beim Schlafen filmen ließ. *Sleep* kam im Januar 1964 in die Kinos.

Seine Uraufführung in New York besuchten nur neun Zuschauer, zwei davon gingen nach einer Stunde wieder. Als er in Los Angeles gezeigt wurde, saßen fünfhundert Leute im Publikum, und fünfzig davon blieben bis zum Schluss wach. Berichten zufolge soll nach einer Stunde, in der so gut wie nichts geschehen war, jemand voller Verzweiflung aus seinem Sitz aufgesprungen und zur Leinwand gerannt sein, um in das Riesenohr des Schlafenden »Wach auf!« zu brüllen. Im weiteren Verlauf des Films sollen Leute gedroht haben, dass sie das Kino in

57

seine Einzelteile zerlegen würden, wenn sie ihr Geld nicht zurückbekämen.

Warum sollte jemand einen solchen Film drehen wollen? Warhol erklärte, er habe den Schlaf mit der Kamera einfangen wollen, bevor dieser »überholt« sein würde.

> Ich habe nie endgültig herausfinden können, ob in den Sechzigern mehr Dinge passiert sind, weil es mehr wache Momente gab, in denen sie geschehen konnten (weil so viele Leute auf Amphetaminen waren), oder ob die Leute angefangen haben, Amphetamine zu nehmen, weil es so viele Dinge zu tun gab, dass sie mehr wache Momente brauchten, um sie zu tun … Jeden zu jeder Zeit derart aufgekratzt zu sehen, brachte mich auf den Gedanken, dass Schlaf im Begriff war, allmählich aus der Mode zu kommen, also beschloss ich, lieber rasch noch einen Film über einen schlafenden Menschen zu drehen.

Siehe auch Surrealismus und Träume, Seite 257

Wo liegt das Land Nod?

Dieser Frage haftet etwas Dunkles, Blutbeflecktes an: Das Land Nod ist der in der Bibel beschriebene Ort, an den Kain floh, nachdem er seinen Bruder Abel erschlagen hatte. »Östlich von Eden« soll es gelegen haben, ein Umstand, der sowohl dem Roman von John Steinbeck als auch dem zugehörigen Film mit James Dean seinen Namen gab: *East of Eden*, eingedeutscht zu *Jenseits von Eden*.

Als humorvolle Wendung im Zusammenhang mit Schlaf ist diese Formulierung erstmals verbürgt von dem Satiriker

Jonathan Swift. In seiner Aufsatzsammlung *Compleat Collection of Genteel and Ingenious Conversations* (1738) amüsiert Swift seine Leser mit dem Satz: »Ich begebe mich ins Land Nod, …ich gehe nach Bedfordshire.« In der Bibel handelt es sich beim Land Nod um einen wüsten und unwirtlichen Ort für den Wanderer, doch Swift kolonialisiert ihn zu einem angenehmen Reich des Schlafes. Er spielt im Folgenden noch mit dem Wort »nicken« (englisch *nod*) – das im Sinne von »einnicken« beschreibt, wie der Kopf eines müden Zeitgenossen schläfrig hinuntersinkt.

zzzzzzzzzzzzzzzzzzzzzzzzzzzzzzzzzzzzzzzzzzzzzzzzzzzzzzzzzzzz

Im 19. Jahrhundert war das Land Nod fester Teil der Kindersprache, was Robert Louis Stevenson zu dem Kinderreim veranlasste: »Vom Frühstück durch den ganzen Tag/ich mit den Freunden spielen mag/doch Nacht für Nacht steig ich ins Boot/und segle in das ferne Nod.« Kein Gedanke an Brudermord. Das Land Nod war zum integralen Bestandteil der viktorianischen Schaflandschaft geworden – zusammen mit langen Nachthemden und zipfligen Schlafmützen. Das war die Welt, der Wee Willie Winkie, Held einer schottischen Kinderballade aus der Mitte des 19. Jahrhunderts, entsprungen sein mag.

Es gibt noch ein weiteres, reales Nod, einen Ort in East Yorkshire. Dort können Sie sich neben einem Straßenschild ablichten lassen, das in seine Richtung weist. Allerdings darf man dabei nicht vergessen, dass Yorkshire sich wohl wirklich auf verdrehte Namen spezialisiert hat. Es gibt dort Orte wie Giggleswick und Wigglesworth, Otterburn und Hawkswick.

Siehe auch Einfach eingenickt…, Seite 137

Und wenn sie nicht gestorben sind …

Schlaf hat etwas Zauberhaftes und einigermaßen Unheimliches. Der Schlafende ist zugegen, gleichzeitig aber abwesend. Beides kann am selben Ort geschehen: Er liegt geistesabwesend in seinem Bett und befindet sich gleichzeitig in einer Welt, die niemand sonst sehen kann. Es verwundert daher nicht, dass Schlafen und Träumen in Märchen und Legenden zu immer wiederkehrenden Motiven geworden sind. Schauen Sie sich einen Schlafenden an, und es wird Ihnen nicht schwerfallen, Schlaf als verzauberten Zustand zu sehen, der den Schlafenden in geheimnisvoller Umklammerung hält.

Dornröschen, eine Geschichte, die ihre Wurzeln im europäischen Mittelalter wenn nicht gar noch früher hat, weist die klassische Märchenmixtur aus bedrohter Unschuld, Romantik, Gewalt, Rettung und Erlösung auf. Es handelt sich dabei um einen Universalmythos, den zu deuten niemand widerstehen kann, heiße er nun Walt Disney oder Sigmund Freud. Wie alle Märchen ist er von einer traumähnlich-bizarren Unwirklichkeit. Eine wunderschöne junge Prinzessin verbringt ihr Leben unter dem Damoklesschwert eines Fluches, dem sie letztlich anheimfällt. Das Mädchen sinkt in einen hundert Jahre währenden Schlaf, und alle Höflinge und Wachen um das schöne Kind herum mit ihm, das Ganze weit weg in einem Schloss versteckt, das immer dichter von einer Dornenhecke eingeschlossen wird. Gerettet wird die Prinzessin von einem heldenhaften Prinzen, der diesen Dornenwald durchdringt, obwohl er von den vielen Jünglingen gehört hat, die dort schon »eines jämmerlichen Todes« gestorben sind, und obwohl er entsetzt ist über den Anblick der vielen leblosen Körper im Schloss. Wie in jedem ordentlichen Märchen ist auch hier die Dunkelheit kurz vor Tagesanbruch am tiefsten. Dem Prinzen wird bald klar, dass diese Leute nicht tot sind, und als er das schöne schlafende Kind küsst, bricht er den Fluch.

Die Erzählung wurde erstmals Ende des 17. Jahrhunderts im Rahmen einer Märchensammlung des französischen Schriftstellers Charles Perrault einem breiteren Publikum zugänglich. In seiner Version gibt es eine sogar noch wildere Wendung, denn das gerettete Mädchen heiratet den Prinzen, und bekommt mit ihm zwei Kinder. Der Prinz hält die Sache zunächst geheim, bringt Dornröschen aber letztlich doch in sein Schloss. Die Mutter des Prinzen ist eine böse alte Königin, die in seiner Abwesenheit alles daransetzt, Dornröschens Kinder und auch sie selbst zu fressen. Zum Glück erscheint der Prinz aber ein weiteres Mal zur rechten Zeit. Irgendwie hat es die Kannibalennummer nicht in den Disney-Film geschafft.

Es wirkt wie der verrückteste Traum, der je geträumt wurde – Zwergenhäuschen, Glassärge und Zauberschlaf. Aber er ist und bleibt von zeitloser Anziehungskraft für Filmschaffende aller Art.

Für Psychologen und Psychoanalytiker sind solche Geschichten ein Goldschatz. Der Zauberschlaf wurde interpretiert als Symbol für latent schlummernde Sexualität – eine junge Frau ohne Regung und sprachlos hinter einer Hecke aus Dornen gefangen, bis endlich ein Partner kommt und ihr langes Warten beendet. In Perraults Version muss sich der Prinz auch nicht gewaltsam den Weg durch die Dornenhecke schlagen, sondern diese teilt sich von selbst, um ihn durchzulassen.

Auch Schneewittchen ist ein schönes Mädchen, das zu langem Schlaf gezwungen wird. Eine eifersüchtige böse

Stiefmutter gibt ihr einen vergifteten Apfel, der es in einen tiefen Schlaf fallen lässt. Den todtraurigen sieben Zwergen bricht schier das Herz, und sie legen Schneewittchen in einen Glassarg. Dort verharrt es in tiefem Schlummer, bis ein vorbeikommender Prinz sich in die Schöne verliebt und sie zum Leben erweckt. In der Originalversion wird die böse Königin gezwungen, zur Strafe ein paar rot glühende Eisenschuhe anzuziehen.

Es wirkt wie der verrückteste Traum, der je geträumt wurde – Zwergenhäuschen, Glassärge und Zauberschlaf. Aber er ist und bleibt von zeitloser Anziehungskraft für Filmschaffende aller Art. Lange vor Disneys Zeichentrickfilm gab es eine Stummfilmversion. Können Sie sich vorstellen, wie halluzinogen die gewirkt haben muss?

In Märchen scheinen Menschen generell nicht lange wach bleiben zu können. Goldlöckchen marschiert in ein Haus, das einer Bärenfamilie gehört, und fünf Minuten später legt es sich hin und schläft ein. Nur die rasche Flucht rettet es vor dem Zorn der heimkehrenden Hausbesitzer.

Auch in *Rotkäppchen* spielt das Bett eine wichtige Rolle. Hier versucht der böse Wolf, die Oma-im-Bett-Situation auszunutzen, um sein Opfer zu erlegen. Dies wurde ebenfalls interpretiert als die Geschichte vom sexuellen Erblühen eines Mädchens; das Bett steht hier symbolisch für den Ort, an dem es seine Identität wechselt und zu einer erwachsenen Frau wird.

Der Wolf hat sich, soweit man hört, nicht über die knubbelige Beschaffenheit des Bettes beklagt, die *Prinzessin auf der Erbse* hingegen hatte eine sehr viel sensiblere Haltung zu ihrer Schlafstätte. Man legte eine Erbse unter zwanzig Matratzen und zwanzig Daunenbetten, aber die Prinzessin war eine Schlafende von so empfindsamem

Geblüt, dass diese eine Hülsenfrucht ausreichte, sie die ganze Nacht wach zu halten. Nach einer Logik, die nur in Träumen und Märchen plausibel erscheint, macht dieser von einer Erbse gestörte Schlaf die Prinzessin für den Prinzen ganz und gar unwiderstehlich, und er bittet sie auf der Stelle, seine Frau zu werden. Von einem so kleinen Gemüse wach gehalten zu werden, war für ihn offenbar ein unfehlbares Zeichen für höchste Empfindsamkeit. Die Prinzessin hatte den Schlaftest bestanden. Sie hat vermutlich eine Leiter gebraucht, um auf ihren Matratzenturm zu gelangen, und fürderhin neben ihr zu schlafen, wird die Hölle gewesen sein, aber an ihrer königlichen Herkunft konnte es keinerlei Zweifel geben.

Für alle hier genannten Prinzessinnen gab es ein märchenhaftes Ende: Und von da an schliefen sie glücklich und zufrieden bis an ihr Lebensende. Und wenn sie nicht gestorben sind, dann schlafen sie noch heute.

Siehe auch Freud und Jung, Seite 247

Der beste Witz zum Thema Schlaf

Wie viele Stunden erholsamen Schlafes wurden wohl schon vertan, um zu schauen, wer die Nummer eins auf irgendeiner Fernsehhitliste der besten Fünfzig ist – nur um am Ende von der Entscheidung komplett enttäuscht zu sein? Sie gehen Stunden später zu Bett, als Sie eigentlich wollten, und fühlen sich am Ende betrogen. Also werde ich keine Umwege machen, und Ihnen einmal ohne viel Drumherum eine Nummer eins nennen: Hier ist der beste Witz aller Zeiten zum Thema Schlaf, zugeschrieben wird er dem Entertainer Bob Monkhouse. Kein Kommentar, keine Erläuterungen:

Ich möchte gerne friedlich im Schlaf sterben wie mein Vater. Nicht schreiend und in panischer Angst wie seine Passagiere.

Siehe auch Schlaf und Tod, Seite 276

Besinger des Schlafes

Wenn es beim Thema Schlaf Dichterfürsten gäbe, würde John Keats ganz vorne in der Schlange vor sich hin dösen. Er, ein führender Kopf der englischen Romantik, war mit schlechter Gesundheit, einem wenig glücklichen Privatleben und heftigen Angriffen seiner Kritiker geschlagen. Um den perfekten Lebenslauf eines Dichters voll zu machen, starb er Mitte zwanzig in Rom.

Doch Keats liebte den Schlaf und hinterließ höchst blütenreiche Beschreibungen seiner Empfindungen beim Einschlafen. Der sanfte Klang dieser Worte von schlaftrunkener, hypnotischer Sanftheit ist ein Genuss besonderer Güte. Lehnen Sie sich zurück und lassen Sie sich einlullen:

An den Schlaf
Du Balsamträger stiller Mitternacht.
Mit zartem Finger schließest du bereit
Mein dämmersüchtig Aug, vorm Licht bewacht,
Im Schatten göttlicher Vergessenheit.

Sanftester Schlaf! Beliebt dirs, schließe schon
Vor Reimschluss noch die willigen Augen mir;
Wo nicht: erwart, eh um mein Pfuhl dein Mohn
Einlullend Gaben streut, das Amen hier!

Du schütz mich dann: der Tag, der abklang, scheint
Sonst auf mein Kissen, um mit Weh zu drohn.
Bewahr mich vorm Gewissen, das mich quält,
Wühlt's wie ein Maulwurf sich ins Dunkel ein;
Den Schlüssel dreh im Schloss rum, wohl geölt,
und sanft verriegle meiner Seele Schrein.

Auch Shakespeare kann für sich in Anspruch nehmen, in
puncto Schlaf Anwärter auf den Titel eines Dichterfürsten
zu sein, wie die vertrauten Zeilen aus *Der Sturm* belegen:

… Wir sind solcher Zeug
Wie der zu Träumen, und dies kleine Leben
Umfasst ein Schlaf…

Oder in *Macbeth*, dem wohl bekanntesten Stück über Schlaflosigkeit:

Mir war als rief es: Schlaft nicht mehr, Macbeth
Mordet den Schlaf! – Ihn, den unschuldgen Schlaf;
Schlaf, der des Grams verworrn Gespinst entwirrt,
Den Tod von jedem Lebenstag, das Bad
Der wunden Müh, den Balsam kranker Seelen,
Den zweiten Gang im Gastmahl der Natur,
Das nährendste Gericht beim Fest des Lebens.

Auch in Shakespeares Sonetten kommt der Schlaf vor:

Der Mühen müd, werf ich aufs Bett mich nieder.
Doch hat der Leib sein Tagewerk getan
Und finden Ruh die wandermatten Glieder,
Dann fängt mein armer Geist zu wandern an;

Er will auf Pilgerfahrt, er ist bereit;
Dir fern, zieht es ihn hin zu dir geschwind;
Die schweren Lieder bleiben offen weit,
Nur Dunkel sieht mein Aug, als wär ich blind.
Doch da erscheint vor meiner Seele Schaun,
Vor meinem blinden Schaun wie ein Juwel
Dein Schatten mir im nächtlich schwarzen Graun;
Sieh doch, wie tags mein Leib und nachts mein Geist
Um dich und mich sich martert und zerreißt.

In einer langen kalten Nacht oder auf einer langen
beschwerlichen Reise wird Schlaf zum Inbegriff des Trostes, zur Sehnsucht nach einem Platz am Feuer. Diese Stimmung fängt Robert Frosts Gedicht »Bei Wäldern an einem Schneeabend« wunderbar ein:

Anheimelnd, dunkel, tief die Wälder, die ich traf.
Doch noch nicht eingelöst, was ich versprach.
Und Meilen, Meilen noch vorm Schlaf.
Und Meilen Wegs noch bis zum Schlaf.

Man spürt förmlich, wie sich die Augenlider mitfühlend
senken wollen. Sucht man eine wundervoll nostalgische
Darstellung von Schläfrigkeit, die in ergreifender Weise
jenes zutiefst angenehme Gefühl des Loslassens beschreibt,
lohnt es sich, wieder einmal Jerome K. Jeromes *Drei Mann
in einem Boot* (1889) hervorzuholen:

Harris sagte, George solle besser nichts tun, was ihn
noch verschlafener machen würde, als er sowieso
schon sei, das könne gefährlich werden. Er begreife
eh nicht, wie George noch mehr schlafen könne als

jetzt, wo doch sommers wie winters kein Tag mehr als vierundzwanzig Stunden habe. Doch wenn man einmal theoretisch annähme, er würde noch mehr schlafen, dann sei er im Prinzip tot und könne das Geld für Kost und Logis sparen.

Diesen Typen in ihrem Boot, die da gemächlich die Themse hinaufbummeln, haftet eine unwiderstehlich spröde Poesie an. Der Schlaf ist nie weit weg; er hat etwas eher Quälendes, Trauriges. Die folgende Beschreibung des abendlichen In-den-Schlaf-Gleitens knipst auch das Licht für das viktorianische Zeitalter aus:

Und so sitzen wir nah an seinem Ufer, während Luna, die ihn so liebt wie wir, sich niederbeugt zu einem Schwesterkuss und ihre Silberarme zärtlich um ihn legt. Wir betrachten wie er fließt – ewig singend, ewig murmelnd –, wie er hinströmt, dem König entgegen, dem Meer. Wir betrachten ihn, bis unsere Stimmen verklungen sind und unsere Pfeifen kalt, bis wir, die wir doch nur normale junge Männer sind, erfüllt sind von ganz seltsamen Gedanken – teils süß, teils bitter – und ganz versunken in uns selbst, bis wir dann endlich uns erheben, ein Lachen tauschen und die Asche aus den leergebrannten Pfeifen klopfen. Dann sagen wir Gutnacht, und eingelullt vom Glucksen des Wassers und Gewispers der Bäume schlafen wir unter den große stillen Sternen ein und träumen, die Welt sei wieder jung.

Siehe auch Traumdichtung, Seite 260

Futons: Schlafmöbel des Grauens

Für jeden, der nie am eigenen Leib erfahren hat, wie es sich auf einem Bettgestell auf Knöchelhöhe schläft, das in etwa so dick und bequem ist wie ein Metallblech, mag ein Futon nichts weiter sein als ein niedriges Bett. Seinen Ursprung hat er in Japan, doch irgendwann in den achtziger Jahren hielt er Einzug in die *Guardian*-lesende Klientel Großbritanniens, insbesondere in die teuren kleinen Wohnungen der gefragteren Londoner Bezirke.

Das Verkaufsargument für Futons lautet, dass diese minimalistisch (also modisch) aussehen und gut für Ihren Rücken sind. Auf einer solch knochenharten Matratze zu schlafen, zeugt von liebevoller Strenge im Umgang mit dem eigenen Körper. Mir erscheint es wahrscheinlicher, dass das Ganze einen tief verwurzelten Puritanismus bedient, dessen Credo lautet, dass etwas, das zutiefst ungemütlich und bar jeden Vergnügens ist, automatisch gut sein muss. Wie bei abgefahrenen Diäten oder irgendwelchen gymnastischen Schrillheiten wird hier die Tatsache, dass etwas keinen Spaß macht, zur Tugend.

Ich bin schon auf Futons aufgewacht und habe mich gefühlt, als hätten mich die Nacht über Springerstiefel malträtiert, jede Muskelfaser hat geschmerzt. Die Nächte auf diesen Liegen kommen eher einer Folter als einer Bettruhe gleich. Noch größere Schmerzen kann Ihnen der Versuch aufzustehen bescheren. Unfähig, sich zu regen, und mit dem Gesicht lächerlich nahe am Teppich, starren sie melancholisch zur Seite. Das Einzige, was Ihnen übrig bleibt, ist, vom Bett zu rollen und sich wie ein sterbender Fisch auf dem Deck eines Kutters qualvoll auf dem Fußboden zu winden.

Sie mögen modern sein, sie mögen einen gewissen exotischen Studentenchic gehabt haben, sie mögen in beengten Verhältnissen praktisch gewesen sein – aber verwechseln sie Futons nicht mit einem bequemen Schlafmöbel. Es gibt amerikanische Versionen, die in Wirklichkeit nichts weiter sind als stinknormale Klappbetten, doch wenn Sie einen echten Futon zu Gesicht bekommen, seien Sie gewappnet, und erkennen Sie den Feind. Er sieht aus wie eine Holzpalette, bedeckt mit einer Matratze von der Dicke eines Taschentuchs. Er ist kein Freund des langen Ausschlafens.

Siehe auch Die Top-Ten-Tipps für eine unruhige Nacht, Seite 181

Wasserbetten

Wenn Sie an Wasserbetten denken, denken Sie an die sechziger Jahre. Austin Powers hätte es für eine absolute Notwendigkeit gehalten, ein solches zu besitzen. Und passenderweise hat das moderne Wasserbett seinen Ursprung im Epizentrum der Hippiekultur: im San Francisco des Jahres 1968, und zwar als Nachfolger eines gescheiterten Vorläuferprojekts – eines mit Gelatine gefüllten Vinylsessels. Dieser mag eine schauderhafte Sitzgelegenheit gewesen sein, hat aber für phantastische Partystimmung gesorgt.

Wie dem auch sei, die Wasserbett-Idee ist eigentlich noch sehr viel älter. Die Perser kannten vor mehr als 3000 Jahren bereits Wasserbetten aus Ziegenleder. Diese Betten funktionierten nach demselben Prinzip wie heute und ließen den Schlafenden auf einer flexiblen Unterlage aus eingeschlossenem Wasser ruhen. Sie war fest genug, um darauf liegen zu können, und weich genug, um dies als Entspannung zu empfinden.

Die Zeitgenossen im viktorianischen England waren ebenfalls leidenschaftliche Befürworter von Wasserbetten, sahen sie jedoch als medizinische Möbelstücke, hilfreich für den Schlaf invalider Zeitgenossen. In den dreißiger Jahren des 19. Jahrhunderts gab es ein hydrostatisches Bett zu kaufen, das aus einem mit Wasser abweisendem Tuch überzogenen Wasserbehältnis bestand. Gedacht war es für Langzeitbettlägerige, es sollte das Risiko des Aufliegens verringern.

Im Jahre 1873 stellte Sir James Paget, der Leibarzt von Königin Viktoria, im Londoner St. Bartholomew Hospital ein Wasserbett vor, das den Liegekomfort seiner Patienten verbessern und das Entstehen von Wunden durch Aufliegen verhindern sollte.

Das erste Patent auf ein Wasserbett wurde in den achtziger Jahren des vorletzten Jahrhunderts ausgestellt, und zwar an einen Arzt aus Portsmouth. Dessen Ziel war es, seine Patienten auf der Oberfläche dieses Bettes mehr oder minder schweben zu lassen, auf dass sie weniger Druck spüren sollten als auf einer gewöhnlichen Matratze. Nun mögen die Leute in Portsmouth aus anderem Holz geschnitzt sein als die sonnenverwöhnten Kalifornier, aber gegen das Wasserbett hatten sie zwei handfeste Einwände: Es war eiskalt, und es leckte.

Der Wasserbettmarkt dümpelte erfolglos vor sich hin, nur Harrods vermochte ein paar dieser Betten per Versandbestellung zu verkaufen. Nun aber im Zeitraffer in die psychedelisch- abenteuerlustigen Sechziger – und das Wasserbett war mit völlig anderem Image zurück. Mit Vinyl bezogen und warmem Wasser gefüllt, diente es ab sofort dem Vergnügen und nicht mehr der Therapie. Diese genussspendende Oase war in den befreiten Schlafgemächern der Swinging Sixties der Renner. Die wabbelige Oberfläche wurde zur schicken Alternative für Hippies und Playboys. Die Geschichte hatte allerdings einen Haken. Der Erfinder, Charles Hall, konnte sein Wasserbett nicht patentieren lassen, weil in einem Science-Fiction-Roman aus den Vierzigern ein ähnliches Wasserbett im Detail beschrieben worden war, und es somit bereits als erfunden galt.

Trotzdem war Hall dank zahlloser Stars und Sternchen, die allüberall durch ihre Wasserbetten tobten, in der Lage, seine Erfindung gewinnbringend zu vermarkten. Die ganzen siebziger und achtziger Jahre hindurch wurde sie als das Symbol für den kalifornischen Lebensstil gefeiert, der allem Neuartigen und Glück Versprechendem huldigte.

Um die Vorzüge dieses Bettes wurde schon in den Sechzigern kein großes Geheimnis gemacht: Eine Werbekampagne versprach: »Zwei Dinge sind im Wasserbett schöner. Eins davon ist schlafen.«

Siehe auch Das Vergnügen, sich querzulegen, Seite 148

Warum mögen Kinder gruselige Gutenachtgeschichten?

Wenn ich, als ich etwa fünf oder sechs Jahren alt war, nach einer Geschichte zum Einschlafen suchte, zog mich ein ganz bestimmtes Buch stets magisch an. Es war gleichzeitig das, welches ich am meisten hasste: eine Ausgabe von *Hänsel und Gretel,* die meiner Schwester gehörte. Sie erfüllte mich mit blankem Entsetzen. Die Zeichnungen, eine Art Gruselcartoon aus den späten Sechzigern, flößten mir eine derartige Angst ein, dass ich mich schon fürchtete, das Buch von außen anzuschauen. Ich sehe noch heute das verzerrte, von krustigen Warzen übersäte Gesicht der Hexe vor mir und das gespenstische Lebkuchenhaus, dem die Kinder nicht widerstehen konnten.

Doch immer wieder holte ich dieses Buch hervor. Jedes Stadium der Geschichte war ein Albtraum: wie die Kinder in den Wald geführt wurden, hintergangen und verstoßen von den Eltern, wie sie von einer bösen Hexe gefangen wurden und wie sie unablässig in Gefahr waren, am Ende gekocht und verspeist zu werden. Das Buch verkörperte die schlimmsten Schrecken, die ich mir vorstellen konnte, eine Horrorgeschichte von Unglück und Vernachlässigung. Warum nur habe ich mich immer wieder ans Regal geschlichen, das Buch geholt und unter der Bettdecke versteckt?

Es handelt sich um eine jener seltsamen Widersprüchlichkeiten im Leben eines Kindes: das verbissene Fasziniertsein von ausgerechnet den Büchern und Filmen, vor denen es sich am meisten ängstigt. Bei vielen Leuten überdauert dieser Widerspruch sogar bis ins Erwachsenenalter und lässt einen Horrorfilme anschauen und Geistergeschichten lesen.

Psychologen sagen, dass solche Geschichten uns helfen, unsere Ängste zu zähmen; wir machen uns mit der Bedrohung vertraut, erproben unsere Reaktionen darauf und, ziehen ihr so den Stachel. Märchen handeln meist von zutiefst elementaren Themen – Verlassenwerden, Täuschung und Betrug, Erwachsenwerden, Trennung und Wiedervereinigung – und durch solche Geschichten können wir anfangen, unseren Ängsten vor der Welt da draußen ins Gesicht zu sehen und erwachsen zu werden. Es ist so eine Art psychisches Spielgefecht, in dem wir die Ausfallschritte und Schachzüge üben, die wir zu unserer Verteidigung benötigen. Wieder und wieder fühlen wir uns veranlasst, dem Feind ins Auge zu sehen, die Angst zu spüren; aber all das in einer Umgebung, von der wir wissen, dass sie sicher und geborgen ist. Es ist eine Strategie, unter Kontrolle zu bekommen, was uns am meisten ängstigt.

Schaurige Geschichten und Filme, die ihnen Angst machen, das Licht auszuknipsen, üben auf Kinder eine besondere Faszination aus. Man kann genau beobachten, wie sie schwanken zwischen dem Wunsch hinzugucken und dem Bedürfnis, sich abzuwenden, wie sie, hin- und hergerissen zwischen Neugier und Furcht, wegschauen, wenn es besonders gruslig wird, und dann gleich wieder hinsehen, damit sie ja nichts verpassen. Sie scheinen partout geängstigt werden zu wollen und fordern sich selbst heraus, solcherlei imaginäre Gefahren am Schlafittchen zu packen.

Ein zentraler Aspekt bei alledem ist, dass es sich um eine fiktive Art der Bedrohung handelt. Geschichten über reale gefährliche Personen würden nur finster und verstörend wirken. Ihnen geht die tröstlich-behütende Atmosphäre ab, die einer Erzählung über ausgedachte Figuren in unwahrscheinlichen Situationen anhaftet. Meine Eltern pflegten mir Geschichten vom »Achtuhrmann« zu erzählen, einer Figur, die sie erfunden hatten, um mich dazu zu bringen, zur rechten Zeit ins Bett zu gehen. Obwohl ich irgendwie Angst vor dem hatte, was wohl geschähe, würde der Achtuhrmann mich zu viel späterer Stunde erwischen, bestand ein Teil des Rituals aus der stillschweigenden Übereinkunft, dass es ihn in Wirklichkeit gar nicht gab.

Die Geistergeschichte zur Schlafenszeit ist so etwas wie die beängstigende Fahrt mit einem besonders aufregenden Karussell. Man kann das momentane Angstgefühl mit dem sicheren Wissen im Hinterkopf genießen, dass man nach der Fahrt davongehen kann, als sei nichts gewesen. Solange ich nicht die Bilder von der Hexe aus *Hänsel und Gretel* angucken muss, bin ich obenauf.

Siehe auch Schlaftraining: Vorsicht, Quacksalber!,
Seite 228

Der Reichtum des kleinen Mannes

Tollkühne Schläfer

Jeder, der sein Leben in der freudlosen Steppe einer Groß-raumbürolandschaft fristet, hat schon hin und wieder das einsame Geheul des Büromärtyrers vernommen: Er hat gestern Abend ewig gearbeitet, daheim noch E-Mails erledigt und musste heute Morgen früher aufstehen als sonst, um den Teufelskreis der Selbstgeißelung ja nicht abreißen zu lassen. Schlafen? Er schläft nie, er ist so müde, dass er kaum folgerichtig denken kann. Er würde alles darum geben, schlafen zu können, aber da ist dieser Riesenberg an Arbeit, der erledigt werden muss, und wenn er es nicht macht, wer dann?

Wann immer Menschen vor einem unglaublichen Berg Arbeit stehen, lassen sie sich zu einem schrecklichen und zutiefst unproduktiven Denkfehler verleiten, der sie glauben macht, ohne Schlaf auszukommen sei ein Zeichen von Stärke. Nur vier Stunden Schlaf zu bekommen wird als Ehrenabzeichen für bedingungslose Hingabe verstanden, als Opfer, das der Ernsthaftigkeit der Aufgabe Rechnung trägt.

Nichts geht weiter an der Wahrheit vorbei. Die wirklich heldenhafte Tat besteht darin, dem Feind ins Auge zu blicken, den Schlafanzug anzuziehen und ins Bett zu gehen. Sich keinen Verzicht auf Schlaf aufoktroyieren zu lassen, ist ein echtes Zeichen von Mut. Es werden klügere Entscheidungen gefällt, und jedermanns Leben lässt sich leichter leben, wenn Führungspersonen ausreichend erholsamen Schlaf bekommen.

Betrachten Sie das Beispiel Winston Churchill in den schlimmsten Tagen des Zweiten Weltkriegs. Was um alles in der Welt hatte er dem mörderischen Druck entgegenzusetzen? Stellen Sie sich vor, was von ihm erwartet wurde, denken Sie an den Zeitdruck, das zermürbende Ringen um die richtigen Entscheidungen, die öffentlichen Auftritte, die emotionalen Herausforderungen. Bomben überall, und was tat er? Er ging am helllichten Nachmittag ins Bett.

In einem Gespräch mit einem amerikanischen Journalisten erklärte er nach dem Krieg, wie er es geschafft habe, dem extremen Druck standzuhalten:

Sie müssen irgendwann zwischen Mittag- und Abendessen schlafen. Und das nicht halbherzig: Ziehen Sie Ihre Kleider aus, und legen Sie sich ins Bett. So mache ich es immer. Glauben Sie nicht, dass Sie weniger Arbeit getan bekommen, wenn Sie mitten am Tag schlafen. Das ist eine törichte Ansicht, die von Leuten vertreten wird, die keine Phantasie haben. Sie werden mehr zu leisten imstande sein. Sie machen aus einem Tag zwei, nun ja, vielleicht anderthalb, da bin ich sicher. Als der Krieg anfing, musste ich während des Tages schlafen, weil das die einzige Chance war, meinen Verpflichtungen gerecht zu werden.«

Es lohnt sich, einen Augenblick dabei zu verweilen. Können Sie sich einen Politiker unserer Tage vorstellen, der sich trauen würde zuzugeben, dass er einen Mittagsschlaf hält?

Können Sie sich eine Pressekonferenz vorstellen, auf der der Premierminister allen Ernstes erklärt, seine Reaktion auf die gegenwärtige Finanzkrise oder irgendwelche anderen drängenden politischen Probleme bestünde darin, »die Kleider auszuziehen und sich ins Bett zu legen«?

Es gibt heutzutage die ziemlich destruktive Einstellung, dass rund um die Uhr zu arbeiten die besseren Ergebnisse zeitige. Das vermittelt den Eindruck von Entschlossenheit, auch wenn die Resultate nicht eben weltbewegend ausfallen. Und sollten die Dinge schlecht laufen, ist wenigstens jedem klar, dass sich hier niemand amüsiert hat. Als er mit dem Rücken an der Wand stand und ums nackte Überleben kämpfte, bewies Churchill, dass es darauf ankommt, eine Aufgabe zu erfüllen, und nicht darauf, es so aussehen zu lassen, als werde sie erfüllt. Und für Churchill hieß das, mitten am Tag zu schlafen.

Wenn wir uns einmal genauer anschauen, was er sagt, dann hat das nichts mit Lebensart oder persönlichen Vorlieben zu tun, vielmehr erkennt er die unumstößliche Bedeutung von ausreichend Schlaf an. Ohne Schlaf keine Kämpfer. »Ich musste während des Tages schlafen, weil das die einzige Chance war, meinen Verpflichtungen gerecht zu werden.«

Churchill war eine echte Nachteule. Seine nachmittäglichen Auszeiten machte er durch kräftezehrende Konferenzen in den frühen Morgenstunden mehr als wett. Es gibt zahlreiche Geschichten von erschöpften militärischen Befehlshabern, die berichteten, auf Chequers Court (dem

> *Als er mit dem Rücken an der Wand stand und ums nackte Überleben kämpfte, bewies Churchill, dass es darauf ankommt, eine Aufgabe zu erfüllen, und nicht darauf, es so aussehen zu lassen, als werde sie erfüllt. Und für Churchill hieß das, mitten am Tag zu schlafen.*

Landsitz des britischen Premierministers) begännen die Konferenzen erst zu einer Tageszeit, zu der sie normalerweise längst im Bett lägen.

Dabei war Churchill alles andere als ein Puritaner. Für ihn war Schlaf nicht nur eine Notwendigkeit, sondern auch dazu da, die wachen Stunden angenehmer zu gestalten. Schlaf als eine Zutat, die dem Tag die rechte Würze gibt. »Ein Mann sollte noch aus einem anderen Grund am Tag schlafen. Es ermöglicht Ihnen, am Abend in Höchstform zu sein, dann, wenn Sie mit Ihrer Frau, der Familie und Freunden zum Essen zusammenkommen. Das ist die Tageszeit, zu der man am besten aufgelegt sein sollte, ein gutes Essen mit gutem Wein … Champagner ist etwas sehr Feines … dann einen Schluck Brandy, das ist der große Augenblick des Tages.«

Auch das klingt sehr weit weg von den hyperaktiven Politikerleben der heutigen Zeit, in denen rund um die Uhr gesendete Nachrichten und Informationen augenblickliche Reaktionen und Stellungnahmen fordern. Wir erwarten, dass unsere politischen Führer sich permanent in einem Zustand reuevoller Erschöpfung befinden. Denken Sie an das Inferno, das ausbräche, würde ein moderner Premierminister verkünden, er werde sich am helllichten Nachmittag ausführlich aufs Ohr legen, um den Champagner, den er am Abend zu schlürfen gedenke, besser genießen zu können.

Aber das waren andere Zeiten. Nicht nur Churchill wusste, wie wichtig es war, seinem Instinkt zu folgen. Einer seiner Ärzte, Charles Rob, überraschte die Teilnehmer einer medizinischen Fachkonferenz mit einem Vortrag über die beste Art und Weise, thrombotische Blutgerinnsel zu behandeln. Er verordnete Whiskey und Schlaf. »Die beste Therapie für dieses Leiden ist Ruhe. Die beste Möglichkeit,

Ruhe zu finden, ist Schlaf. Die beste Möglichkeit, Schlaf zu finden, besteht darin, Schmerzen zu lindern, und die beste Möglichkeit, Schmerzen zu lindern, besteht darin, Whiskey zu verabreichen«, erklärte dieser einstige Militärarzt mit unwiderstehlicher Logik. Wer könnte diesem Rat etwas entgegensetzen? Der Arzt wurde weit über achtzig, und der Trinker, Raucher und bekennende Tagschläfer Winston Churchill sogar neunzig.

Das Bild von einem heldenhaften Schlaf hat eine lange Tradition. Es gibt sogar den Typus eines Feldherrn, der sich dadurch auszeichnet, dass er es sich leistet, in Augenblicken höchster Not tief und fest zu schlafen. Es mag sich nicht mit unserer modernen Besessenheit vertragen, von allem immer mehr tun zu wollen, aber große Männer und Frauen sind häufig heroische Schläfer gewesen.

Im 16. Jahrhundert hat sich der französische Schriftsteller und Staatsmann Michel de Montaigne über die unerklärliche Gabe ausgelassen, dass manche unter den Großen der Welt in ihrer souveränen Gelassenheit auch angesichts großer Gefahr nicht aus der Ruhe zu bringen sind. Das erinnert an Hemingways geflügeltes Wort, mit dem John F. Kennedy einst Mut definiert hat, Mut sei »grace under pressure«, will sagen, wer Mut hat, behält auch, wenn er unter großem Druck steht, Anmut und Würde. Bereits Montaigne schreibt, ihm erscheine es ganz außerordentlich, dass manche großen Männer, die mit den höchsten Aufgaben und wichtigsten Angelegenheiten betraut seien, sich eine so gelassene und feierliche Ruhe bewahrten, dass sie ihren Schlaf für nichts und niemanden unterbrechen würden.

Als Beispiel erzählt er uns, wie Alexander der Große am Morgen der großen Schlacht gegen den Perserkönig Darius verschlief und mit allem Nachdruck wach gerüttelt werden musste. Auch Kaiser Augustus schlief unmittelbar vor der Seeschlacht vor Sizilien ein und musste geweckt werden, um das Signal zum Angriff geben zu können. Es scheint fast wie eine psychologische Reaktion auf extreme Anspannung, dass diese Großen der Weltgeschichte sich in ihre innere Welt des Schlafes zurückzogen, bevor sie sich dem Feind zuwendeten. Auch beweist es eine geradezu stählerne Gelassenheit, sich als Vorbereitung auf einen Kampf um Leben und Tod einem kleinen Nickerchen hingeben zu können. Solche Beispiele aus der Antike haben frappierende Ähnlichkeit mit dem Bild eines nachmittäglich schlummernden Churchill inmitten des Schreckens deutscher Luftangriffe.

Im Angesicht der Gefahr zu schlafen, kann auch eine Möglichkeit sein, das Gefühl der Sicherheit bei anderen zu stärken; man zeigt damit, dass es keinen Grund zur Panik gibt. Noch ein Extrembeispiel: Was halten Sie von einem Schläfchen während neben ihnen ein Vulkan ausbricht, zuhauf heiße Asche speit und allerorts die Fundamente erbeben lässt? Sich angesichts solcher Ereignisse zu Bett zu begeben, zeugt von schier unglaublicher Ruhe und erinnert sehr an jene Szene aus dem Film *Alles unter Kontrolle – keiner blickt durch,* in der die unbeirrbaren vornehm-britischen Kolonialherren in stoischer Gelassenheit ihre Suppe löffeln, während ihnen die Decke auf den Kopf fällt. Plinius der Jüngere berichtet, dass sein Onkel, Plinius der Ältere, beim Ausbruch des Vesuvs im Jahre 79 den Mitbewohnern seines Hauses beruhigend versicherte, es gebe keinen Grund, sich zu fürchten. Er erklärte seiner Familie, das Feuer des tobenden Vulkans sei nichts weiter als die verlassenen Herdfeuer einiger Häuser in der Ferne und ging ins Bett. »Dann begab er sich zur Ruhe und schlief tatsächlich ganz fest, denn seine wegen seiner Leibesfülle ziemlich tiefen, lauten Atemzüge waren vernehmlich, wenn jemand an seiner Tür vorbeiging.«

Wenn Schnarchen jemals von Kühnheit gezeugt hat, so ist der schnarchende Bass von Plinius' Onkel ein prächtiges Beispiel hierfür. Der Vulkan spie und tobte, während seine entspannten Atemzüge das Haus erfüllten.

»Aber der Boden des Vorplatzes, von dem aus man das Zimmer betrat, hatte sich, von einem Gemisch aus Asche und Bimsstein bedeckt, schon so weit gehoben, dass man, blieb man noch länger in dem Gemach, nicht mehr hätte herauskommen können. So weckte man ihn denn; er trat heraus und gesellte sich wieder zu Pomeianus und den Übrigen, die die Nacht durchwacht hatten.«

Nicht alle Geschichten haben ein gutes Ende. Plinius' Onkel war sich des Ernstes der Lage voll und ganz bewusst, war er doch früher am Tage unterwegs gewesen, um die Nerven der verängstigten Anwohner zu beruhigen. Sich zur Ruhe zu begeben, war seine Art zu zeigen, dass er sich nicht ängstigte. Es war ein demonstrativer Akt des Vortäuschens von Normalität. Als er aufwachte, verschlimmerte sich die Lage dramatisch, und in Anbetracht dessen, das rings herum die Häuser durch Erdstöße in sich zusammenfielen, schlossen er und sein Gesinde sich der entsetzten Menge an und versuchten, sich vor fallenden Steinen und der sengenden Hitze zu schützen. Er starb, weil ihm die ascheerfüllte Luft das Atmen unmöglich machte. Als man seinen Leichnam zwei Tage später fand, war dieser unberührt und unverletzt und, so berichtet sein Neffe, »in seiner äußeren Erscheinung mehr einem Schlafenden als einem Toten ähnlich«.

Siehe auch Schlummernde Helden, Seite 255

Nestwärme: die elektrische Heizdecke

Manch einer, der sich beim Zubettgehen an der kuscheligen Wärme einer elektrischen Heizdecke erfreut, wird sich wundern, wenn er von deren ungemütlichen Anfängen erfährt: In zugigen Tuberkulosekliniken und bei den frierenden Piloten des Zweiten Weltkriegs wurden sie erstmals eingesetzt. Utensilien zum Anwärmen von Betten hatte man in Gestalt von Wärmflaschen, Fußwärmern aus Keramik oder heißen Ziegelsteinen seit Langem gekannt; Anfang des 20. Jahrhunderts gab es dann erste Versuche, Betten mithilfe elektrischer Spannung anzuwärmen. Die Heizdecke schließlich wurde in den zwanziger Jahren zur Behandlung von Tuberkulosepatienten eingeführt. Menschen, die an dieser tödlichen Krankheit litten, wurden in Sanatorien behandelt, in denen die Auffassung herrschte, dass sie zur Genesung vor allem viel frische Luft benötigten. Die Kranken lagen Tag und Nacht bei weit geöffneten Fenstern in ihren Zimmern und froren oftmals erbärmlich. Exklusivere Einrichtungen begegneten dem mit der Einführung elektrisch gewärmter Decken, die die Patienten warm hielten, während sie von frischer Luft umweht wurden. Die ersten dieser Decken waren noch relativ unhandlich und für etwas, das sich Nacht für Nacht ziehen und knautschen lassen muss, nicht gerade ideal.

Das nächste Entwicklungsstadium auf dem Weg zur modernen Heizdecke verdanken wir dem Wunsch nach gewärmter Kleidung für die amerikanischen Piloten im Zweiten Weltkrieg. Die ungeheizten Cockpits waren eiskalt, und so versuchte man, einen elektrisch beheizten Kampfanzug zu entwerfen. Aus diesen Experimenten ging die elektrische Heizdecke hervor, ein von leichten, flexib-

len Heizelementen durchzogenes Textil. Die ersten dieser
Decken kamen nach dem Krieg auf den Markt und kosteten
um die vierzig Dollar, waren also ein extremer Luxus. Die
Assoziation mit den Piloten des Krieges führten auch zu
einem Imagewechsel: Heizdecken hörten auf, ein Produkt
für Kranke und Alte zu sein, sondern galten nun als Wunder
der Moderne. Neben Waschmaschinen und Fernsehgerä-
ten wurden Heizdecken so zu einem Bestandteil des Nach-
kriegsbooms im Bereich der Haushaltsgeräte.

Für so manchen, der seine Kindheit in den sechziger
und siebziger Jahren verbracht hat, gehört die Heizdecke
zu den wärmsten Erinnerungen. Zu jener Zeit waren sie
erschwinglich geworden und galten
als billige Möglichkeit zum Warm-
halten, bevor man sich eine Zentralheizung leisten konnte. Sie waren
Teil der Ära von Heizöfen, elektrischen Kaminen und dicken Strick-
jacken. Am Ende unwirtlich kalter
Treppenfluchten und Flure harrte
im Schlafzimmer das Glück in Gestalt des orangefarbenen Lämpchens
einer elektrischen Heizdecke. Wenn
Sie die Überdecke zurückschlugen, schnupperten Sie den
warmen, leicht angesengten Geruch gewärmter Laken und
Decken. Wie kalt es draußen auch sein mochte, im Kokon
zwischen Laken und Bettdecke war es kuschlig warm.

Obwohl man es hier vermutlich mit einem echten Sicher-
heitsrisiko zu tun hat, finde ich den Bericht über eine elektrische Heizdecke, die bei einer der jüngsten Überprüfungs-
aktionen zur technischen Sicherheit von Haushaltsgeräten
vorlegt wurde, doch ausgesprochen herzerwärmend. Dieses

So versuchte man, einen elektrisch beheizten Kampfanzug zu entwer-fen. Aus diesen Experi-menten ging die elektrische Heizdecke hervor, ein von leichten, flexiblen Heiz-elementen durchzogenes Textil.

gute Stück war einem Paar in den siebziger Jahren zur Hochzeit geschenkt worden und seither immer in Benutzung gewesen. Die Sicherheitsbeamten waren entsetzt, aber der Gedanke an ein Paar, das dreißig Jahre lang unter immer derselben Decke warme Nächte verbracht hat, birgt doch etwas zutiefst Anrührendes.

In den modernen, überheizten Häusern, in denen uns nie richtig kalt wird, sind elektrische Heizdecken längst weder Luxus noch Notwendigkeit. Aber wenn ich nachts im Bett liege und die Augen schließe, erinnere ich mich nur zu gut an das tröstliche Klicken des Heizdeckenschalters an meinem Bett und dem meiner Schwester und meiner Eltern in den Zimmern nebenan.

Siehe auch Wasserbetten, Seite 69

Warum gähnen Hunde dauernd, wo sie doch so viel schlafen?

Gähnen, das, wie so viele andere Dinge, in der Öffentlichkeit als unfein gilt, ist genau genommen etwas recht Genussvolles. Wie ausgiebiges Räkeln oder das Kratzen an einem Mückenstich verschafft es uns eine besondere Art von schwer zu beschreibendem Vergnügen. Es rückt die Dinge zurecht. Es gibt sogar das echte Schmuckstück eines Begriffes – Pandiculation –, der das zweifache Vergnügen des Streckens beim Gähnen beschreibt.

Dem verbreiteten Glauben zum Trotz, Gähnen habe etwas mit der Aufnahme von Sauerstoff zu tun, lassen jüngste Forschungsergebnisse vermuten, dass dem in Wirklichkeit nicht so ist. Man weiß, dass Menschen stärker gähnen, wenn sie müde, gelangweilt oder extrem nervös sind, aber es ist nicht klar, weshalb solche Zustände diese Reflexsituation auslösen sollten. Einer Theorie zufolge geht es um die Abkühlung des Gehirns, die Menschen helfen könnte, unter Druck aufmerksam zu bleiben. Eine andere mutmaßt, dass Gähnen Teil eines Alarmsignals ist, das vor Müdigkeit warnt und den Schlaf abwehrt.

Aber es gibt noch eine andere Deutung des Gähnens, nämlich die, dass es sich dabei um ein soziales Signal handelt. Gähnen ist in der Tat ansteckend. Wenn einer gähnt, schließen sich andere an. Gähnen wird zum Gruppenverhalten. So ähnlich wie bei dem lustigen Gesellschaftsspiel »Flohbeißen«: Man kratzt sich und stoppt, wie lange es dauert, bis ein anderer am Tisch das Verhalten kopiert und sich auch zu kratzen beginnt. Menschen in Gruppen können nicht aufhören, einander zu kopieren – ganz egal, ob es sich nun um die Sitzhaltung, eine bestimmte Ausdrucksweise oder um Gähnen handelt. Forscher in den Vereinigten Staaten haben diese Theorie getestet, indem sie zum Beispiel Leute an unübersehbarer Stelle mitten in einer Bibliothek postiert und gebeten haben, herzhaft zu gähnen. Das Gähnen hat sich wie ein Buschbrand in Windeseile im ganzen Raum verbreitet.

Menschen gähnen ihr ganzes Leben lang. Feten gähnen bereits im Mutterleib, Babys sind leidenschaftliche Pandiculatoren, und Senioren könnten Meisterkurse in fortgeschrittenem Gähnen (mit weit zurückgelegtem Kopf und entblößten Zähnen) veranstalten. Es ist zudem ein Vergnügen, das wir mit dem Tierreich teilen. Beispielsweise kennt man auch bei ungeborenen Lämmern die sogenannte »fötale Pandiculation« – definiert als instinktive Bewegung, die sich aus dem Ausstrecken der Hinterläufe, gepaart mit dem Heben und Strecken der Vorderläufe und dem von heftigem Gähnen begleiteten Zurücklegen des Kopfes und Oberkörpers zusammensetzt.

Aber zurück zur eigentlichen Frage. Hunde leiden auch nicht im Entferntesten unter Schlafmangel. Sie schlafen, wann immer ihnen danach ist. Oftmals einen großen Teil des Tages hindurch. Warum also gähnen sie so viel? Weil sie uns nachmachen. Eine Studie vom Birkbeck College in London hat gezeigt, dass Hunde vom Gähnen des Menschen angesteckt werden. Genauso wie ein gähnender Mensch alle anderen um sich herum mitreißt, wird auch ein Hund, der sich in Gesellschaft einer ausgiebig gähnenden Person befindet, ebenfalls zu gähnen beginnen – jenes riesige, sabbernde Hundegähnen, das scheinbar kein Ende nehmen will. Forscher haben Hunde, die sich in Gesellschaft eines Menschen befanden, der ständig gähnte, mit einer Kontrollgruppe verglichen, bei der der jeweils beteiligte Mensch nicht gähnte. Sie sind zu dem Schluss gekommen, dass die gähnenden Menschen unter den Hunden eine Gähnwelle auszulösen vermochten, während in der Kontrollgruppe kein einziger Hund gähnte.

Mal angenommen, wir versuchten, alle Pandas in unseren Zoos dazu zu bringen, selbiges zu tun – ob wir dann eine paneuropäische Pandapandiculationspandemie losträten?

Siehe auch Eine kleine Schlafmusik – Schlafkonzerte, Seite 44

Verschlafen!

Nichts ist so scheußlich und gleichzeitig so erquicklich wie zu verschlafen. Der zusätzliche Schlaf fühlt sich zutiefst angenehm an, doch zur selben Zeit bekommt man einen furchtbaren Schreck, wenn man daran denkt, was für einen Schaden das Ganze anrichtet. Sogar, wenn man für die Arbeit bereits viel zu spät dran ist oder den Flieger garantiert nicht mehr erreicht, wird man noch immer wie von der Tarantel gestochen herumrennen, als ob die Panik den Zeitverlust irgendwie ausgleichen könnte.

Die katastrophenreiche Reise des Snooker-Spielers Grame Dott zu einem Turnier in China 2002 ist ein klassischer Fall von folgenreichem Verschlafen und brachte diesem immerhin eine Auszeichnung in der Kategorie »Alternativer Sportler des Jahres« ein.

Der Albtraumtrip des schottischen Spielers begann mit einem verzögerten Beginn seiner dreiundvierzigstündigen Reise von Glasgow nach Shanghai, was bedeutete, dass er dort ganze neunzehn Stunden später ankam als geplant. Als er endlich im Hotel war, stellte er sich zwei Wecker, die ihn rechtzeitig für den Wettkampf wecken sollten. Doch erschöpft, wie er war, und durch seine komplett aus dem Takt geratene innere Uhr verschlief er sämtliche Weckversuche.

»Ich erinnere mich, dass ich irgendwann wie benebelt aufwachte und sah, dass der Wecker 14.45 Uhr zeigte. Eine Weile lag ich völlig verwirrt da, und fragte mich, was hier eigentlich abging. Dann hörte ich die Türklingel. Sie war so was von laut. Und dann geriet ich in Panik«, erzählte er dem *Guardian*.

Der Snooker-Spieler schnappte sich seine Kleider und versuchte, zum Stadion zu kommen – ein Unterfangen, an dem unter anderem ein wenig kooperativer Taxifahrer beteiligt war, weshalb er die letzte Etappe zu Fuß zurücklegen musste. Er hatte nicht einmal Zeit gehabt, sich Unterhosen anzuziehen, und als er endlich ankam, weigerte sich die Turnierleitung, ihn zur Toilette gehen zu lassen. Er bekam zwei Strafpunkte, weil er zu spät zum Turnier erschienen war, verlor am Ende um genau diese zwei Punkte und musste sieglos wieder nach Hause fliegen.

»Das war damals echt nicht witzig. Ich hatte meine Saison wirklich an die Wand gefahren. Bis dahin hatte ich so gut gelegen, aber danach habe ich ewig kein Spiel mehr gewonnen. Alle möglichen Leute vom Radio und von der Zeitung haben mich angerufen und versucht, mit mir darüber zu reden, aber ich konnte einfach nicht. Jetzt kann ich zurückblicken und darüber lachen, aber damals war ich fertig.«

Siehe auch Im Schlaf lernen, Seite 273

Zwei alte Feinde: Arbeit und Schlaf

Levi Hutchins ist ein Name, der Entsetzen in das Herz eines jeden aufrechten, schlafliebenden Bürgers säen sollte. Dieser Uhrmacher aus New Hampshire wollte zu seiner Zeit – im 18. Jahrhundert – partout sicherstellen, dass er allmorgendlich um vier Uhr aufwachte. Die mit mehr Weisheit gesegnete Sonne hatte aber keinerlei Interesse, zu dieser Zeit aufzustehen, um ihn zu wecken. Also erfand der junge Levi Hutchins eine Uhr, die eine laute Klingel in Bewegung setzen konnte.

Genau genommen gab es vermutlich schon sehr viel früher Wecker. Von den Deutschen sagt man, dass sie bereits ein paar Jahrhunderte davor eine Art von Uhr mit mechanischem Läutwerk erfunden haben. Aber es ist Levi Hutchinson (stolz wie ein Schneekönig, weil er es fertigbrachte, zusammen mit einer Handvoll Schlafloser und Einbrecher um vier Uhr in der Frühe herumzugeistern), dem die Ehre zuteil wurde, zum Vater des Weckers gekürt zu werden.

Der Wecker ist so etwas wie die private Fabriksirene, die den Tagesanfang bestimmt. Auf diese Art in den Tag gerufen zu werden, hat auch nicht im Entferntesten irgendetwas Natürliches an sich. Tiere in der Wildnis, Haustiere und gelangweilt dreinblickende Löwen im Zoo wachen auf, wann es ihnen passt, und wenn sie wieder müde werden, rollen sie sich auf die Seite und schlafen ein. Die Natur bedient sich keiner Wecker, um ihre Geschöpfe aus dem Schlaf zu reißen. Schlaf ist ein sich selbst regulierender Mechanismus: Wenn Sie keinen mehr brauchen, wachen Sie auf. Wenn Sie noch nicht ausgeschlafen sind, schlafen Sie weiter.

Arbeit scheint jedoch mehr als alles andere dazu angetan, unseren Schlaf zu stören. Wir haben uns so an die Art und Weise gewöhnt, wie sie Einfluss auf unseren Schlaf nimmt, dass wir das als ganz normal empfinden. Dies war nicht immer so. Vor der industriellen Revolution leisteten sich Menschen auf dem Land häufig zwei Schlafenszeiten, in der Nacht oder aber eine zusätzliche Siesta am Tag. Die einzige Uhr, auf die sie schauen mussten, war die auf- und untergehende Sonne.

Vor der industriellen Revolution leisteten sich Menschen auf dem Land häufig zwei Schlafenszeiten, in der Nacht oder aber eine zusätzliche Siesta am Tag. Die einzige Uhr, auf die sie schauen mussten, war die auf- und untergehende Sonne.

Es war die Einführung des Fabrikalltags, die unser Schlafverhalten dramatisch verändert hat. Zu irgendeiner festgesetzten Zeit pünktlich zur Arbeit zu erscheinen, eine genau festgelegte Anzahl von Stunden dort zu bleiben und im Takt einer Maschine zu arbeiten, das hat die Art und Weise, wie Menschen mit ihrem Schlaf umgehen, in tief greifender Weise gewandelt. Jene Fabriken und Mühlen waren schreckliche Orte, Vierzehnstundenschichten an sieben Tagen in der Woche waren an der Tagesordnung, und der Schlaf wurde zum Teil eines Erholungsprozesses degradiert, der den Arbeiter für die Arbeit am nächsten Tag wieder fit machte. Es war der Fabrikarbeitstag, der den fabrikfreundlichen Nachtschlaf entstehen ließ.

Natürlich haben sich die Arbeitsbedingungen radikal verbessert. In mancher Hinsicht aber ist das produktivitätsbesessene Großraumbüro von heute nichts anderes als eine Schlips-und-Kragen-Version der einstigen Fabrikhallen, ausgestattet mit Wasserspendern, Flipcharts und höhenverstellbaren Bürostühlen. Am Grundprinzip von Arbeitstag und Erholungsschlaf hat sich nichts geändert. Geschlafen wird an einem Stück, und zwar innerhalb einer streng festgelegten Zeitspanne, um den Anforderungen des Arbeitstages gerecht zu werden.

Wie also würden wir schlafen, wenn wir uns selbst überlassen blieben?

Anthropologen haben die Schlafmuster von nicht industrialisierten Gesellschaften in Teilen Afrikas untersucht und dort einen sehr viel zivilisierteren Umgang mit der Ruhe gefunden. In diesen fortschrittlichen Gesellschaften schlafen die Menschen völlig unbefangen so lange, wie sie möchten; solche Konventionen wie eine feste »Zeit zum Zubettgehen« am Abend oder eine »Zeit zum Aufzustehen« am Morgen gibt es nicht.

Die Angehörigen zweier Stämme von Jägern und Sammlern in Botswana und im Kongo, die man in den siebziger und achtziger Jahren untersucht hat, blieben beispielsweise einfach auf, solange etwas Interessantes passierte, und schliefen, wenn sie müde waren, genauso zwanglos ein. Schlafen fand oftmals an einem öffentlichen Platz statt, und die Menschen standen manchmal auch wieder auf, wenn sie das Gefühl hatten, sie könnten etwas verpassen. Man schlief wie und wann es einen danach verlangte, Schlaf war eine entspannte Angelegenheit ohne feste Trennlinie zwischen Schlafenszeiten und Zeiten des Wachenseins.

Wie anders nimmt sich dagegen unser industriediktierter Normschlaf aus. Wir kehren erschöpft in unsere kleinen Kisten zurück, versuchen das meiste aus einer Portion Schlaf unter Zeitdruck herauszuholen und eilen dann wieder an die Arbeit. Wenn Ihnen das normal vorkommt, dann denken Sie einmal daran, wie anders wir uns an einem Feiertag oder im Urlaub verhalten, wo wir zwischendurch immer mal ein längeres Nickerchen einschieben und ein weit weniger rigides Schlafverhalten an den Tag legen. Letzteres ist in jeder Hinsicht das Menschlichere.

Das Traurige ist, dass wir uns rückwärts zu entwickeln scheinen. Multinationale Firmen, die ihre Niederlassungen in Südeuropa eröffnen, werden mit großer Wahrscheinlichkeit auch dieser Region einen standardisierten Arbeitstag überstülpen und der uralten Gepflogenheit der Siesta den Todesstoß versetzen. Mediterrane Städte, die einst am frühen Nachmittag völlig ausgestorben dalagen, sind inzwischen um diese Zeit voller Betriebsamkeit und mit Läden gespickt, die aller guten Manieren spotten und jegliches Gespür dafür vermissen lassen, wann sie geschlossen zu sein haben. Eines der echten Bonbons an einer Reise in irgendeinen staubigen Ort in Italien oder Spanien war einst, dass alle Geschäftigkeit am Nachmittag zum Erliegen kam. Es hatte keinerlei Sinn, irgendetwas zu unternehmen und wie eine aufgescheuchte Touristenfliege herumzubrummen – alles war geschlossen. Dabei handelte es sich um einen Akt von staatlich erzwungenem gesunden Menschenverstand. In den Chor der Nachmittagsschnarcher einzustimmen, war nicht minder köstlich als die regionale Küche.

Es ist nicht so, als sei der Drang, sich während eines Arbeitstages am Nachmittag hinzulegen, ein unreflektierter Ausdruck von Faulheit. Den Körper verlangt es auch rein physisch nach Schlaf. Säugetiere rund um den Globus machen mitten am Tag die Augen zu. Die Körpertemperatur sinkt, das Energieniveau nimmt ab, ein Gefühl von Mattigkeit macht sich breit: Unser Körper stellt sich auf Schlafen ein. Wir aber ignorieren fröhlich das Signal, einen Gang zurückzuschalten und uns auszuruhen. Wie eine Panzerkolonne, die das delikate Ökosystem eines Urwalds platt macht, schreitet auch der Arbeitstag unerbittlich fort und achtet in keiner Weise auf die Stimme der Natur.

Es gibt alle möglichen Arten von Studien, darunter eine (wen wundert's) von einer englischen Forschungsorganisation namens Siesta Awareness, die zeigen, in welchem Maße sich die Leistungsfähigkeit am Arbeitsplatz steigern lässt, wenn man den Angestellten ein Mittagsschläfchen gestattet. Doch nur wenige Arbeitgeber machen sich eine derart aufgeklärte Einstellung zu diesem Thema zu eigen. Irgendwo im Schatten lauert noch immer etwas von jenem viktorianischen Fabrikbesitzer, der für den von ihm gezahlten Lohn einen ganzen Arbeitstag mit ungeteilter Aufmerksamkeit verlangt und den Schlaf auf die unbezahlten Stunden seiner Arbeiter beschränkt sehen will. In den viktorianischen Tretmühlen schliefen die Kinder an ihren Maschinen ein, eine völlig normale Reaktion, todmüde, wie sie gewesen sein müssen. Sie wurden wach geprügelt, weil Schlaf während des Arbeitstages nicht erlaubt war.

Wir möchten vielleicht gerne glauben, dass wir heute so viel fortschrittlicher sind, aber wie lange würden Ihre Chefs es tolerieren, sollten Sie anfangen, sich bei der Arbeit mal kurz hinzulegen?

Weil Arbeit Geld und Ansehen verschafft, richten wir unser Leben in der Regel nach ihr aus. Wir machen Überstunden, kommen spät nach Hause, fangen zu spät an, uns mit unserer Mitwelt zu befassen, gehen zu spät zu Bett, bekommen nicht genug Schlaf, werden vom Wecker aufgeschreckt, und das Ganze beginnt von vorn. Schlaf und Arbeit sollten besser Freunde werden.

Siehe auch Wie unsere Vorfahren schliefen, Seite 120

Einstein und die Langschläfer

Schlaf sollte genossen und nicht wie ein lästiges Übel erduldet werden; er ist dazu da, dass man in ihm schwelgt und ihn auskostet, nicht dazu, dass man mit ihm knausert. Er ist eines der wenigen Dinge im Leben, die keinen finanziellen Aufwand erfordern und keinen wie auch immer gearteten Einsatz nötig machen: eine ewig sprudelnde Quelle unendlicher Erholung.

Wann immer also mit stolz geschwellter Brust verkündet wird, Margaret Thatcher habe nur fünf Stunden pro Nacht geschlafen, lassen Sie uns das Glas erheben – nicht auf sie, sondern auf all die Helden des Ausschlafens, jene edlen Seelen, die ihr Kissen ehrten und die den unerbittlichen Ansprüchen des Tages mit skeptischer Distanz begegneten. Auch Langschläfer haben Anerkennung verdient.

Eines der Aushängeschilder für die Langschläfer könnte Albert Einstein sein: ein ausgesprochener Individualist, unverbesserlich unkonventionell, ungemein kreativ. Einstein war, wenn man verschiedenen Quellen glauben darf, ein Schläfer von legendärem Format und schlief routinemäßig weit länger als die durchschnittlichen sieben bis acht

Stunden. Er selbst behauptete, er brauche zehn Stunden Schlaf, elf, wenn er an etwas Wichtigem arbeite.

Wohl wissend, dass sein Geist gerne abschweifte, wenn er zu sehr bestrebt war, sich auf ein Problem zu konzentrieren, hatte Einstein ein automatisches Wecksystem entwickelt: Sobald er müde wurde unterbrach er seine Arbeit, setzte sich in einen bequemen Lehnstuhl und nahm einen Stift in die Hand. In dem Moment, in dem er in Tiefschlaf glitt, fiel der Stift herunter, und der Lärm, den dies machte, weckte ihn auf. Vom Schlummer erfrischt stand er auf und ging wieder an seinen Schreibtisch.

Einstein war, wenn man verschiedenen Quellen glauben darf, ein Schläfer von legendärem Format und schlief routinemäßig weit länger als die durchschnittlichen sieben bis acht Stunden. Er selbst behauptete, er brauche zehn Stunden Schlaf, elf, wenn er an etwas Wichtigem arbeite.

Langschläfer werden meist als solche geboren und benötigen ihr Leben lang mehr Schlaf als andere Menschen. Ungefähr jeder fünfzigste Mensch ist davon betroffen, das Phänomen tritt ein kleines bisschen häufiger bei Männern auf als bei Frauen. Schon acht Stunden Schlaf pro Tag zu bekommen ist für die meisten Leute nicht ganz leicht, tagtäglich Zeit für zehn oder elf Stunden zu finden, kann ein echtes Problem sein. Ohne diese Extrastunden aber fühlt sich ein Langschläfer chronisch unausgeschlafen. Zu den Vorschlägen, wie man damit umgehen sollte, gehören Dinge wie mehrere Nickerchen am Tag zu halten oder abends früh zu Bett gehen. All das aber wird für jeden, der versucht, in seinem Job auf dem Laufenden zu bleiben, für eine Prüfung zu lernen oder eine Familie zu versorgen, einigermaßen unrealistisch klingen.

Es hat Versuche gegeben, nach individuellen Unterschieden zwischen Lang- und Kurzschläfern zu suchen. Man sagt, das Schlafverhalten eines Menschen sei genauso charakteristisch für ihn wie sein Fingerabdruck – wobei manche Muster eher denen gemeinsam sein werden, die mehr Schlaf benötigen als der Durchschnitt, und manche denen, die weniger brauchen. In den siebziger Jahren untersuchte der Psychiater Ernest Hartmann Leute, die neun Stunden Schlaf brauchten, und Leute, die mit fünfeinhalb Stunden auskamen, und stellte ein paar verblüffende Unterschiede fest.

Die Langschläfer waren kreativer, aber auch introvertierter. Wenn sie auf Gebieten wie Politik und Geisteswissenschaften tätig waren, nahmen sie oft eine nonkonformistische, individuelle Position ein. Langschläfer hatten häufiger emotionale Sorgen, verfügten über eine komplizierte Persönlichkeit und sahen sich selbst als Rebellen.

Ein faszinierender Aspekt war auch, dass Langschläfer im Schlaf offenbar mehr Stimmungswechsel durchmachten als andere, dass sie zwischen passiv-erholsamer Ruhe und energiegeladener Ruhelosigkeit oszillierten. Diese Menschen scheinen im Schlaf einen komplexeren Erfahrungshorizont zu durchschreiten als ihre kürzer schlafenden Artgenossen. Langschläfer machen zudem doppelt so viele REM-Schlaf-Phasen – mithin auch Traumszenarien – durch wie Kurzschläfer.

Im Gegensatz zu den problembeladenen Genies aus dem Langschläferlager wirkten die Kurzschläfer wie ein eher gelassener Haufen: besser organisiert, effizienter und in ihren Ansichten eher der Norm entsprechend. Diese Menschen mit kurzem Nachtschlaf erwiesen sich häufiger als geschäftig und aktiv sowie in gesellschaftlichen Dingen als ruhiger und gewandter als ihre verdrehten, einzelgängerischen, lang schlafenden Zeitgenossen. Leute mit einem geringen Schlafbedürfnis zeigten sich häufig leistungsstark und erfolgreich.

Die schlechte Nachricht für beide Lager lautet, dass diejenigen, die sich in ihrem Schlafbedürfnis in hohem Maße nach oben oder unten vom Durchschnitt abheben, statistisch gesehen früher sterben …

Diese psychologischen Federzeichnungen von Kurz- und Langschläfern stoßen übrigens nicht überall auf Akzeptanz. Es ist nicht einfach zu unterscheiden zwischen Leuten, die sehr viel Schlaf brauchen, und solchen, die es einfach nur nett finden, lange im Bett zu bleiben. Besonders langes Schlafen kann überdies eine vorübergehende Reaktion auf Depressionen oder Krankheiten sein. Von alledem abgesehen, ist es eine Überlegung wert, ob Langschläfer nicht jene Extratraumzeit brauchen, um ihr komplexes Innenleben aufzuarbeiten.

Siehe auch Ist zu viel Schlaf schädlich?, Seite 150

Wahrhaft wohlverdienter Schlaf

Wenn es jemals in der Geschichte einen Augenblick gab, da jemand den längsten und wonnevollsten Schlaf aller Zeiten verdient hatte, dann war dies das Ende der unglaublichen Polarexpedition des Forschers Ernest Shackleton im Jahre 1916. Seine Reaktion darauf aber war fast noch unglaublicher.

Mit einer Mischung aus sturem Überlebenswillen und einem Heldenmut von epischen Ausmaßen brachte Shackleton es fertig, seiner gesamten Mannschaft das Leben zu retten, als ihr Schiff, die *Endurance*, im arktischen Eis zuerst festsaß und dann von Eisschollen zermalmt wurde. Nach monatelangem Biwakieren auf dem Treibeis machte sich die Crew in drei kleinen Booten auf, die Insel Elephant Island zu erreichen. Hier ließ Shackleton den Großteil seiner Männer zurück, die sich bis zu seiner Rückkehr von Pinguinen ernährten. Inzwischen brachen Shackleton und fünf weitere Männer in einem nur sieben Meter langen, mit Kistendeckeln und Schlittenteilen verstärkten Beiboot auf, um Hilfe zu holen, und legten dabei eine fast 1500 Kilometer lange Reise quer durch den Südatlantik zurück, die jeder Beschreibung spottet. Ihr zerbrechliches kleines Boot mit seiner von feuchten Rentierschlafsäcken notdürftig warm gehaltenen Mannschaft tanzte wochenlang auf tosenden Fluten durch den Südatlantik, bis es endlich die Felsenküste von Südgeorgien erreichte.

Als Shackleton und seine Männer dort anlangten, mussten sie eine weitere riesige Wegstrecke zurücklegen. Von der Stelle aus, wo sie mit ihrem Boot angelegt hatten, hatte noch nie jemand die Insel überquert, doch Shackleton und zwei seiner Männer machten sich zu Fuß auf und kletterten über Berge und Gletscher. Um sich auf dem Eis fortbewegen zu können, hatten sie Schrauben aus dem Boot in die Sohlen ihrer Stiefel gedreht. Als Nahrung dienten ihnen Vögel und Robben.

Als sie schließlich die Walfangstation von Stromness erreichten, flohen die Kinder vor dem Anblick der Forscher. Sie hatten ein Jahr lang dieselbe Kleidung getragen, ihr Haupthaar und ihre Bärte waren lang und verfilzt.

Es war ungefähr anderthalb Jahre her, dass die *Endurance* Segel gesetzt hatte. Sie hatten schrecklichen Hunger und größte Erschöpfung überlebt, in offenen Booten, Höhlen oder unter einem umgedrehten Rettungsboot genächtigt; all das bei klirrender Kälte. Shackleton beschreibt zum Beispiel, wie einer der Schlafsäcke der Crew Feuer fing, die Zehen seines Inhabers jedoch dermaßen vom Frost gelähmt waren, dass dieser gar nichts davon bemerkte. Es gab Zeiten, in denen sie hatten fürchten müssen, dass das Einschlafen bei solchen Temperaturen den sicheren Tod bedeuten würde. So hatten sie abwechselnd Wache gehalten, um einander aufwecken zu können.

Nach all diesen Härten ließ man Shackleton ein Bad ein, servierte ihm warmes Essen und gab ihm ein Bett für die Nacht. »Unsere erste Nacht auf der Walfangstation war die reine Seligkeit. Crean und ich teilten uns ein wunderschönes Schlafzimmer in Mr. Sorlles Haus«, berichtet Shackleton in *South,* seinem Bericht über die Reise (in einer deutschen Ausgabe erhältlich unter dem Titel *Mit der Endurance ins ewige Eis*). Dann aber kommt einer der verrücktesten Sätze, die Sie sich denken können: » … und hatten es so bequem, dass wir vor lauter Glück nicht einschlafen konnten.«

Nach alledem nicht in der Lage zu schlafen? Wie müde muss man sein? Nach monatelanger unaussprechlicher Erschöpfung, fürchterlichen Qualen, Hunger, Durst, endlosen Fußmärschen über steile Berggipfel, mörderischen Klettertouren über Gletscher als Reaktion: »[Wir] hatten es so bequem, dass wir vor lauter Glück nicht einschlafen konnten.«

Mehr als hundert Tage nachdem er seine Männer zurückgelassen hatte, kehrte Shackleton in einem Rettungsboot nach Elephant Island zurück, und die gesamte Mannschaft wurde sicher geborgen.

Siehe auch Schlafmangel und Schlafentzug, Seite 167

z z z z z z z z z z z z z z z z z z z z z z z z z z z z z z z z z z z z z z z z z z

Protest im Bett

Wenn Sie protestieren müssen, ist es wohl eine gute Idee, es sich dabei so gemütlich wie möglich zu machen. Im März 1969 erregte und irritierte John Lennon die Aufmerksamkeit der Weltöffentlichkeit, als er während seiner Flitterwochen mit Yoko Ono als Friedensdemonstration ein »Bed-In« veranstaltete.

Es hatte in den turbulenten Tagen Ende der Sechziger bereits jede Menge Sit-Ins und Walk-outs gegeben, das hier aber war etwas anderes. Der Popstar und seine Frau legten sich in einem Hotelzimmer in Amsterdam ins Bett und sprachen über Frieden. Ihr provozierendes Nichtstun und der scheinbare Widerspruch zwischen Sich-Einmischen-Wollen und Im-Bett-Liegen-Bleiben schien die damaligen Medien in gleichem Maße aufzubringen wie zu faszinieren.

Lennon tat das nicht für Geld, davon hatte er genug. Er tat es auch nicht um der Aufmerksamkeit willen, denn davon konnte der Beatles-Star so viel haben, wie er nur wollte. Was also machte er im Bett? Einem Journalisten sagte er: »All we are saying is give peace a chance.«

Dieser Bed-In-Protest wurde später ins kanadische Montreal verlegt, wo Lennon und Dutzende seiner Anhänger den eingängigen Friedenssong »Give Peace a Chance« aufnahmen. Im Jahre 2008 wurde der handgeschriebene Liedtext auf einer Auktion für mehr als 800 000 Dollar verkauft.

Heutzutage nehmen sich die Schwarz-Weiß-Aufnahmen der damaligen Ereignisse noch merkwürdiger aus. Da betritt ein Interviewer ein wahnsinnig überfülltes Zimmer und wird eingeladen, auf der Bettkante neben John Lennon Platz zu nehmen, der im Pyjama und mit wallender

Haarpracht, umgeben von Blumen und selbst gemachten Postern mit Slogans wie »Hair Peace«, rauchend in den Kissen thront.

»Glauben Sie, dass Sie mehr Aufmerksamkeit erregen, wenn Sie im Bett bleiben, als wenn Sie auf Stühlen säßen?« wird Lennon gefragt.

»Ja, außerdem ist es leichter für uns, denn wir reden zehn Stunden am Tag, das ist im Liegen bequemer.«

»Was wäre im Zweiten Weltkrieg passiert, wenn Hitler und Churchill sich ins Bett gelegt hätten?«

»Ich glaube, dass eine Menge Leute heute noch leben würden, wenn Churchill und Hitler sich ins Bett gelegt hätten«, entgegnete Lennon.

»Montgomery und Rommel?«

»Wunderbar«, gab Lennon zurück.

Siehe auch »Morgenstund hat Gold im Mund« – stimmt das wirklich?, Seite 131

Zutaten und Beiwerk für den vollkommenen Schlaf

Was sind die Zutaten für einen richtig guten Schlaf? Es gibt alle möglichen Warnungen, wodurch er gestört werden könnte, aber vielleicht sollten wir uns dem Schlafzimmer einmal aus einer etwas optimistischeren Perspektive nähern. Welche Faktoren erhöhen die Chancen für den siebenten Schlafhimmel?

Die Umgebung muss stimmen. Befreien Sie sich von allem, was im Schlafzimmer ablenkend wirken könnte – Fernseher, Computer, Handys. Alles, was nervige elektronische Geräusche macht, sollte daraus verbannt werden. Dunkel und beruhigend muss es sein.

Was die Temperatur anbelangt, besagt eine Umfrage der Hotelkette Travellodge, dass 18 Grad die optimale Schlaftemperatur sind. Das wäre ein barmherziges Geschenk für ein paar der Hotels, in denen ich schon übernachtet habe, und in denen es heißer und trockener war als in der Sierra Nevada im Hochsommer. In der Regel handelt es sich in solchen Fällen um Zimmer, in denen die Fenster zugenietet sind oder nur ein paar Zentimeter geöffnet werden können, sodass Sie Ihre Nase wie ein Hund im Auto durch diesen winzigen Fensterspalt zwängen müssen, um ein bisschen Frischluft zu atmen.

Bevor er seinen Schlafpalast auch nur betritt, so das amerikanische Gesundheitsministerium, sollte der Schläfer ein paar Stunden vor dem Zubettgehen ein bisschen Sport getrieben und er sollte während des Tages jede Menge natürliches Tageslicht getankt haben. Nehmen Sie ein warmes Bad, um sich noch mehr zu entspannen.

Wie bei einem Sportler, der sich auf einen Wettkampf vorbereitet, gibt es auch hier ein paar ernst zu nehmende Empfehlungen hinsichtlich der Ernährung. Die National Sleep Foundation empfiehlt, spätestens drei bis vier Stunden vor dem Zubettgehen zu essen, und dann auch nur eine leichte Mahlzeit zu sich zu nehmen. Das Getränk der Wahl ist Milch oder Kräutertee.

Der staatliche Gesundheitsdienst Großbritanniens empfiehlt eine Banane vor dem Schlafen, da diese über beruhigende und schlaffördernde Inhaltsstoffe verfügt. Er rät auch, etwaige Sorgen vor dem Zubettgehen aus der Welt zu schaffen, zum Beispiel, indem man sich eine Liste von Dingen schreibt, die am nächsten Tag zu klären sind.

Weitere schlaffreundliche Vorschläge der Ernährungswissenschaft neben Bananen und Milch sind Kamillentee,

Honig, Kartoffeln, Leinsamen, Haferflocken, Mandeln, Vollkornbrot und Putenfleisch.

Man sollte zwei Kissen im Bett haben, denn ein zweites Kissen lagert den Kopf höher und macht das Atmen leichter. Das hilft Leuten mit Verengungen der Atemwege oder sonstigen Atembeschwerden.

Travellodge wartet auch mit sehr detaillierten Vorschlägen betreffs der Musik auf, die einen am schnellsten einschlafen lässt. Einer Umfrage zufolge ist Coldplay die erfolgreichste Band, was das Einschläfern von Zuhörern angeht, der ideale literarische Begleiter ist angeblich David Beckhams Autobiografie. Ich bin davon nicht überzeugt. Sie haben mühsam an dieser Schlafoase herumgewerkelt – Sport getrieben, ein warmes Bad genommen, es sich in diesem schummrigen, perfekt temperierten Zimmer gemütlich gemacht, ein bisschen an Ihrer Milch genippt, ein paar Bananen verputzt – wenn Sie jetzt Coldplay hören oder Beckham lesen, ist die ganze Atmosphäre mit einem Schlag dahin. Es gilt, sich einlullen zu lassen, nicht, sich zu Tode zu langweilen.

Ich habe nach einem Soundtrack gesucht, der beruhigend wirkt, aber nicht zu lahm ist – die BBC World Service News zum Beispiel oder der Seewetterbericht auf BBC Radio 4. Was ein Buch angeht, würde ich einen meterdicken russischen Roman empfehlen, den zu Ende zu lesen Sie nie im Leben Gelegenheit haben werden. So einer, in dem jeder wenigstens drei Namen plus einen Familiennamen hat, und Sie am Ende des ersten Kapitels bereits nicht mehr die geringste Ahnung haben, wer eigentlich wer ist. Je mehr Sie sich bemühen, desto unwiderstehlicher wird Sie der Schlaf übermannen.

Um noch mehr das Gefühl zu haben abzutauchen, werden Ohrenstöpsel und Schlafbrillen empfohlen. Oder Rollläden, die das Zimmer durch und durch verdunkeln. Die Gefahr bei dieser Art Dunkelheit ist, dass Sie am anderen Morgen völlig desorientiert erwachen, weil Sie nicht einmal die Hand vor Augen sehen.

Müde, gebadet, gefüttert, getränkt, in einem abgedunkelten Raum auf gebügelte Laken gebettet, emsig damit beschäftigt, herauszufinden, wer da gerade mit Anna Karenina spricht, während die Schifffahrtsmeldungen ihre ganz eigene, ruhevolle Poesie entfalten – wenn sich das nicht nach den passenden Zutaten für einen richtig guten Schlaf anhört.

So, und wer hat das Beckham-Buch unter das Kopfkissen gelegt?

Siehe auch Schlafmangel und Schlafentzug, Seite 167

Zusammen schlafen

An dem sinnlichen Beigeschmack, der mit dem Begriff Schlafzimmer assoziiert ist, und der sich in jenem alten italienischen Sprichwort niederschlägt, dem zufolge das Bett die Oper des kleinen Mannes ist, kommt man nicht vorbei. Als die Hollywood-Zensoren der dreißiger Jahre versuchten, den Sex von der Leinwand zu verbannen, ordneten sie an, dass jedes Paar, das sich im Schlafzimmer amourösen Eskapaden hingab, wenigstens einen Fuß auf dem Boden behalten musste. Das Bett war nicht nur Möbel, es war Versuchung mit Spitzenkissen. Selbst verheiratete Paare durften sich kein Bett teilen, sie posierten vielmehr in zwei Einzelbetten, die durch die keuschen Konturen eines Nachttischs getrennt waren.

Viele von uns, die wir in den sechziger und siebziger Jahren aufgewachsen sind, werden vielleicht in kindliche

Schwärmerei verfallen, wenn sie erfahren, dass die erste Fernsehserie, die ein Paar zusammen im Bett zeigte, *Verliebt in eine Hexe* war. Im Jahre 1964 zeigte eine Folge die so bezaubernd mit dem Näschen zuckende Elizabeth Montgomery zusammen mit ihrem Filmehemann Dick York im Bett.

Filmemacher ließen es an Kreativität nicht fehlen, die Schlafzimmerregelungen zu umgehen – da gab es visuelle Metaphern wie Szenen, in denen Züge in dunklen Tunneln verschwanden, Feuerwerke vor dem Fenster explodierten oder Wellen sich an einem Stand brachen. Dem Schlafzimmer etwas Geheimnisvoll-Verschwiegenes zuzuerkennen, zeugt von dessen symbolischer Bedeutung. Der Ort, an dem Menschen zusammen schlafen, ist der Mittelpunkt ihrer Beziehung, ein Hort der Kraft und der Phantasie. Jemandem zu gestatten, das Bett mit einem zu teilen, ist ein Beweis für uneingeschränktes Vertrauen.

Mit jemandem zusammen ins Bett zu gehen ist eine der wirklich großen Freuden des Schlafens. Da ist Zärtlichkeit, Nähe, da werden Seelen entblößt. Menschen geben dort ihr innerstes Selbst und ihre intimsten Gedanken preis. Nehmen Sie nur das Komikerduo Morecambe and Wise: Diese beiden Meisterkomödianten pflegten die von Laurel und Hardy begonnene Tradition des Bettgeflüsters, bei dem das Bett die Kulisse für scheinbar belangloses Herumgeblödel ist. Zwei Männer hocken in ihren Bademänteln in einem Bett und grübeln über die drängenden Fragen des Lebens nach. Eric pafft schwungvoll große Rauchwolken aus seiner Pfeife, um deutlich zu machen, dass es sich hier um nichts weiter als eine Freundschaft handelt. »Ich bringe meiner Frau den Morgentee immer im Pyjama ans Bett. Aber dankt sie es mir? Nein, sie sagt, sie hätte ihn lieber in der Tasse.«

Die beiden waren die beliebtesten Komiker ihrer Zeit. Niemand wäre je auf die Idee gekommen, dass bei zwei Männern in den besten Jahren, die im Bett miteinander plaudern, irgendein sexueller Unterton mitschwingen könnte. Es war eine Rückblende in eine noch nicht allzu lang zurückliegende Zeit, in der es durchaus häufig vorkam, dass Freunde Bett oder Schlafzimmer teilten. In Gasthäusern, überfüllten Wohnungen, Armeebaracken und Wohnheimen war Schlafen ein öffentliches Ereignis und alles andere als privat. Heute, in einer total auf Sexualität ausgerichteten Kultur, ist das gemeinsame Zubettgehen ein Vorrecht von Paaren.

Miteinander ein Bett zu teilen folgt einer eigenen, verborgenen Dynamik. Es mag Liebe sein, was Sie gemeinsam ins Bett bringt, aber auf die nackte Leidenschaft des Frühlings folgen die zugeknöpften Pyjamas des Winters. Gesichter sehen in der Nahaufnahme auf dem Kissen anders aus, man erfährt etwas über die Ästhetik schlafender Körper.

Die klassische Schlafstellung für ein Paar zu Beginn seiner Beziehung ist die Löffelchenstellung, bei der beide in enger Umarmung aneinandergekuschelt, sich im doppelten Wortsinn berühren. Es gibt andere Arten, sich nahe zu sein, zum Beispiel die sogenannte Superman-Position, bei der man nicht beide Arme um den Partner schlingt, sondern nur einen, während der andere nach oben gerichtet ruht. Das hat zwei Vorteile. Es verhindert, dass Ihnen der Arm unter dem Gewicht des Partners/der Partnerin einschläft, und, wenn es langweilig wird, können Sie mit einer Hand Ihre E-Mails auf dem Blackberry checken.

Eine etwas entspanntere Position, die aber noch immer physischen Kontakt erfordert, ist der Beinknoten, bei dem das Paar die Beine umeinanderschlingt, sich also berührt, aber nicht die Luft abschnürt. Dann gibt es noch die Tarzan-und-Jane-Position, bei der die Frau ihren Kopf an die männliche Brust ihres Partners schmiegt und er bedeutungsvoll gen Decke starrt.

Einer Hotelumfrage zufolge ist die häufigste Schlafstellung für britische Paare die »liberty pose«, das heißt, die Partner schlafen dicht aneinander, aber Rücken an Rücken – ein etwas idealisierender Name für die pragmatische Entscheidung aufzuhören, wie liebestrunkene Kletten aneinanderzukleben.

Die Umfrage kam überdies zu dem Schluss, dass bei Paaren in der Regel jeder an seiner angestammten Schlafseite festhält, welche auch immer das sein mag. Das starke Verbundensein mit einer bestimmten Bettseite ist in uns Menschen so tief verankert, dass es schon fast wieder unbemerkt bleibt. Auf der anderen Seite zu schlafen käme uns so seltsam vor, als trügen wir unsere Schuhe am jeweils anderen Fuß.

Sobald die erste heftige Woge der Leidenschaft über ein Paar hinweggerollt ist, hört es auf, sich die ganze Nacht aneinander festzuhalten, und beginnt, das Bett in der jedem Partner eigenen und ihm jeweils genehmen Weise zu teilen. Das kann mit ganz eigenen Überraschungen verbunden sein. Was, wenn Ihr Partner sich als Bettdeckenkicker erweist, einer, dem es auch im tiefsten Winter irgendwann zu warm wird, sodass er mitten in der Nacht die Bettdecke von sich strampelt? Es gibt auch die Zappler, die gerne eines ihrer Gliedmaßen oben auf die Decke werfen und dabei einen Strom Kaltluft hereinlassen. Und was ist von jemandem zu halten, der in der Pose eines Seesterns nächtigt, sich weit über die Bettmitte hinaus streckt, sodass dem Partner nichts übrig bleibt, als sich auf einem schmalen Streifen nahe der Bettkante festzukrallen? Schließlich sind da noch die Leute, die mit hoch erhobenen Händen schlafen, als ergäben sie sich gerade einem unsichtbaren Feind.

Bestimmte Schlafhaltungen sind tief in uns verwurzelt (am häufigsten ist die Embryohaltung), und wenn sie einmal in Fleisch und Blut übergegangen sind, werden sie nur noch selten verändert. Menschen tendieren sehr dazu, Nacht für Nacht in immer derselben Haltung zu schlafen. Wenn Sie also Ihren Partner gefunden haben, können Sie davon ausgehen, dass dieser den Rest Ihres gemeinsamen Daseins bei seiner Art zu schlafen bleibt.

Das zusammen Schlafen von Paaren hat von jeher einen besonderen Status in der Gesellschaft, es gilt als etwas Schützenswertes und Intimes. In der griechischen Mythologie ist das Ehebett im wahrsten Sinne des Wortes tief verwurzelt: Homer berichtet, Odysseus habe Penelope ein Ehebett aus einem lebenden Ölbaum gebaut. Das Bett war etwas Lebendiges und Teil der Natur. Ein Symbol dafür, dass ihre Beziehung ihre Stärke und Lebenskraft aus der Erde bezog. Als Odysseus nach zwanzig abenteuerreichen Jahren zu Penelope zurückkehrte, gab er sich mit der Beschreibung ebendieses Bettes zu erkennen, und beide zogen sich dorthin zurück.

Siehe auch Schlaftraining: Vorsicht, Quacksalber!, Seite 228

Warum schlief sogar *Don Juan* danach ein?

Warum löst Sex vor allem bei Männern einen so machtvollen Drang zu schlafen aus? Es gibt dazu eine Reihe von Theorien. Zuerst ist natürlich, falls das Schäferstündchen zu vorgerückter Stunde stattfindet, die Chance groß, dass die Liebenden ohnehin schon müde sind, und dann dürfte es in einem großen, warmen, gemütlichen Bett kein allzu weiter Weg zum Tiefschlaf sein. Die Kombination aus der sportlichen Betätigung beim Sex und der Entspannung danach addiert sich zu einem unfehlbaren Erfolgsrezept für das Einschlafen.

Man nimmt zudem an, dass während des Orgasmus ein bestimmtes Hormon freigesetzt wird, das extrem schläfrig macht; es ist ein Bestandteil des postkoitalen Erholungsprozesses. Dass Männer sich nach einem Liebesakt nicht sofort wieder in den nächsten stürzen können, liegt daran, dass dieses Hormon ein vorübergehendes Abschalten bewirkt. Es dämpft die sexuelle Erregbarkeit. Je mehr von diesem Hormon ausgeschüttet wird, desto stärker ist dieser sedierende Effekt, was erklären würde, warum Männer binnen weniger Augenblicke einen so abrupten Wechsel von Höhenflügen der Leidenschaft hin zu schlaftrunkener Ganzkörperlähmung durchmachen können. Eine andere Theorie besagt, dass manche Menschen beim Sex nur flach atmen oder gar den ganz Atem anhalten und durch die verringerte Sauerstoffaufnahme ermüden. Vielleicht sind es aber auch die zwei Flaschen Wein, die Sie beim Abendessen geleert haben.

Die Franzosen setzen den Orgasmus mit einem »kleinen Tod« gleich, was möglicherweise eine etwas melodramatische Umschreibung dieser postkoitalen Paralyse ist. Aber es trifft auf jeden Fall das Gefühl von gekippter Leidenschaft, von abrupt gelöschtem Feuer. Kein Grund jedoch, sich für diesen süßesten Schlaf von allen zu schämen. Er blickt auf eine lange und vornehme Geschichte zurück. Rubens Gemälde *Samson und Delilah* (1609–1610) zeigt einen halb nackten Samson, schlafend zusammengesunken auf Delilahs Schoß. Botticellis sexuell knisterndes Gemälde *Venus und Mars* (1485) zeigt eine Venus, die dem in Erschöpfung dahingesunkenen, unbekleideten Mars einen leicht anklagenden Blick zuwirft. Um die Botschaft subtil zu verstärken, schwirren im Hintergrund ein paar kleine Satyrn mit einer riesigen phallischen Lanze herum. Sogar dem berühmtesten aller Liebhaber, Don Juan, ist es passiert. Lord Byron porträtiert den Helden in seinem Gedicht in postkoitalem Schlummer:

> Und als der tiefe Rausch vorüber wallt
> Und als Juan entschläft in süßer Lust –
> Sie schläft nicht. Zärtlich, doch mit froher Hand
> Stützt sie sein Haupt an ihrer jungen Brust.
> Und bald den Himmel schaut sie an und bald
> Das blasse Antlitz, das nun unbewusst
> An ihrem Busen ruht, der selig liebt
> Und wogt von allem, was er gab und gibt.

Siehe auch Schlummernde Helden, Seite 255

Traumhaftes Ausschlafendürfen

Es gibt kaum ein größeres Geschenk, als wenn dem von der trüben Aussicht, aufstehen zu müssen, geplagten schlaftrunken-müden Haupt plötzlich gestattet wird, im Bett zu bleiben. Ausschlafen zu dürfen hat etwas von einer echten Erlösung – gleichgültig ob sie nun das unterschwellige embryonale Verlangen befriedigt, in einem schützenden Kokon eingesponnen zu bleiben, oder den blanken Widerwillen dagegen, die Abgeschlossenheit der eigenen Gedankenwelt zu verlassen. Es ist schlicht etwas, das man genießen muss.

Der Schriftsteller Nathaniel Hawthorne, fing dieses lustvolle Gefühl der Abgeschiedenheit im 19. Jahrhundert mit den Worten ein: »Du träumst von dem Luxus, ein ganzes Dasein im Bett zu fristen wie eine Auster in ihrer Schale – zufrieden mit der trägen Ekstase der Untätigkeit und sich schlaftrunken keiner anderen Empfindung bewusst als dieser köstlichen Wärme, die du soeben aufs Neue spürst.«

Die Zeit selbst scheint dahinzuschmelzen. Hat man die normale Zeit zum Aufstehen einmal überschritten, verfliegt eine Stunde in einem Augenblick. Der Geist ist frei umherzuschweifen, sich allen möglichen ehrgeizigen Plänen hinzugeben. Unter dem Schutz der Bettdecke scheinen alle Dinge möglich. Romane werden geschrieben, Lieder geklimpert, phantastische Menüs geplant, geheimen Leidenschaften gefrönt – alles in jenen köstlichen Augenblicken, in denen der Tag noch auf Armeslänge entfernt scheint. Dies können die kreativsten Momente des Tages sein, die Chance, einmal aus dem üblichen hyperaktiven Gestrampel herauszutreten, in dem jeder viel zu viel zu tun hat, um innezuhalten und nachzudenken. Es sind diese kostbaren Augenblicke im Bett, in denen Sie Raum haben, um zu pausieren und Bilanz zu ziehen. Sie haben womöglich sogar ein Auge für Ihre Umgebung: die Art und Weise, wie das Licht durch ein Fenster scheint, das Muster der Risse in der Wand. Dinge so detailliert wahrzunehmen erinnert an die Kindheit. Vielleicht merken Sie sogar, wie müde Sie sind.

Was für eine öde Wirklichkeit da draußen auch auf Sie warten mag, im Bett zu liegen bietet einen Hafen der Sicherheit. Geld- und Jobsorgen, Lebens-, Liebes- und Verlustängste, sie alle sind im Augenblick weit weg, nichts drückt Sie, Ihr Kopf schmiegt sich in die geneigten Rundungen Ihres Kissens. Der Lärm der Welt mag vor Ihren Fenstern toben, Polizeisirenen und Radiosendungen mögen da draußen plärren, aber das Ausschlafendürfen lässt Sie all das ignorieren.

Dies ist der Augenblick, um loszulassen. Entspannen Sie sich, und lassen Sie die Welt ohne Ihre geschätzte Anwesenheit weitertrudeln. Es ist ein Moment der Selbstreflexion, des Sich-zurück-Lehnens und In-sich-hinein-Hörens. Sie fühlen das Streicheln der Bettdecke und sind sich bewusst, dass es sich um ein flüchtiges Vergnügen handelt. Bald schon wird Sie jemand rufen. Rollen Sie sich bis dahin auf die Seite, und schlürfen Sie dieses Schlückchen Freiheit. Viel besser als im Augenblick wird das Leben nicht werden.

Siehe auch Traumland, Seite 240

Nächtliche Reise

~~~~~~

Was geschieht mit uns,
wenn wir einschlafen?

Jede Nacht kommen wir uns selbst abhanden, entziehen uns der Kontrolle durch unseren wachen Geist und verlieren uns im Schlaf. Außer ein paar chaotischen nur halb erinnerten Zipfeln unserer Träume haben wir hernach wenig bis keine Erinnerung daran, wo wir die Zeit über gewesen sind.

Ebendeshalb, weil wir nicht imstande sind, uns an allzu viel zu erinnern, sind wir womöglich versucht, Schlaf als eine Art Leere zu sehen, acht Stunden unnötigen Nichtstuns, erholsamen Unausgefülltseins.

Das aber wäre falsch, denn der Schlaf hat ein verborgenes Eigenleben, er verfügt über eigene Muster, eigene Regeln und schwankende Stimmungen. Körper und Gehirn machen eine Reihe von Wechselbädern durch. Nacht für Nacht folgen wir, allein durch unseren Instinkt geleitet, einer ausgeklügelten Choreographie der Schlafphasen.

Der Zyklus beginnt mit vorsichtigen Schritten hin zu Morpheus' Reich. Wie ein Schwimmer, der sich allmählich vortastend ins Wasser begibt, ist auch der Schlafende zunächst zwischen zwei Welten gefangen. Er ist noch wach, aber seine Augen schließen sich langsam, der Schlaf naht. Dieses fein abgestimmte leichte Dahindämmern kann fünf bis zehn Minuten dauern, wobei, wenn der Schlaf beginnt, das Regiment zu übernehmen, die Zeit immer weniger fassbar wird.

Das ist der Übergang zum Schlafzustand. Während der Schlafende weiter und weiter hinabtaucht, fängt das Gehirn an, bestimmte Arten von langsamen Wellen auszusenden. Die wachende Welt aber ist noch in greifbarer Nähe, und schreckt man jemanden aus diesem Zustand auf, kann es gut sein, dass er behauptet, er habe überhaupt nicht geschlafen. Lebhafte Empfindungen können einen in diesen Augenblicken heimsuchen – etwa das Gefühl zu fallen oder jemanden rufen zu hören. Menschen in diesem schlafnahen Stadium erwachen häufig ganz plötzlich, als habe man sie wach gerüttelt.

Bleibt der Schlafende jedoch ungestört, gleitet er in das zweite Stadium, eines das aussieht und sich anfühlt wie Schlaf. Die Körpertemperatur beginnt zu sinken, der Herzschlag verlangsamt sich, und man erkennt im EEG plötzliche Aktivitätsschübe im Gehirn, die man auch als Schlafspindeln bezeichnet. Wie bei so vielem am Schlaf besteht auch hier keine völlige Sicherheit, was für einen Sinn diese sporadischen Aktivitätsschübe haben. Einer Theorie zufolge könnten diese ein Weg sein, äußere Ablenkungen auszublenden, und beim Herunterschalten auf den Nachtschlaf helfen. Dieses zweite Stadium dauert etwa zwanzig Minuten, aber es handelt sich dabei immer noch um einen relativ leichten Schlaf. Die Muskeln sind angespannt, wie sie es im wachen Zustand wären, und es ist nicht schwer, jemanden aus diesem Stadium aufzuwecken.

Nach den seichten Gewässern der beiden ersten, leichteren Schlafstadien ist der Schlafende nunmehr bereit, in tiefere Fluten abzutauchen. Es ist jetzt vielleicht eine halbe Stunde her, dass er erstmals eingenickt war, jetzt, im dritten Stadium, kommt es zu einer weiteren Veränderung, dieses Mal in Richtung Tiefschlaf. Der Schlafende scheint nun dieser Welt ganz und gar abhanden gekommen: Er hört niemanden mehr reden und ist sich dessen, was um ihn herum geschieht, offenbar nicht länger bewusst. Man bezeichnet diese Phase manchmal auch als »Slow-Wave«-Schlaf, wegen der großen niederfrequenten Hirnstromwellen (bekannt als Deltawellen), die in gleichmäßigem Rhythmus ausgesandt werden. Dieses Stadium dauert ungefähr weitere zehn Minuten.

Das vierte Schlafstadium ist das, in dem wir am weitesten von unserem wachen Selbst entfernt sind. Bei einem Kind kann es in dieser Phase mehrere Minuten dauern, bis es wieder wach ist. Es ist das Stadium, in dem Menschen schlafwandeln und in dem es am ehesten zu Problemen wie Bettnässen kommt. Es ist auch das Stadium, in dem Leute im Schlaf sprechen und Albträume durchleiden.

Aber es ist auch die tiefste Schlafphase, sie dauert zwischen zwanzig und fünfundvierzig Minuten und ist verknüpft mit Erholung und Heilung. Der Körper scheint diese Nahrung zu brauchen. Wir sind nicht nur auf die richtige Schlaf*menge* angewiesen, sondern brauchen auch die richtige *Sorte* Schlaf.

All das klingt schon eher nach einem Tagewerk als nach einer geruhsam verschlafenen Nacht, aber es ist nur der Anfang. Denn hat man diese völlige Versunkenheit in den Tiefschlaf einmal erreicht, spult das Ganze wieder zurück, zunächst kurz durch die Stadien zwei und drei, um dann einen weiteren und noch seltsameren Teil des nächtlichen Abenteuers zu erreichen. Ungefähr neunzig Minuten nachdem der Schlafende die Augen geschlossen hat, beginnt ein Stadium, das man als REM-Schlaf bezeichnet und das sich im Laufe der Nacht mehrmals wiederholen wird. Wenn das Stadium vier das Herz des Schlafes ist, so ist der REM-Schlaf die Seele.

Die Abkürzung REM leitet sich ab vom englischen *rapid eye movement* – zu Deutsch: rasche Augenbewegungen, die charakteristisch für dieses Stadium sind. Man nennt es auch »paradoxen Schlaf«, weil der Schlafende eine Gehirnaktivität zeigt, die eher mit dem Wachzustand vergleichbar ist. Wonach suchen die Augen, wenn sie so hektisch hin und her rollen? Im REM-Schlaf steigen Herzschlagfrequenz und Blutdruck, die Atmung kann unregelmäßig werden, und es kommt häufig zu sexueller Erregung. Das Gehirn läuft auf Hochtouren, aber die großen Muskeln des Körpers zeigen ein Höchstmaß an Leblosigkeit. Es ist, als sei das Hirn an- und der Körper abgeschaltet.

> *Im REM-Schlaf steigen Herzschlagfrequenz und Blutdruck, die Atmung kann unregelmäßig werden, und es kommt häufig zu sexueller Erregung. Das Gehirn läuft auf Hochtouren, aber die großen Muskeln des Körpers zeigen ein Höchstmaß an Leblosigkeit. Es ist, als sei das Hirn an- und der Körper abgeschaltet.*

Diese Schlafphase steht auch mehr als alle anderen mit dem Träumen in Verbindung. Man weiß das, weil Wissenschaftler feststellen konnten, dass Leute, die sie an diesem Punkt in ihrem Schlafzyklus aufgeweckt haben, sehr viel eher imstande waren, sich an ihre Träume zu erinnern als andere.

Der REM-Schlaf ist nicht nur der Sitz der Träume, sondern er ist auch eng mit dem Lernen und den Leistungen des Gedächtnisses verknüpft: Es scheint, als sei er der Ort, an dem die Erfahrungen des Tages verarbeitet und verfestigt werden. Tierexperimente haben gezeigt, dass der REM-Schlaf zunimmt, wenn ein Tier komplexere Aufgaben zu erlernen hat, gerade so, als solle er etwas kompensieren.

Was immer im REM-Schlaf vor sich gehen mag, wir scheinen ihn definitiv zu brauchen. Entzieht man Menschen den REM-Schlaf, holen sie ihn bei der erstbesten Gelegenheit nach, stopfen sich im nächsten ungestörten Schlaf gierig mit all dem REM-Schlaf voll, den sie verpasst haben. Es sieht so aus, als lechzten wir förmlich danach. Auch wenn Wissenschaftler sich über seinen Zweck noch nicht abschließend geeinigt haben, gehen sie sicher davon aus, dass der Körper einen triftigen Grund hat, ein etwaiges Defizit auszugleichen.

Für den Schlafenden, dessen Kopf in süßer Ruhe auf dem Kissen lagert, dauert der erste REM-Schlaf womöglich nicht länger als zehn Minuten. Doch wenn die Nacht fortschreitet, dehnen sich diese Phasen aus. Je länger wir schlafen, desto länger werden die REM-Stadien – was jene köstlich weitschweifenden Traumszenarien erklären könnte, die einem beim Ausschlafen am Wochenende beschert werden.

So eine Nacht ist ungemein geschäftig für jemanden, der allem Anschein nach nichts tut. Nach wenig mehr als hundert Minuten hat der Schlafende sieben Schlafstadien durchschritten und Aussicht, dies noch drei- bis viermal zu wiederholen, bevor er aufwacht. Das geschieht jede Nacht mit nur geringen Unterschieden zwischen verschiedenen Altersgruppen und Personen und wird nach einem ungeschriebenen Gesetz abgespult – ein komplexes Ritual, von dem wir nichts zu sehen bekommen, und das nach Regeln abläuft, die uns niemand gelehrt hat.

Der Schlafzyklus ist ein geheimnisvoller Vorgang. Wir sollten ihn nie als einen leeren Raum zwischen Zubettgehen und Aufstehen betrachten. Er ist ein Parallelleben, ein

Schatten unserer Tagexistenz, eine Welt, in der wir jahrelange Erfahrungen, aber über die wir keinerlei Macht haben. Es ist ein Ort, an den wir jede Nacht reisen, aber von dem wir so gut wie nichts erinnern.

Siehe auch Zirkadiane Rhythmen, Seite 268

Wie lange hat ein Kind zu Beginn des 20. Jahrhunderts geschlafen?

Bekommen Kinder in unseren Tagen wirklich weniger Schlaf als die Kinder früherer Generationen? Im Jahre 1908 führte Alice Ravenhill, Erziehungswissenschaftlerin und Sozialreformerin, an mehr als 6000 Kindern in verschiedenen staatlichen Schulen Englands eine Studie zum Schlafverhalten durch. Ihre Ergebnisse sind aus zwei Gründen höchst faszinierend: zum einen, weil sie die Stundenzahl, die Kinder ihrer Ansicht nach an Schlaf brauchen, so hoch ansetzte, und zweitens, weil keines dieser Kinder vor hundert Jahren auch nur annähernd so viel Schlaf bekam. Ja, sie schienen ähnlich viel zu schlafen wie unsere Küken heute.

Diese Studie aus den Tagen Edwards VII ging davon aus, dass ein Kind von fünf Jahren vierzehn Stunden Schlaf haben sollte. Für ein Kind, das um acht Uhr morgens aufstand, bedeutete dies, um sechs Uhr abends ins Bett zu gehören. Das war der Standard »nach bestem Wissen und Gewissen«. Für Teenager lautete die Forderung zehn und eine Dreiviertelstunde, was für jeden, der um sieben Uhr morgens aufstand, striktes Zubettgehen um Viertel nach acht abends hieß. Aber der Bericht zeigte, dass weder die kleineren noch die größeren Kinder dieses Schlafpensum erreichten; die Kleinen brachten es nur auf zehn und eine

Dreiviertelstunde, die größeren lediglich auf acht Stunden pro Nacht.

Dieser Mangel an Schlaf wurde als entsetzlicher Skandal gebrandmarkt, der Kinder »in grausamer Weise überbeansprucht«. Der Bericht mahnte auch an, dass der Schlaf, den die Kinder bekämen, in vielen Fällen Qualität vermissen lasse, weil sich häufig drei oder vier Kinder ein Bett teilen müssten und weil die Eltern daheim »wenig Disziplin walten ließen«. Mrs. Ravenhill gab warnend zu bedenken, dass das »Übel Schlafmangel weit verbreitet ist«.

Zu den Reaktionen darauf gehörte die Beobachtung, dass von Kindern neuerdings auch erwartet werde, dass sie Hausaufgaben machten, was ihre Schlafzeiten weiter einschränken und nur zu einem »Zerfall von Kindheit« führen könne.

Ein Jahrhundert später sorgen wir uns noch immer, dass unsere Kinder zu wenig Schlaf bekommen. Zu Beginn des 20. Jahrhunderts gab es Befürchtungen, dass der Schlaf der Kinderarbeit, überbelegten Quartieren und schlechten Wohnbedingungen zum Opfer falle, heute sorgen wir uns um die Ablenkung durchs Fernsehen und das Internet. Die Ergebnisse der Studie aus König Edwards Tagen unterscheiden sich jedoch nicht so sehr von den gegenwärtigen Schlafgewohnheiten vieler Familien.

Die besorgten Statements aus dem Jahr 1908 bezüglich des Schlafdefizits von Kindern an staatlichen Schulen waren der Nachhall einer früheren Debatte über das Schlafquantum an den privaten Eliteinternaten des Landes. Auf den Leserbriefseiten der *Times* hatte ein erzürnter Meinungsaustausch stattgefunden, dessen eines Lager die Ansicht vertrat, dass Jungen zu wenig Schlaf bekämen, während das andere befand, weniger Schlaf sei ein moralischer Vorzug, also positiv. Da gab es die sorgenvolle Stimme eines Elternteils, der anmerkte, dass die Kinder, auch wenn sie um neun Uhr abends ins Bett gingen, um zehn Uhr noch immer tuschelten. Kommt Ihnen das bekannt vor?

Ein anderer Briefschreiber behauptete, der Schlafmangel in seinem Internat habe sein Wachstum zum Stillstand gebracht, weshalb er nur knapp einen Meter fünfzig groß geworden sei. Wieder ein anderer lehnte jedwede Verweichlichung ab und warnte vor der Verführung zur Faulheit. »Die Jungen, die am tiefsten schlafen, arbeiten in der Regel am wenigsten.«

Siehe auch Der Schichtarbeiter und der Wattekopf,
Seite 201

Wie unsere Vorfahren schliefen

Was ist die richtige Zeit zum Zubettgehen? Egal, wann ich unter die Decke schlüpfe, immer kommt es mir vor, als sei es viel später als geplant, weil sich mein vollgestopfter Tag mal wieder bei der Nacht bedient hat. Ein letzter Blick auf das säuerliche Antlitz des Weckers sagt mir, dass ich müde sein werde, wenn er am Morgen klingelt. Schlaf ist und bleibt, so scheint's, das erste Mordopfer der Arbeit.

Aber an unseren modernen Schlafgewohnheiten ist nichts Unumstößliches oder auch nur übermäßig Natürliches. Am Abend spät zu Bett zu gehen und bis zum anderen Morgen zu schlafen mag dem Schlafmuster einer westlichen Industriearbeiterkultur entsprechen, aber ein solcher Nachtschlaf am Stück war beileibe nicht immer Usus.

Vor zwei Ereignissen von zweifelhaftem Rang – der industriellen Revolution und der Erfindung der Glühbirne – gab es nichts, was uns unseren Schlafrhythmus diktiert hätte. Vielmehr war die tägliche Schlafdosis genau wie unsere Nahrungsaufnahme locker über den Tag verteilt. Die Siesta am Nachmittag mag uns wie eine exotische Gepflogenheit aus dem sonnenverwöhnten Südeuropa vorkommen, aber sich während des Tages mehr als eine Schlafphase zu gönnen, war einst auch in ganz Nordeuropa gang und gäbe. Die Siesta ist eine Tradition, die eindeutig den Anforderungen eines industriebedingten Achtstundentags zum Opfer gefallen ist. Der süße Nachmittagsschlummer hat etwas von einem Eichhörnchen, das von einem aufdringlichen, aggressiveren Rivalen aus seinem natürlichen Lebensraum vertrieben wurde.

Wenn Sie wissen wollen, was natürlicher Schlaf bedeutet, sehen Sie sich in der Natur um. Mein von schnödem Gewinnstreben gänzlich unberührter Hund Gracie schläft am Nachmittag mehrmals ein und gibt dabei Schnarchlaute von sich, die klingen, als versuche jemand in einer Tiefgarage einen Traktor auf Hochtouren zu bringen. In seinem zufrieden bebenden Gesicht können wir vermutlich etwas von dem entspannten Schlaf unserer Vorfahren erblicken. Von jenem vorindustriellen Schlafparadies, in dem man sich noch einen gemütlichen Nachmittagsschlaf gönnen konnte.

Einer von Sozialhistorikern untersuchten Schlafgewohnheit zufolge sind im Mittelalter unsere auf dem Lande lebenden Vorfahren bei Morgengrauen aufgestanden, um zu arbeiten, und haben sich am späten Nachmittag schlafen gelegt. Am frühen Abend sind sie dann erquickt und mit frischem Geist wieder aufgewacht, um an dem großen gesellschaftlichen Gemeinschaftsereignis des Tages teilzuhaben: dem Abendessen. Sie aßen und tranken den ganzen Abend, verfielen gegen Mitternacht wiederum in eine Art trunkenen Tiefschlaf, um am nächsten Morgen von vorn zu beginnen.

Ein Schlaf am Nachmittag bedeutet nichts anderes als einem natürlichen Instinkt nachzugeben. Wir haben mitten am Nachmittag ein Energietief, das an die Trägheit nach einer Mahlzeit gekoppelt ist. Obwohl wir eigentlich arbeiten sollten, schreit unser Körper danach, dass wir die Augen schließen und ruhen. Es verwundert vielleicht nicht allzu sehr, dass dieser Strandpunkt von der bereits erwähnten Organisation namens Siesta Awareness befürwortet wird. Wäre das nicht der ideale Arbeitsplatz?

Oder vielleicht sollten wir nach Frankreich blicken, wo der Gesundheitsminister Xavier Bertrand im Januar 2007 mehrere Millionen Euro zur Förderung des Schlafes ausgelobt und mit dem Argument, dies sei förderlich für die Sicherheit und Leistungsfähigkeit der Arbeitnehmer im Land, für die Wiedereinführung der Siesta in Frankreich geworben hat.

Es gibt noch mehr Schlafgewohnheiten, die uns unter der großen Dampfwalze des standardisierten Arbeitstages abhandengekommen sind. Einstmals, zu einer Zeit vor der Einführung von Straßenbeleuchtungen und Elektrizität, da die Dörfer Großbritanniens den Abend im Stockdunklen verschlummerten, war es üblich, gegen neun Uhr abends zu Bett zu gehen – im Winter sogar noch eher – und bis Mitternacht zu schlafen. Man bezeichnete dies als »den ersten Schlaf«. Nach drei bis vier Stunden sind die Leute für eine Weile wieder wach gewesen. Sie sind dabei womöglich im Bett geblieben und haben gelesen oder Briefe geschrieben, sich unterhalten oder anderweitig vergnügt. Manchmal sind sie vielleicht auch aufgestanden und haben etwas gegessen, ein bisschen herumgesessen oder zu dieser ruhigen Stunde die eine oder andere Arbeit erledigt. Diese Wachstunden mitten in der Nacht passen zu einem Aktivitätshoch, das unsere Hirntätigkeit in etwa um Mitternacht hat, einem nächtlichen Energieschub, den viele Menschen kennen. Diese Zeit wurde immer als ausgesprochen fruchtbar für Dichter und Schriftsteller angesehen.

Jene Zeit, auf halbem Weg zwischen Wachen und Schlafen, war ein ganz besonderes nächtliches Zwischenspiel, eine Zeit, in der Menschen entspannt miteinander umgingen. Da wurde geredet, sich geliebt, gebetet oder meditiert. Womöglich hat man ein Feuer geschürt, sich vielleicht aber auch nur an der gemütlichen Wärme des Bettes erfreut. Nach dieser Mitternachtsstunde gingen die Menschen wieder ins Bett und schliefen ihren »zweiten Schlaf«, der bis Tagesanbruch dauerte.

Dieses Modell aus zwei, durch eine wache Stunde um Mitternacht unterbrochenen Schlafphasen mag ein bisschen nach einem rustikalen Ammenmärchen klingen. Aber im vorindustriellen Großbritannien war es gang und gäbe, und man kann es bis ins 19. Jahrhundert nachweisen. Heute ist es in unserer von der Technik bestimmten Arbeitswoche so fest verankert, dass wir nur einmal am Tag schlafen, dass etwas anderes kaum vorstellbar ist. Die Gepflogenheit eines ersten Schlafes vor Mitternacht aber hat eine lange Tradition, und wird bereits in den *Canterbury Tales* und anderen Werken bis ins viktorianische Zeitalter hinein erwähnt. In diesem verschwand er dann von der Bildfläche.

All das bedeutete übrigens nicht Friede, Freude, Eierkuchen im reetgedeckten Häuschen. Im Jahre 1881 berichtete eine Londoner Studie über die Verbreitung von Armut, dass ein selbständiger Zimmermann mit seiner Familie in einem einzigen Zimmer lebte und schlief; beide Eltern teilten mit ihren sechs Kindern das Bett.

Doch derartige Schlafgewohnheiten wurden durch die Einführung von Fabriken und Büros, die Eisenbahn, Straßenlampen und nächtliche Unterhaltungsangebote kurzerhand über den Haufen geworfen. Diese verführerische Gewohnheit zu schlafen, wenn einem danach war, hatte keine Chance mehr. Die Arbeitgeber der industriellen Revolution wollten, dass die Menschen einen festgesetzten Arbeitstag durcharbeiteten, kein spätes Anfangen mehr, kein erster und kein zweiter Schlaf und mit Sicherheit kein Mittagsschlaf. Was dabei herauskam war Normschlaf am Stück.

Mit der Zunahme der städtischen Bevölkerung und den Lohntüten des Industriezeitalters ging auch die Verbreitung der Gasversorgung und später des elektrischen Lichts einher. Menschen, die den ganzen Tag gearbeitet hatten, wollten nicht gleich nach der Arbeit zu Bett gehen, sondern noch ein Weilchen aufbleiben und sich entspannen. Das 19. Jahrhundert erlebte die Einführung von Massenvergnügungen in Musikhallen und Varietés, die die Abende in Glanz und Licht erstrahlen ließen. Straßenbahnen und Oberleitungsbusse brachten die Menschen zu Uhrzeiten nach Hause, zu denen sie einst tief und fest geschlafen hatten.

Wenn die Leute aber erst um Mitternacht zu Bett gingen, entfiel die Einteilung in zwei entspannte Schlafphasen, es gab keinen ersten und zweiten Schlaf mehr, keine altmodische Plauderstunde mitten in der Nacht. Ja, »Mitternacht« hatte aufgehört, die Mitte der Nacht zu markieren, sondern war zum Anfang des Schlafes geworden – eines durchgehenden Schlafes, lang genug, um die Körper der Werktätigen für den kommenden Arbeitstag wieder fit zu machen.

Medizinwissenschaftler in den Vereinigten Staaten haben angefangen, diesen verloren gegangenen Schlafgewohnheiten der Geschichte nachzuspüren – nicht zuletzt deshalb, weil sich die Ärzte mit einer Welle von Anfragen besorgter Menschen konfrontiert sehen, die Angst haben, nicht die richtige Menge und die richtige Sorte Schlaf zu bekommen.

Mehr und mehr festigt sich die Überzeugung, dass das Schlafen in zwei Schichten – jene vorindustrielle Tradition also – dem natürlichen Rhythmus näher sein könnte. Die Fachzeitschrift *Applied Neurology* (leichte Bettlektüre) hat sich mit der Überlegung befasst, ob Menschen mit Schlafstörungen es nicht einfach mit zwei Schlafphasen pro Nacht versuchen sollten, statt Schlafmittel einzunehmen. Manchen Menschen, so das Journal, wird eine einzige Schlafepisode nie reichen. Diese Menschen gehen – bereits unter Schlafmangel leidend – viel zu spät zu Bett, schlafen zu rasch ein, verbringen eine wenig erholsame, ruhelose Nacht und wachen am anderen Morgen gerädert auf.

Eine Kombination aus zwei Schlafphasen ist womöglich genau das, was sich ergibt, wenn man Menschen ohne Zeitvorgaben sich selbst überlässt. In Experimenten in den neunziger Jahren hat man am amerikanischen National Institute for Mental Health (zu Deutsch etwa Nationales Institut für geistige Gesundheit) eine Gruppe Freiwilliger in Isolation leben lassen, und dabei lange Winternächte ohne elektrisches Licht simuliert. Man wollte herausfinden, wann und wie die Menschen schlafen, wenn man sie nach ihrer eigenen Zeiteinteilung leben lässt. Dabei hat man festgestellt, dass die Freiwilligen tatsächlich ein Muster aus mehreren Schlafphasen entwickelten.

Seien Sie also auf der Hut vor dem Überfall durch den Mittagsschlaf, sobald Ihnen die strukturgebende Arbeit fehlt! Alte Leute machen gern ein Nickerchen, Vorschulkinder dito. Urlauber legen sich gern mal zwischendurch aufs

Ohr und die *Big-Brother*-Teilnehmer scheinen den halben Tag zu verschlafen. Man braucht nicht allzu viel Phantasie, um sich vorzustellen, dass unsere Vorfahren unbehelligt von digitaler Zeitgebung ihr Nickerchen wahrscheinlich auch genossen haben.

Es gibt jede Menge Argumente für die Wiederaufnahme alter Schlafmuster, beispielsweise in Form eines Mittagsschlafes. Im *New Scientist* erschien kürzlich ein Bericht, der zeigte, dass das Risiko, an einer Herzerkrankung zu sterben, bei Mittagsschläfern gegenüber Nichtmittagsschläfern um 40 Prozent verringert ist. Was die Frage der Qualität von Argumenten betrifft, ist nicht zu sterben ziemlich überzeugend. Aber ganz so einfach ist es auch wieder nicht. Selbst wenn es gegenwärtig als Idee recht modern daherkommt, dass wir alle für ein Stündchen in unsere japanischen Schlafkokons entschwinden, so ist damit noch lange nicht garantiert, dass wir damit auch alle den gewünschten Erfolg haben. Schlaf und Arbeit haben sich einfach noch nie besonders gut vertragen.

Schlaf ist immer genauso sehr durch die jeweilige zeitgenössische Kultur geformt worden wie durch die Natur. Die Römer haben gerne am Nachmittag geschlafen und sich am Abend an vierzehngängigen Menüs gelabt. Unsereiner bleibt den ganzen Tag wach und isst seine Stulle am Schreibtisch.

Siehe auch Zwei alte Feinde: Arbeit und Schlaf,
Seite 88

Blauer Montag

Bis Mitte des 19. Jahrhunderts betrachteten viele Hand-
werker den Montag nicht als Arbeitstag. Diese Leute waren
Unabhängigkeit gewohnt und bestimmten selbst, wann sie
arbeiten wollten und wann nicht. Nie hatte ihnen jemand die
Zügel eines festgelegten Stundenpen-
sums angelegt, wie sie die Fabrikanten forderten. Für diese Menschen
war – sehr zum Ärger ihrer Auftrag-
geber – der Montag ein Tag zum Fau-
lenzen und Trinken.

Mitte des 18. Jahrhunderts wurden von den Handwerkern mehr als
fünfzig Feiertage begangen – begangen vor allem dadurch, dass man
nicht zur Arbeit ging. Jene altherge-
brachten Festtage waren ein Über-
bleibsel aus dem Mittelalter mit all
seinen Feiertagen, Festen und Heili-
gengedenktagen. Eine derartige, allen Normen abholde Art
zu arbeiten, kannte keine festen Arbeitstage und -stunden.
Das hieß, dass die Leute unter Umständen am Nachmittag
schliefen und nachts arbeiteten, wie man beispielsweise
einem Bericht vom Ende des 18. Jahrhunderts über die
Arbeitsgewohnheiten von Handwerkern in Birmingham
entnehmen kann: »Der Fleiß dieser Menschen galt als
außerordentlich, die Eigentümlichkeit ihrer Lebensweise
als bemerkenswert. Sie lebten wie die Bewohner Spaniens
oder nach den Sitten der Orientalen. Um drei oder vier
Uhr morgens fand man sie bei der Arbeit, zur Mittagszeit
ruhten sie. Viele pflegten genüsslich ihre Siesta, andere

> *Mitte des 18. Jahrhun-*
> *derts wurden von den*
> *Handwerkern mehr als*
> *fünfzig Feiertage began-*
> *gen – begangen vor allem*
> *dadurch, dass man nicht*
> *zur Arbeit ging. Jene alt-*
> *hergebrachten Festtage*
> *waren ein Überbleibsel aus*
> *dem Mittelalter mit all*
> *seinen Feiertagen, Festen*
> *und Heiligengedenktagen.*

verbrachten die Zeit in ihrer Werkstatt mit Essen und Trinken.«

Solche exotischen Arbeitsgepflogenheiten passten nicht zu den Erfordernissen industrieller Effizienz. Dem blauen Montag ging es von zwei Seiten an den Kragen: Da gab es auf der einen Seite den Druck gewisser Sozialreformer, die den freien Montag als altmodische, unnötige Tradition betrachteten, eng verflochten mit solchen Übeln wie Trunksucht und Sittenlosigkeit. Die mangelnde Bereitschaft zum Frühaufstehen passte Leuten, die wollten, dass die Arbeiterklasse aus eigener Kraft einen Schritt nach vorne tat, nicht übermäßig gut in den Kram. Auf der anderen Seite standen die Fabrikanten dieser selbstbestimmten, nicht von oben gelenkten Art zu arbeiten ablehnend gegenüber. Sie betrachteten den blauen Montag als Produktivitätshindernis, einen Brauch aus vorindustrieller Zeit, der ihnen gewaltig gegen den Strich ging.

Obwohl er uns heute wie ein unfassbar überkommenes Relikt vorkommen muss, hat der blaue Montag doch immerhin bis in die zweite Hälfte des 19. Jahrhunderts überlebt. Mit zunehmendem Streben nach Verlässlichkeit und Disziplin im Arbeitsleben und dem Zugeständnis eines halben freien Samstages aber wurde das entspannte Laissez-faire verdrängt und der Montag zum unangefochtenen Start der Arbeitswoche. Der blaue Montag ist fast überall in Vergessenheit geraten; eine Ausnahme machen der Bereich der Gastronomie, das Friseurhandwerk und die Welt der Museen: Hier genießt man den freien Montag als Ausgleich für die Wochenendarbeit bis heute.

Siehe auch Wie unsere Vorfahren schliefen, Seite 120

Mensch und Winterschlaf

Es gibt also keinerlei Anlass zu glauben, dass an unseren modernen Schlafgewohnheiten – ungeachtet aller Jahreszeiten oder Wetterbedingungen jeden Tag zur selben Zeit aufzustehen, um dem Ruf der Stechuhr am Arbeitsplatz nachzukommen – auch nur irgendetwas Unumstößliches oder Natürliches ist. Alles deutet darauf hin, dass der Mensch sich mit seinen Schlafenszeiten einst viel mehr nach den Jahreszeiten gerichtet hat – Menschen auf dem Land haben im Winter oder nach der Ernte offenbar sehr viel mehr geschlafen. Der Autor Graham Robb berichtet in seinem historisch-geografischen Buch *The Discovery of France* (2007), dass Bauern im Frankreich des 19. Jahrhunderts über große Teile des Jahres viel Zeit im Bett verbrachten. Er zitiert einen Beamten in Burgund, der 1844 feststellte, dass nach der Weinernte niemand auch nur im Entferntesten etwas Arbeitähnliches mehr tat. »Diese kraftstrotzenden Männer werden ihre Tage nunmehr im Bett verbringen – dicht aneinandergedrängt, um warm zu bleiben und weniger essen zu müssen. Sie schwächen sich freiwillig selbst.«

Über eine noch extremere Ausgabe menschlichen Kollektivwinterschlafes zum Überstehen der klirrend kalten Jahreszeit wird aus der nordwestrussischen Region um Pskow berichtet, in der die Temperaturen unter eisige minus vierzig Grad Celsius sinken. In einer Ausgabe des *British Medical Journal* von 1900 wird beschrieben, wie gemeinschaftlicher Tiefschlaf es möglich macht, mit knappen Ressourcen zurechtzukommen:

In Ermangelung hinreichender Vorräte, um alle das ganze Jahr über durchzubringen, haben sie sich auf die ökonomische Maßnahme verlegt, den halben Tag schlafend zu verbringen. Dieser Gewohnheit hängen sie seit undenklichen Zeiten an. Beim ersten Schnee versammelt sich die Familie um den Herd, legt sich nieder, hört auf, mit den Problemen des menschlichen Daseins zu ringen, und schläft still und leise ein. Einmal am Tag wachen alle auf, um ein Stück hartes Brot von dem Vorrat zu vertilgen, der, ausreichend für sechs Monate, im Herbst zuvor gebacken wurde. Sobald das Brot mit einem Schluck Wasser hinuntergespült ist, legen sich alle wieder schlafen. Die Familienmitglieder übernehmen es abwechselnd, das Feuer zu hüten und am Brennen zu halten. Nach sechs Monaten in diesem Ruhezustand erwacht die Familie, schüttelt den Schlaf von sich, geht hinaus, um zu schauen, ob das Gras wächst, und macht sich Stück für Stück bereit, den Aufgaben des Sommers nachzukommen.

Ein solcher Blick in die Vergangenheit zeigt, was für eine große Variationsbreite es einst in puncto Schlafgewohnheiten gegeben haben muss. Wenn es uns also im Winter danach verlangt, länger im Bett zu bleiben – reagieren wir damit womöglich nur auf etwas, das im Erfahrungshorizont unserer Vorfahren wurzelt?

Siehe auch Wozu ist Schlaf gut?, Seite 235

»Morgenstund hat Gold im Mund« – stimmt das wirklich?

Drehen Sie sich noch einmal um, und schlafen Sie weiter, denn man hat diesen Spruch einer gründlichen Prüfung unterzogen und festgestellt, dass sein Wahrheitsgehalt zu wünschen übrig lässt. Früh aufzustehen mag Ihnen ein Gefühl der Selbstzufriedenheit vermitteln, aber ein Vergleich von Schlafenszeiten und Bankkonten zeigt diesbezüglich keinerlei Zusammenhang. Jene faulen Säcke, die Shakespeare als »Pfui, Langschläfer!« titulierte, schneiden möglicherweise keinen Deut schlechter ab als ein sich selbst kasteiender Nestflüchter.

Dieses Saubermannkonzept von der »Gold bringenden Morgenstunde« hat Wurzeln, die sehr weit zurückreichen, genau genommen bis in die Antike. Seinerzeit galt das lateinische Sprichwort »Aurora musis amica« (wörtlich etwa: Die Morgenstunde ist die Freundin der Musen, sprich, der schönen Künste), aus dem in deutscher Übersetzung »Morgenstund hat Gold im Mund« wurde.

Ein Ende der Neunziger durchgeführtes Forschungsprojekt der University of Southampton hat zu klären versucht, ob an diesem Sprichwort irgendetwas Wahres ist, und dazu Schlafgewohnheiten, Vermögen und Gesundheit älterer Menschen in acht Regionen Großbritanniens verglichen. Man stellte fest, dass es ein Riesenspektrum an Schlafgewohnheiten gibt – die Leute schliefen zwischen sechs und vierzehn Stunden am Tag, durchschnittlich ungefähr neun Stunden. Die Forscher unterteilten ihre Versuchspersonen in früh aufstehende »Lerchen« und lang schlafende »Eulen«. Dann fragte die Arbeitsgruppe nach Einkommen und Langlebigkeit der Betreffenden und führte einen Test zu deren geistiger Beweglichkeit durch. Die Ergebnisse wurden zu den Schlafgewohnheiten in Relation gesetzt, und die Antwort auf unsere Eingangsfrage lautete danach kurz und bündig, dass keinerlei Relation besteht zwischen dem Frühaufstehen und dem Reicher-, Gesünder- oder Klügersein. Das Sprichwort mag »die Tradition und das Verdienst der Kürze auf seiner Seite« haben, ist aber ansonsten nicht zu halten. »Wenn überhaupt etwas festzuhalten ist, dann waren die Eulen eher wohlhabender als die Lerchen, doch in Bezug auf ihre Gesundheit oder ihre Klugheit gab es keine Unterschiede zu berichten«, befanden die Forscher.

Doch Volksweisheiten ist schwer beizukommen. In den Vereinigten Staaten haben Wissenschaftler die Lager der Frühaufsteher und der Langschläfer ebenfalls miteinander verglichen. Wieder wollte sich kein Zusammenhang zwischen materiellem oder gesundheitlichem Wohlergehen und der Aufstehenszeit am Morgen ergeben. »Die Sterblichkeit von zeitig zu Bett gehenden Frühaufstehern unterschied sich nicht signifikant von der in anderen Gruppen. Auch gab es keinen Bezug zwischen den Schlafgewohnheiten und dem jeweiligen Einkommen beziehungsweise der intellektuellen Leistung.«

Fazit: »Morgenstund hat Gold im Mund«, mag sich zwar hübsch griffig anhören, ist aber leider kompletter Unsinn.

Siehe auch Schäfchen zählen, Seite 180

Wie viel Schlaf braucht der Mensch?

Die Standardantwort für einen gesunden Erwachsenen lautet zwischen sieben und acht Stunden täglich. Manche Leute scheinen allerdings mit weniger sehr gut auszukommen, wohingegen andere mehr benötigen; die Umfragen ergeben typischerweise ein Spektrum von sechs bis neun Stunden.

Es ist für einen Menschen unmöglich, lange ohne irgendeine Form von Schlaf zu existieren, aber es gibt diesbezüglich keinen festen Minimalbedarf. Als sie noch Premierministerin war, erklärte Margaret Thatcher, sie sei imstande, mit nur vier Stunden pro Nacht zu leben. »Das geht, vorausgesetzt, Sie haben etwa einmal in der Woche eine Nacht, in der Sie länger schlafen könnten. Aber wissen Sie, es wird Ihnen so sehr zur Gewohnheit, dass Sie einfach gar nicht mehr länger schlafen *können*«, erklärte sie dem Interviewer. Etwa zwei von hundert Menschen gelten als »Langschläfer«, sie brauchen mehr als neun Stunden täglich.

Die Schlafmenge, die wir benötigen, ändert sich zudem in den verschiedenen Stadien unseres Lebens. Babys können sechzehn bis achtzehn Stunden schlafen, Kleinkinder zehn bis zwölf, ein Grundschulkind schläft vielleicht zehn Stunden, ein Teenager mag neun brauchen. Ein älterer Mensch hat unter Umständen mehr Probleme, die Nacht durchzuschlafen, und macht dafür vielleicht am Tag ein Nickerchen.

Es hat manche Versuche gegeben, herauszufinden, was »normal« ist. Meist hat man dazu irgendetwas definitiv Unnormales getan – beispielsweise Leute bei verschiedensten Hell-Dunkel-Verhältnissen in einen Raum eingeschlossen, und dann geschaut, wie lange sie schliefen, wenn sie nicht gestört wurden. Diese Studien ergaben einen Durchschnitt von etwa sieben bis acht Stunden. Das mag die ideale Menge sein, aber es ist weit weniger sicher, ob die Leute tatsächlich so viel Schlaf bekommen. So etwas wie den »typischen« Schläfer, an dem sich solche Schätzungen festmachen ließen, gibt es zwar nicht, aber es gibt aufschlussreiche Momentaufnahmen. Eine Umfrage unter den

Zuhörern der britischen Radiosendung *Today* von Radio 4 ergab eine durchschnittliche Schlafdauer von sechs Stunden und fünfundvierzig Minuten bei Männern und sieben Stunden und zwölf Minuten bei Frauen. Lediglich acht Prozent dieser Morgennachrichten-Junkies kamen auf volle acht Stunden Schlaf, und beide, Männer wie Frauen, hätten gerne eine halbe Stunde länger geschlafen. Eine andere, im März 2008 durchgeführte Umfrage unter erwachsenen Arbeitnehmern in den Vereinigten Staaten kam auf eine durchschnittliche Schlafdauer von sechs Stunden und vierzig Minuten. Etwa ein Drittel dieser müden Arbeitskräfte hätte gern Muße für einen Mittagsschlaf gehabt.

> *Eine Umfrage unter den Zuhörern der britischen Radiosendung ›Today‹ von Radio 4 ergab eine durchschnittliche Schlafdauer von sechs Stunden und fünfundvierzig Minuten bei Männern und sieben Stunden und zwölf Minuten bei Frauen.*

Solche Umfragen zur Schlafdauer basieren in der Regel auf persönlichen Aufzeichnungen der Befragten. Ein Beitrag zur Realitätsnähe von Forschung zweifelt allerdings die Genauigkeit derartiger Untersuchungen an. So legt eine in Chicago durchgeführte Studie aus dem Jahr 2006 die Vermutung nahe, dass Menschen allgemein ihre Schlafdauer falsch einschätzen.

Diese Umfrage zeigte, dass Menschen zum Beispiel behaupteten, täglich sieben Stunden und fünfzig Minuten zu schlafen, wenn man sie jedoch überwachte und genauer hinsah, stellte man fest, dass sie nur sechs Stunden und dreizehn Minuten geschlafen hatten. Kein Wunder, dass sie sich wie gerädert vorkamen.

Erneut lässt sich aus alledem der Schluss ziehen, dass Menschen weniger und immer weniger Schlaf bekommen, dass die Vierundzwanzig-Stunden-Kultur unsere Ruhestunden unterläuft. Und es gibt zunehmend alarmierende Warnungen vor einer geradezu epidemischen Verbreitung von Schlafmangel und chronischer Erschöpfung. Die Tatsache aber, dass wir alle am Schlaf sparen und unsere Ruhezeiten beschneiden, ist schlicht und einfach allgemein akzeptiert.

Es gibt einen Unterschied zwischen dem, was Menschen physisch an Schlaf brauchen, und dem, was sie gerne hätten. Einige Untersuchungen haben gezeigt, dass Menschen, denen man gestattet, länger als üblich im Bett zu bleiben, ihre Schlafenszeiten so lange ausdehnen wie irgend möglich. Menschen essen gerne, wenn sie keinen Hunger haben, und trinken, wenn sie nicht durstig sind; genauso schlafen sie gerne mehr, als nötig wäre. Nur weil wir so gerne noch eine halbe Stunde länger liegen bleiben, ist noch lange nicht gesagt, dass dieser Extraschlaf wirklich so viel »natürlicher« ist. Brauchen wir an den Wochenenden mehr Schlaf? Oder nutzen wir nur die Gelegenheit?

Auch gibt es widersprüchliche Ansichten darüber, ob sich die Durchschnittsschlafmenge tatsächlich, wie oft behauptet, so dramatisch verringert hat. Obschon manche, vor allem amerikanische Studien sehr bestimmt erklären, dass unsere hektische, elektrisch befeuerte Lebensweise die nächtliche Schlafenszeit um mindestens eine Stunde verkürzt hat, kam eine Studie aus Surrey zum Schlafverhalten im 21. Jahrhundert zu dem Schluss, dass die durchschnittliche Schlafdauer – etwas mehr als sieben Stunden – dieselbe ist wie die in einer ähnlichen Studie gefundene Schlafdauer in den sechziger Jahren. Mithin hat sich also nicht viel geändert in vierzig Jahren. Auch die Annahme, dass Schlaf früher erholsamer gewesen sei, wird angezweifelt. Für diejenigen, die im 19. Jahrhundert lange Arbeitstage in

Fabriken abzuleisten hatten und abends in überfüllte, wenig komfortable Behausungen heimkehrten, war Schlaf kein daunenweiches Vergnügen. Genau wie ihr Leben war er vermutlich »kümmerlich, roh und kurz«.

Die Vorstellung, dass sieben oder acht Stunden Schlaf angemessen sind, blickt auf eine lange Tradition. Der elisabethanische Schriftsteller Levin Lemnius empfahl acht Stunden, seine Zeitgenossen Andreas Laurentius und William Vaughan plädierten für zehn. Eine Studie zum englischen Arbeitsleben in der Mitte des 18. Jahrhunderts (zwischen 1750 und 1763) kommt auf einen Durchschnittsschlaf von sieben Stunden und siebenundzwanzig Minuten. Es handelt sich dabei um eine bemerkenswert beständige Zahl, die ein beachtliches Maß an sozialen und technischen Umwälzungen überdauert hat.

Die Antwort auf die Frage, wie viel Schlaf wir brauchen, lautet für jeden Menschen anders. Das Schlafbedürfnis ist eine nicht weniger individuelle Angelegenheit als die Haar- oder Augenfarbe: Es ist etwas, das uns angeboren wird. Schlaf ist »homöostatisch«, will sagen, er reguliert sich selbst. Wenn wir Schlaf nachzuholen haben, schlafen wir ein, und wenn wir genug bekommen haben, wachen wir auf. Er pendelt sich ein. Was dem einen genug ist, führt bei dem anderen zu rotäugiger Übermüdung. Wenn Sie so viel geschlafen haben, dass Sie am Tag munter und nicht müde sind, dann haben sie die Menge Schlaf bekommen, die Sie brauchen.

Siehe auch Einstein und die Langschläfer, Seite 93

Einfach eingenickt...

Es ist eine so unwiderstehliche Versuchung. Die Augenlider senken sich langsam, es kommt zu einem kurzen Ringen mit der Erkenntnis, dass es erst vier Uhr nachmittags ist, aber schon übermannt Sie der Schlummer – ein süßer gestohlener Schlummer.

Ein Nickerchen tut Ihnen gut. Es lädt Ihre Batterien wieder auf. Es hilft jene Stunden Schlaf wettzumachen, die Sie in der vergangenen Nacht nicht bekommen haben. Sieht ganz so aus, als seien solche kurzen Verschnaufpausen eine überaus effiziente Möglichkeit, sich zu erholen.

Und es gibt jede Menge seröser Belege dafür. Eine Studie von Wissenschaftlern der Harvard University kam im Jahr 2002 zu dem Schluss, dass für Leute, die zu viel an Informationen zu verarbeiten haben und zu wenig Schlaf bekommen, ein kurzer Schlummer am Tag ein wirksames Gegengift gegen das Stadium des erschöpften »Burn-outs« ist. Ein halbstündiger Schlaf im Verlauf eines ermüdenden Tages kann verhindern helfen, dass das Gefühl von »Gereiztheit, Frustration und mangelnder Leistungsfähigkeit« zunimmt, stellten die Forscher fest; ein einstündiger Schlaf führte zu einer deutlichen Verbesserung beim Ausführen von Aufgaben.

Eine andere, ebenfalls in Harvard durchgeführte Studie aus dem Jahr 2007 zeigte eine dramatische Beziehung zwischen regelmäßigem Tageschlaf und dem Auftreten beziehungsweise Nichtauftreten von Herzerkrankungen. Diese über einen Zeitraum von sechs Jahren durchgeführte Untersuchung kam zu dem Ergebnis, dass sich bei Menschen, die dreimal oder häufiger pro Woche einen Mittagsschlaf hielten, das Risiko, an einer Herzerkrankung zu sterben, um 37 Prozent verringerte.

Warum also gilt angesichts all dessen, was dafür spricht, ein Schläfchen am Tage immer noch ein bisschen als Faulenzerei? Obwohl uns die Theorie jede Menge Belege für die wohltuenden Auswirkungen eines Nickerchens mitten am Tag beschert, ist dieses an den meisten Arbeitsplätzen noch immer eine Ausnahme. Es mag hier und da Berichte über japanische Manager geben, die an ihren Schreibtischen schnarchen, und über Luftschlossbauer in Silicon Valley, die in ihren Büros Sonnenliegen aufgestellt haben, aber aktiv gefördert wird so etwas in der Realität nicht. Die Vorstellung, einfach während der Arbeit zu schlafen, verträgt sich eben nicht mit dem Produktivitätsstreben eines Unternehmens.

Vielleicht ist das der Grund dafür, dass man dem guten alten Mittagsschlaf einen neuen Namen verpasst hat; man nennt ihn nun »Power-Napping« oder manchmal auch »Kraftnickerchen«. Klingt ein bisschen weniger verweichlicht und mehr nach Business School. Obschon es natürlich nicht den geringsten Unterschied zwischen Power-Napping und einem hundsgewöhnlichen Nickerchen mitten am Tage gibt – nicht mehr jedenfalls, als wenn Sie Ihr morgendliches Müsli nun als Power-Müsli bezeichnen. Im Prinzip ist Power-Napping nichts anderes als eine Prise Schlaf, die unter Zeitdruck stehende, überarbeitete Leute nebenher zu ergattern versuchen, um mit neuer Energie den Tag zu überstehen. Im Bestreben, all dem ein bisschen technisch aufgemotzte Glaubwürdigkeit zu verleihen, verfügen manche Firmen gar eigens über »Schlafkapseln« (auch »Napshells«), in denen der Power-Napper Kraft tanken kann. Sie mögen Hightech sein, aber trotzdem sehen manche davon aus, als verkröchen sich die Leute unter riesigen Teetassen. Nur für den Fall, dass Sie das Ganze für das schlichte altbekannte

Schläfchen halten: Diesen Kapseln wird attestiert, dass sie »effizient das Müdigkeitsrisiko am Arbeitsplatz« senken. Wie gesagt: ein kurzes Nickerchen.

Wenn wir Freilandgeschöpfe wären und nicht in Bürobatterien gehalten würden, spielte es keine Rolle, wie wir schliefen. Unser Körper würde erwachen, wenn wir dazu bereit wären. Es handelt sich um einen durch und durch natürlichen Instinkt, den wir verleugnen. Unseren Haustiere gestatten wir zu schlafen, uns selbst nicht.

Es gibt jedoch einige Möglichkeiten, ein kleines Schläfchen auch innerhalb der festen Grenzen eines Arbeitstages effizient zu gestalten. Das richtige Timing ist ein wichtiger Aspekt dabei. Wenn Sie bei der Arbeit sind, hat es keinen Sinn, viel Zeit auf den Schlaf zu verwenden, weil Sie es sowieso nicht schaffen werden, sämtliche Gänge eines kompletten Schlafmenüs zu genießen. Was Sie brauchen, ist vielmehr das Schlafäquivalent zu einem Pausensnack. Zu viel Schlaf zu diesem Zeitpunkt wäre kontraproduktiv und machte den Schlummernden auf längere Zeit benommen.

Es ist besser, nur zwanzig oder dreißig Minuten zu dösen, um sich einen Energieschub zu holen – nach dem Mittagessen vielleicht oder am späten Vormittag. Gleitet ein Nickerchen in einen längeren Schlaf ab, ist man, wird er unterbrochen, nur umso weniger erholt. Eine Studie an Krankenschwestern in der Nachtschicht hat gezeigt, dass die Länge und der Zeitpunkt eines Kurzschlafes wichtig sind, wenn es gilt, Müdigkeit zu vermeiden.

Eine weitere Raffinesse ist das »Koffeinnickerchen«. Von ihm wird behauptet, es sei eine gute Möglichkeit, aus einer begrenzten Schlafdauer mehr herauszuholen. Der Müde trinkt eine Tasse Kaffee, schläft ein und wacht sofort wieder auf, wenn das Koffein seine Wirkung tut. Eine Art Instantschlaf mit Koffeinwecker.

Es gibt eine Ruhmesliste an berühmten Schläfern, die hinlänglich beweist, dass ein Schläfchen am Tag alles andere als ein Zeichen von Faulheit ist. John F. Kennedy, Napoleon Bonaparte, Winston Churchill und Albert Einstein waren Tagschläfer.

In den Vereinigten Staaten gibt es sogar einen Jahrestag des Büroschlafes, den National Workplace Napping Day, dem eine meiner Lieblingsschlagzeilen zu verdanken ist: »Sollte nicht jeder Tag ein National Workplace Napping Day sein?

Siehe auch Mikroschlaf und Narkolepsie, Seite 209

Der Tempel des Heilschlafes

Kann Schlaf heilen? Es gibt eine Fülle von Belegen dafür, dass nicht schlafen schlecht für Ihre Gesundheit ist, aber ist Schlaf aktiv von Nutzen für die Behandlung von Leiden?

Im antiken Griechenland war man der Ansicht, dass Schlaf göttliche Heilkraft besitze, und errichtete Tempel und Heilstätten, in denen kranke Menschen Ruhe finden konnten. Zu den bekanntesten unter ihnen gehörte das Asklepieion, benannt nach Asklepios, dem griechischen Gott der Heilkunst. Diese Gottheit wird stets mit einem Stab dargestellt, um den sich eine Schlange windet – ein Symbol für die geheimnisvollen Heilkräfte der Natur. Auch in seinen Tempeln, in die man die Kranken brachte, tummelten sich ungiftige Schlangen. Wurden die Gebete um Heilung erhört, offenbarten göttliche Gesandte den Patienten im Traum, wie ihre Krankheit zu heilen sei. Der Inhalt der Botschaft war manchmal nicht ohne Weiteres zu entschlüsseln, und so gab es Priester, die den Kranken die Bedeutung ihrer Träume auslegten. Man hat auch gemutmaßt, dass dieser »Tempelschlaf« eine Art Trance oder Hypnose gewesen sein könnte, eine Form von Tiefschlaf jedenfalls, in dem sich bestimmte medizinische Verfahren durchführen ließen.

Die griechischen Götter waren mehr oder weniger ein Familienunternehmen, und so konnte den Schlafenden auch durch die heilenden Hände der Töchter des Asklepios, Panakaia, der »Allheilenden«, und Hygeia, der Göttin der Gesundheit, Hilfe zuteilwerden.

Das war kein flüchtiger Modefimmel. Der Glaube, dass ein solcher, von Gebeten begleiteter Schlaf heilen könne, hielt sich lange, und die Verehrung des Asklepios breitete sich über viele Hundert Orte in Griechenland und später auch in Rom aus. Es gab meist in der Nachbarschaft einer Quelle errichtete Heilstätten, zu denen die Menschen oft aus weiter Entfernung anreisten, um Heilung zu finden. Eine Verbindung zu den Reisenden späterer Jahrhunderte, die auf der Suche nach Heilung an Wallfahrts- oder Kurorte pilgerten, drängt sich förmlich auf.

Die Heilstätten selbst waren oftmals große Gebäudekomplexe, und die Priester hatten beträchtliche Erfahrungen im Heilen mit verschiedenen Kräutern und natürlichen Wirkstoffen. Diese Schlaftherapie mag den Vorstellungen von einer modernen Medizin einigermaßen fern liegen, aber der noch heute von jedem Arzt zu leistende Hippokratische Eid begann in seiner ursprünglichen Formulierung mit den Worten: »Ich schwöre und rufe Apollon,

den Arzt, und Asklepios und Hygeia und Panakeia ... an.«
Den Überzeugungen der alten Griechen entspringt auch
die Vorstellung von einer engen Verknüpfung zwischen
körperlichem und geistigem Wohlbefinden; der Schlaf bildete eine Art Niemandsland, in dem beide Welten einander
begegnen konnten.

Siehe auch Traumgläubige, Seite 264

Wann schläft die einsame Weltumseglerin?

Ein Alleinsegler oder eine Alleinseglerin ist eine verwund-
bare Gestalt, die Wochen auf See verbringt, schutzlos dem
Wetter, dem Meer und der Müdigkeit ausgeliefert. Schlaf
setzt einen Alleinsegler einem zusätzlichen Risiko aus, da
dann niemand nach Gefahren Ausschau hält, die Wetter-
situation im Auge hat, Kurs hält und das Ruder im Griff
hat. Acht Stunden durchzuschlafen ist keine echte Option.
Leute, die ihre Jachten allein steuern, müssen lernen, in
kurzen Intervallen zu schlafen und längere Schlafphasen
bei Nacht oder am Tag zu vermeiden, um ihren Kahn nicht
unbeaufsichtigt dahindümpeln zu lassen. Wir haben es hier
mit der ultimativen Form des Vollstress-Nickerchens zu tun:
sich bei jeder sich bietenden Gelegenheit ein paar Minuten
Schlaf zu schnappen, aber sich nie eine ganze Nacht gönnen
zu dürfen.

Ellen MacArthur hat bei der Vorbereitung auf ihre alle
Rekorde brechende Weltumsegelung im Jahre 2001 mit
einem Schlafexperten zusammengearbeitet. Er hat für sie
ein Kurzschlafsystem entwickelt, das der Notwendigkeit
Rechnung trug, einen so großen Teil des Tages wie irgend
möglich wach und aufmerksam zu bleiben. Die junge Seg-
lerin schlief im Durchschnitt täglich fünfeinhalb Stunden,

aufgeteilt in Rationen zu je sechsunddreißig Minuten. Dieses Modell erlaubte es ihr, vierundneunzig Tage am Ball zu bleiben ohne der Erschöpfung und Konfusion anheimzufallen, die für gewöhnlich mit schwerem Schlafentzug einhergehen.

Als sie nach dem Törn über ihre Schlaftaktik sprach, erklärte sie, es sei nicht schwer gewesen, aus diesen kurzen Schlummerphasen zu erwachen. »Ich kann nicht sagen, was mich geweckt hat, ich wachte einfach auf«, berichtete sie den Reportern. »Ich schlief vierzig Minuten und wenn sich der Wind drehte, wachte ich auf.«

Nicht alle Segler haben dieses Glück. Andere müssen hart trainieren und Hilfsmittel wie laute Alarmsignale verwenden, die alle Stunde einen Höllenlärm machen, um sich mit Gewalt wach zu halten. Es kann zwei elende, schlafgestörte Wochen dauern, bis ein Segler sich auf eine »Diät« aus Kurzschlafphasen umgestellt hat.

Die Art und Weise, wie Alleinsegler schlafen, hat die Forschung interessiert. Dieses Modell aus regelmäßigen Nickerchen ist eine Extremform des »polyphasischen« Schlafes, bei dem die Betreffenden im Gegensatz zum »monophasischen« Schlaf am Stück täglich viele kurze Schlafphasen einschieben. Wissenschaftler fasziniert die Möglichkeit, auf diese Weise extrem lange Zeiten von Schlaflosigkeit überstehen zu können – im Hinterkopf hat man dabei als mögliche Anwendungsgebiete das Militär und die Raumfahrt. Das Stehvermögen von Alleinseglern bietet möglicherweise die Chance, herauszufinden, wie sich das Schlafbedürfnis zähmen lässt.

Siehe auch Schlaftraining: Vorsicht, Quacksalber!,
Seite 228

Winterschlaf

An einem kalten, dunklen Wintermorgen, wenn sich das Bett wie ein unwiderstehlich verführerisches warmes Nest anfühlt, das zu verlassen ungeheuer schwerfällt, muss man sich fragen, wer das evolutionäre Wettrennen eigentlich gewonnen hat. Bären in ihren Höhlen beispielsweise müssen erst im Frühjahr wieder aufstehen. Sie bekommen wahrscheinlich keine E-Mails und haben vermutlich nie die Abendnachrichten gesehen, aber sie haben das Privileg, drei Monate ausschlafen zu dürfen.

Der Winterschlaf – auch Hibernation – ist ein überaus seltsamer Prozess, ein Schritt über den Schlaf hinaus, bei dem das Leben den Tod nachahmt, um lebendig zu bleiben. Der Körper schaltet auf regungslosen Schlaf, die Stoffwechselrate sinkt, die Atmung verlangsamt sich, das Leben kommt zum Stillstand. In diesem Zustand lassen sich Monate überdauern – die Zeit vergeht, das überwinternde Geschöpf aber bekommt von der Welt da draußen nichts mit, sondern verkriecht sich stattdessen in eine innere Welt der Selbsterhaltung. Das Leben hat den Pausenknopf gedrückt.

Es handelt sich um eine echte Betriebspause. Der Schwarzbär kann auf diese Weise hundert Tage überstehen, ohne zu fressen, ohne sich zu bewegen, ohne irgendeine jener Körperfunktionen zu zeigen, für die Bären in der freien Natur berühmt sind. Denken Sie einmal daran, wie kurze Zeit wir nur überleben können, wenn wir nichts zu trinken bekommen – ein Bär im Winterschlaf übersteht all diese Monate, ohne dass ihm auch nur ein Tropfen Wasser die Lippen netzt.

Mithilfe des Winterschlafes umgehen viele Tiere den rauesten, kältesten und entbehrungsreichsten Teil des

Jahres. Er ermöglicht es ihnen, mit ihren Energiereserven sparsam umzugehen, warm zu bleiben und von dem Körperfett zu leben, das sie sich in besseren Monaten zugelegt haben. Eine andere Form dieses Dornröschenschlafes ist die Sommerruhe (Torpor), die sich in heißen, trockenen Regionen beobachten lässt, wo manche Tiere nur so die extreme Dürre der Sommerhitze überstehen können.

Obschon sich für dieses winterliche Zurückschalten der Begriff Winterschlaf weithin etabliert hat, gibt es auch enger gefasste Definitionen. Schwarzbären beispielsweise lassen ihre Körpertemperatur absinken und fallen in einen langen, tiefen Schlaf. Sie liegen reglos in ihren Höhlen, könnten jedoch geweckt werden. Rein technisch gesehen mögen sie zwar über Monate hinweg inaktiv sein, doch sie sind keine »echten Winterschläfer«. Die »echten Winterschläfer« – viele Erdhörnchenarten zum Beispiel – gehen noch weiter und erreichen einen Zustand, der dem Tod bedrohlich nahekommt. Ihre Körpertemperatur sinkt gegen null, der Herzschlag und die Atmung sind so verlangsamt, dass es aussieht, als seien sie leblos. Man kann sie herumtragen, ohne dass sie ein Lebenszeichen von sich geben. Diese Balance zu halten ist ein solcher Drahtseilakt, dass so mancher dieser Hardcore-Winterschläfer sein Leben unbemerkt aushaucht und im Frühjahr nicht mehr erwacht.

Das in seinem kleinen, gut isolierten Nest zusammengerollte Erdhörnchen schaltet alles ab, was nicht absolut unerlässlich ist, um einen schwachen Lebenspuls aufrechtzuerhalten. Im Verlaufe von sieben oder acht langen Monaten kann es 40 Prozent seines Körpergewichts einbüßen, und auch seine Knochen und Zähne nehmen Schaden, während es alles dem Überleben bei Temperaturen von bis zu minus vierzig Grad Celsius opfert. Den größten Teil seines Lebens verbringt es in diesem Schwebezustand.

Bei einem Leben in den gefrorenen Weiten Alaskas ist wohl das Einzige, was ein Arktisches Erdhörnchen stören kann, ein neugieriger Wissenschaftler. Diese Tiere fingen an die Forschung zu faszinieren, als man festgestellte, dass ihre Körpertemperatur nicht nur bis auf den Gefrierpunkt absinkt, sondern sogar darüber hinaus auf minus zwei bis minus drei Grad Celsius. Das ist weniger, als man je bei einem Säugetier gemessen hat, das wieder zum Leben erwacht ist. Um dem Ganzen die richtige Relation zu geben: Der Mensch beginnt unter Hypothermie zu leiden, sobald die Körpertemperatur unter 35 Grad Celsius fällt. Die Tatsache, dass Tiere sich »tiefkühlen« und nahezu alle Lebenszeichen auf null fahren können, ist Gegenstand vieler Untersuchungen, weil man wissen möchte, ob sich daraus irgendwelche Schlüsse für die Humanmedizin ziehen lassen.

Siehe auch Schlaf und Tod, Seite 276

Wie schlafen Astronauten in der Schwerelosigkeit?

Die Antwort lautet kurz und bündig: schlecht. Viele müssen zu Schlaftabletten greifen, denn wenn man versucht, Ruhe zu finden, ist eine Raumkapsel ein schauderhafter Ort.

Die Schwerelosigkeit hat zur Folge, dass Astronauten, statt wie gewohnt in der Horizontalen auf einem Bett zu ruhen, häufig in der Senkrechten in einem irgendwie vertäuten, schlafsackähnlichen Gebilde schlafen müssen. Jeder, der nächtens gerne die tröstliche Last einer Bettdecke auf sich spürt, wird da oben seine liebe Not haben, denn alles, was auf dem Schlafenden lagern soll, wird unweigerlich davonschweben. Ein Kissen muss mit Klettverschlüssen am Kopf des Astronauten befestigt werden.

Auch sind Schlafpositionen eine sehr individuelle Angelegenheit. Jeder, der es gewohnt ist, sich zusammenzurollen – und die häufigste Schlafstellung ist nun einmal die fötale –, muss sich daran gewöhnen, frei umherzuschweben, oder sich anbinden lassen. Wirklich gemütlich ist das nicht.

Als ob das nicht genug wäre, bringt eine Reise im Weltraum den natürlichen Rhythmus von Tag und Nacht, von Schlafen und Wachen, komplett durcheinander. Sobald es dunkel wird, setzt die innere Uhr des Körpers normalerweise das schlaffördernde Hormon Melatonin frei, das dazu beiträgt, uns langsam schläfrig zu machen. Im All fehlt dieses Signal jedoch, denn, wenn Sie in einer elektrisch beleuchteten Blechbüchse um die Erde sausen, gibt es keinen natürlichen Tag-Nacht-Wechsel.

Forschungen zur Rolle des Melatonins bei der Regulierung körpereigener Rhythmen haben auch Fragen aufgeworfen, die für erdverwurzelte Nichtastronauten interessant sind. Stört es nicht auch die Melatoninfreisetzung und den Schlaf, wenn Menschen bis spät in die Nacht in hell erleuchteten Büros herumhängen oder vor hellen Computerbildschirmen sitzen? Besteht hier eine Verwandtschaft zu den Gesundheitsproblemen von Schichtarbeitern? Wird das Ringen um das nächtliche Einschlafen von den widersprüchlichen Signalen beeinflusst, die wir unserem Körper senden?

Die Frage »Schnarchen Menschen im Weltraum auch?« ist immerhin umfassend beantwortet. Eine Zeit lang herrschte hierüber eine gewisse Unsicherheit, aber die Mikrophone der

NASA-Wissenschaftler sprechen unzweifelhaft dafür, dass dem sehr wohl so ist. Vielleicht hört Sie niemand schreien, wenn Sie sich im Weltall verirren, aber Ihr Schnarchen wird definitiv vernommen.

Siehe auch Schnarchen, Seite 221

Das Vergnügen, sich querzulegen

Es ist nur ehrlich zuzugeben, dass Schlafen ein höchst selbstsüchtiges Vergnügen sein kann. Für jeden, der sein Bett normalerweise mit jemandem teilt, kann die Möglichkeit, sich hin und wieder allein austrecken zu dürfen, die endlose leinene Weite zu fühlen, mit exotischen Schlafpositionen zu experimentieren und sämtliche Ecken dieses ungewohnten Freiraums beanspruchen zu dürfen, ein besonders lustvolles Vergnügen sein. Die üblichen Bettdeckenbarrikaden sind niedergerissen. Heute Nacht gibt es nur Sie, das Bett und die Zeit, die Sie miteinander verbringen.

In wunderbarer Weise porträtiert ist dies in Laurence Sternes surrealem Meisterwerk des 18. Jahrhunderts, *Leben und Ansichten von Tristram Shandy, Gentleman*, verfilmt mit Steve Coogan in der Hauptrolle.

– Mein Schwager Toby, fuhr sie fort, wird sich mit Frau Wadman verheirathen.
– Dann wird er, versetzte mein Vater, solange er lebt, niemals wieder schräg in seinem Bett liegen.

Schlaf in der Diagonalen mag nach einem fragwürdigen Gemäldetitel aus dem ersten Semester Kunstgeschichte klingen, er ist aber etwas, das jedermann unmittelbar als zutiefst wohltuende Erfahrung einleuchtet. Man stelle sich den Schlafenden vor, wie er hingebungsvoll und ungehindert, einer Kompassnadel gleich, hin und her pendelt, um die perfekte Schlafstellung zu finden. Arme und Beine hat er von sich gestreckt wie ein Opernsänger und den Kopf in so viele Kissen gekuschelt, wie sich unter ihm stapeln lassen: Ein Diagonalschläfer kennt keine Grenzen.

Siehe auch Wozu ist Schlaf gut?, Seite 235

Bekommt man von Käse Albträume?

Der British Cheese Board (was für einen Spaß die wohl gehabt haben, sich diesen Namen auszudenken) hat eine Untersuchung in Auftrag gegeben, die genau diese wichtige Frage klären sollte: Sorgt Käse für Ihre nächtliche Gänsehaut? Gibt Käse Ihren Albträumen Nahrung?

Die Studie »Cheese and Dreams« gelangte zu dem überzeugenden Schluss, dass dies eine Legende sei. Ein Haufen von zweihundert Freiwilligen aß eine Woche lang vor dem Zubettgehen Käse, und dann zeichnete man ihre Träume und Albträume auf. Danach scheint es zwischen dem Verzehr von Käse und dem Auftreten von Albträumen keinerlei Zusammenhang zu geben. Die Käseexperten kamen vielmehr – völlig unparteiisch – zu dem Schluss, dass Käse über Inhaltsstoffe verfügen muss, die einem erholsamen Schlaf eher zuträglich sind. Milch ist schließlich seit Urzeiten das Mittel der Wahl, wenn man jemandem beim Einschlafen helfen will.

Der Studie zufolge beeinflussen unterschiedliche Käsesorten den Schlaf in unterschiedlicher Weise. Red Leicester beispielsweise soll als Einschlafhilfe besonders wirksam sein und überdies rosarot-nostalgisches Träumen befördern. Stilton ist angeblich am ehesten dazu angetan, bizarre

Träume hervorzurufen, und Cheshire kann einen traumlosen Nachtschlaf heraufbeschwören.

Woher also kommt es, dass man Käse mit Albträumen assoziiert? Eine mögliche Verbindung mag Charles Dickens' Erzählung *Eine Weihnachtsgeschichte* sein, in dem der Hauptperson Scrooge zufolge seltsame nächtlichen Visionen darauf zurückzuführen sind, dass man vor dem Zubettgehen ein »Käserindchen« gegessen hat.

Bevor man aber diese Käse-Albtraum-Verbindung komplett als Ammenmärchen zurückweist – ein bisschen was Wahres könnte an der Geschichte doch dran sein. Käse enthält Tyramin, einen Neurotransmitter, der das Gehirn stimuliert. Eine erhöhte Empfindlichkeit gegenüber dieser Substanz ist mit Schlafstörungen, Albträumen, Kopfschmerzen und Schlaflosigkeit in Verbindung gebracht worden. Schimmelkäse sollen besonders geneigt sein, solche Leiden hervorzurufen, was den Einzelfallberichten darüber, dass Stilton und Rotwein gute Zutaten für eine schlechte Nacht seien, neue Glaubwürdigkeit verleiht. Wir entschuldigen uns hiermit bei allen Ammen.

Siehe auch Schuldbewusste Raucherträume, Seite 179

Ist zu viel Schlaf schädlich?

Alles in Maßen. Dass Schlafmangel ein Gesundheitsrisiko darstellt, ist bekannt. Weniger verbreitet ist wahrscheinlich, dass auch zu viel Schlaf mit einer verkürzten Lebenserwartung in Verbindung stehen soll. Eine Studie mit einer Million Kaliforniern kam zu dem Schluss, dass Menschen, die gewohnheitsmäßig mehr als acht Stunden täglich schlafen, eher Gefahr laufen, jung zu sterben. Warum das so sein soll, ist nicht klar, aber Schlafenszeiten, die deutlich über acht Stunden hinausgehen, scheinen keinen zusätzlichen Vorteil zu bringen.

Bestätigt wurde dies durch eine weitere Studie der University of Warwick, die das Schlafverhalten von 10 000 Beamten im öffentlichen Dienst untersucht hat. Auch hier zeigte sich, dass es von Nutzen ist, einen Mittelweg zu beschreiten. Obwohl die zentrale Erkenntnis lautete, dass zu wenig Schlaf mit einer verringerten Lebenserwartung einhergehe, besagte ein weiteres, weniger vorhergesehenes Resultat, dass Menschen, die ohne Not mehr als acht Stunden schlafen, früher sterben.

Das war einigermaßen rätselhaft. Schlafmangel war mit einer Reihe von Gesundheitsproblemen in Zusammenhang gebracht worden – unter anderem Übergewicht, Bluthochdruck und Herzerkrankungen –, doch warum eine zusätzliche Stunde im Bett das Risiko eines frühen Todes erhöhen soll, ist nicht klar.

Ein Erklärungsversuch hierzu geht davon aus, dass die zusätzliche Schlafenszeit das Vorhandensein anderer Probleme anzeigt und dass das Schlafverhalten eher Symptom als Ursache ist – mithin das zugrunde liegende Problem und nicht die Schlafdauer die Verringerung der Lebenserwartung bewirkt. Menschen mit schweren chronischen Erkrankungen brauchen zum Beispiel mehr Schlaf. Eine andere Überlegung lautet, dass der Schlaf mancher Menschen nicht qualitätvoll genug ist, dass ihre Nächte gestört und zerstückelt sind, und ihre lange Verweildauer im Bett der schlafhungrige Versuch ist, die fehlenden Stunden nachzuholen.

Was die Frage betrifft, inwieweit das Leben durch bestimmte Schlafgewohnheiten verkürzt werden kann, hat eine finnische Studie die Risiken in Zahlen greifbar zu machen versucht. Bei männlichen Langschläfern (mit einer Schlafdauer von mehr als acht Stunden) lag die Wahrscheinlichkeit für ein verfrühtes Ableben gegenüber einem Durchschnittsschläfer (mit täglich sieben Stunden Schlaf) um 24 Prozent höher, bei Kurzschläfern (weniger als sieben Stunden) um 26 Prozent. Bei Frauen war der Einfluss ein bisschen geringer, er lag bei 21 Prozent für Kurzschläferinnen und 17 Prozent für Langschläferinnen.

Das allerdings ist eine Sorte von Gesundheitsinformation, mit der schwer umzugehen ist. Wenn Sie ein Langschläfer sind, der zehn Stunden Schlaf pro Nacht braucht, werden Sie kaum zwei Stunden früher aufstehen, um aus sich einen Durchschnittsschläfer zu machen. Das Schlafbedürfnis ist ein genauso individuelles Erbe wie die Augenfarbe oder die Schuhgröße. Es ist nichts, was wir beeinflussen könnten. Napoleon soll übrigens eine ziemlich kompromisslose Haltung zu dieser Frage gehabt haben: »Sechs Stunden Schlaf für einen Mann, sieben für eine Frau, acht für einen Narren.«

Siehe auch Einstein und die Langschläfer, Seite 93

Der Vierstundentag der Fledermaus

In der Natur gibt es keine Wecker. Tiere in freier Wildbahn folgen ihren eigenen Schlafrhythmen, und davon gibt es eine enorme Bandbreite. Fledermäuse aus der Gattung der Mausohr-Fledermäuse zum Beispiel besitzen neben ihrer bemerkenswerten Fähigkeit, mit dem Kopf nach unten hängend schlummern zu können, auch eine enorme Ausdauer, was ihre Schlafenszeiten betrifft: Sie schlafen fast zwanzig Stunden am Tag. Anders herum betrachtet verbringen sie demnach mehr als vier Fünftel ihres Lebens schlafend. Worin besteht also ihr eigentliches Leben? Ist es die innere Welt jener langen Stunden, die sie schlafend verbringen? Oder ist es die flüchtige Phase der Aktivität in den wachen vier Stunden pro Tag, in denen sie sich mit Nahrungsreserven für ihren extravagant langen Schlaf eindecken? Wir Menschen betrachten Schlaf in der Regel als eine Zäsur zwischen den Zeiten, die wir umtriebig und wach verbringen. Für eine Fledermaus sind es hingegen die Wachstunden, die eine flüchtige Unterbrechung ihres sonstigen Daseins bedeuten.

Am anderen Ende der Skala stehen große Säugetiere wie Elefanten und Giraffen, die mit weit weniger Schlaf auskommen. Elefanten geben sich mit nur vier Stunden zufrieden und die verbringen sie auch noch im Stehen. Giraffen brauchen trotz all ihrer schwerfällig wirkenden Schlaksigkeit auch nur wenige Stunden Schlaf pro Tag. Nutztiere wie Kühe, Schafe und Pferde gehören ebenso zu den Wenigschläfern, meist genügen ihnen drei bis vier Stunden täglich.

Großkatzen hingegen dehnen ihre Ruhepause gerne sehr viel länger aus. Ein lässig hingestreckter Löwe bringt es in königlicher Selbstzufriedenheit auf mindestens zwölf Stunden täglich, mit vollem Bauch sogar auf noch mehr. Tiger schlafen ungefähr fünfzehn Stunden am Tag, Geparden zwölf. Wieder stellt sich die Frage, was wir denn als »Normalzustand« bezeichnen können, wenn Schlaf die Hauptbeschäftigung im Leben ist.

Unsere Cousins in der Primatenwelt, die Schimpansen, bekommen ungefähr zwölf Stunden Schlaf pro Tag; einige Forscher vermuten allerdings, dass es doch eher acht bis zehn Stunden sind. Aufnahmen haben nämlich gezeigt, dass Schimpansen zu ihren mutmaßlichen Schlafenszeiten nicht immer schlafen, sondern mehrmals pro Nacht aufstehen. Ungefähr zwanzig Minuten lang betreiben sie Fellpflege, fressen, trinken oder suchen sich eine bequemere Schlafstellung, bevor sie sich wieder zur Ruhe legen. Es entbehrt nicht der Faszination, dass man diese Schlafunterbrechung in der Mitte der Nacht zumindest in Großbritannien auch als Schlafmuster des Menschen in vorindustrieller Zeit kennt.

Das Bettenmachen ist eine weitere Gemeinsamkeit von Menschen und Schimpansen, wobei Letztere in großer Höhe schalenförmige Nester aus Zweigen und Blättern bauen. Nur Schimpansen mit einer sehr engen verwandtschaftlichen Beziehung zueinander schlafen im selben Nest – Mutter und Tochter zum Beispiel –, und junge Schimpansen bleiben etwa bis zum Alter von fünf Jahren im Nest der Mutter.

Die Tatsache, dass die große Mehrzahl der Säugetiere sich ihr Schlafpensum nicht an einem Stück holt, ist aufschlussreich für die Frage, was als natürlich gelten kann. Sie machen Nickerchen, splittern ihren Schlaf in kleinere Häppchen auf und dösen ein, wenn ihnen danach ist. Man sieht nur sehr wenige Säugetierarten bei Tagesanbruch im Schlafanzug umherstolpern und die Tatsache verfluchen, dass sie jetzt zum Flughafen fahren müssen.

Es gibt noch andere seltsame Aspekte am Schlafverhalten von Tieren. Beim Menschen ist die Schlafphase des REM-Schlafes ein wichtiger, wenn auch immer noch relativ rätselhafter Teil des Nachtschlafes. Es ist die Zeit, in der wir mit der größten Wahrscheinlichkeit träumen und uns eine seltsame unbewusste Erregung erfasst. Im REM-Schlaf können Menschen sexuell genauso erregt sein, als sähen sie einen Erotikfilm. Wer aber ist der Champion des REM-

Schlafes? Es ist das Schnabeltier. Jenes seltsame Geschöpf mit seiner Schaufelnase kann es auf acht Stunden REM-Schlaf pro Tag bringen. Insgesamt kommt es auf vierzehn Stunden Schlaf täglich.

Von was träumt dieses glückliche Wesen? Wie ist das Schnabeltier an dieses Glückslos der Traumlotterie geraten? Es gibt Dutzende überaus gewissenhafter wissenschaftlicher Arbeiten, die sich mit den seltsamen Schlafmerkmalen des Schnabeltiers befassen. Nicht, dass etwas dieses traumverlorene Säugetier aus der Ruhe bringen würde …

Reptilien sind nicht mit demselben Glück gesegnet. Während man bei Vögeln REM-Schlaf hat nachweisen können, scheinen Reptilien in manchen Fällen über gar nichts Vergleichbares zu verfügen. Krokodile, in jeder Hinsicht unsentimentale Geschöpfe, zeigen keinerlei Anzeichen für diese Art von Träumerei. Doch gibt es auch Wissenschaftler, die daran zweifeln, dass das Gehirn von Reptilien eine traumfreie Zone ist. Von manchen Echsen und Leguanen wird beispielsweise berichtet, dass sie, wenn sie schlafen, durchaus eine gewisse Hirnaktivität aufweisen. Die Frage nach Reptilienträumen ist also noch nicht abschließend entschieden. Damit bleiben auch solche weltbewegenden Sonntagnachmittaggrübeleien unbeantwortet wie die, ob Dinosaurier geträumt haben und wenn ja, wovon?

Bei all den Fragen zum Wesen des Schlafes ist die Versuchung groß, alle anderen Kreaturen aus menschlicher Perspektive zu sehen. Schlaf ist in unserem Leben eine wohldefinierte Angelegenheit – wir können eine klare Unterscheidung zwischen Schlafen und Wachen treffen (von dem einen oder anderen amerikanischen Präsidenten vielleicht abgesehen). Ebenfalls einfach herauszufinden ist es, wann ein anderes Säugetier schläft. Bei anderen

Arten von Lebewesen hingegen ist dies weitaus weniger eindeutig.

Man hat Insekten darauf untersucht, ob man bei ihnen wirklich davon sprechen kann, dass sie schlafen. Damit verwickelt man sich rasch in Definitionsfragen. Es mag gewisse Zustände der Ruhe und Zurückgezogenheit geben, Verhaltensunterschiede zwischen Tag und Nacht, aber ist das wirklich dasselbe wie schlafen? Man hat Taufliegen gestupst und gekitzelt, um ihre Benommenheit zu testen, ist aber zu keiner schlüssigen Antwort gelangt. Selbst einfachste Organismen folgen einem Zyklus aus Aktivität und Ruhe, gekoppelt meist an den täglichen Zyklus aus Tag und Nacht, aber ist das dasselbe wie Schlafen und Wachen?

Diese Unsicherheit könnte sogar ein Anlass sein, um die Eigentümlichkeiten unseres eigenen Verhältnisses zum Schlaf auch einmal zu überdenken. In der Kultur des Menschen ist es so, dass fast alles, worüber wir uns unterhalten und was wir schätzen, sich auf die wache Welt bezieht, die wir als säuberlich getrennt von den scheinbar verlorenen Stunden unseres Schlafes betrachten. Der Schlaf stößt uns zu wie die Pause zwischen zwei Wörtern, er ist etwas ohne eigenständigen Status. Die anderen Lebewesen um uns herum erfahren ihn womöglich völlig anders: Viele von ihnen verbringen den Großteil ihres Lebens im Schlaf; sie tauchen im Laufe eines Tages vermutlich sehr viel leichter darin ab und wieder daraus auf als unsereiner; die Trennwand zwischen Schlafen und Wachen ist bei ihnen wahrscheinlich sehr viel durchlässiger.

Manche Meerestiere können lange Strecken des Tages in scheinbarer Leblosigkeit verbringen, sich aber, sobald Nahrung oder Gefahr nahen, sehr schnell bewegen, bevor sie wieder in ihren Ruhezustand zurückfallen. Haben sie geschlafen? Oder ist das einfach ihre »Nullstellung«, und sind die wachen Augenblicke die Abweichung davon? Wir assoziieren Wachsein mit dem Gefühl von Bewusstsein – es ist die Zeit, in der wir zu uns selbst werden. Aber auch Pflanzen können einem Tagesrhythmus folgen: Sie öffnen und schließen ihre Blütenkelche. Heißt das, sie schlafen und wachen ebenfalls?

Siehe auch Zwei alte Feinde: Arbeit und Schlaf, Seite 88

Flugzeuge: Lärmbelästigung im Schlaf

Es ist nicht weiter verwunderlich, dass ständige nächtliche Lärmbelästigung Ihr Stressniveau hebt, wenn sie Sie wach hält; Untersuchungen zum Flugzeuglärm haben jedoch gezeigt, dass auch Menschen, die schlafen, klassische Stresssymptome zeigen können.

Bei Menschen, die in der Nähe des Londoner Flughafens Heathrow oder anderer Großflughäfen in Italien, den Niederlanden, Deutschland und Schweden wohnen, hat man während der Nacht den Blutdruck gemessen und dabei festgestellt, dass lauter Flugzeuglärm ihn ansteigen ließ, umso stärker, je lauter der Lärm war. Das legt die Vermutung nahe, dass Menschen, auch wenn sie sich allem Anschein nach keiner Lärmbelästigung bewusst sind, körperlich darauf reagieren.

Bereits in der Vergangenheit hatte man eine Verknüpfung zwischen Blutdruckanstieg und Lärm nachgewiesen, und zwar bei Menschen, die in der Nähe vielbefahrener Straßen oder unter einer Einflugschneise leben. Diese Studie hat nun zusätzlich gezeigt, dass Menschen sich auch im Schlaf nicht davon erholen. Sie belegt, wie sensibel Menschen auch noch die Nacht hindurch auf ihre Umwelt reagieren.

Siehe auch Lichtverschmutzung, Seite 205

zzzzzzzzzzzzzzzzzzzzzzzzzzzzzzzzzzzzzzzzzzzzzzzzzzzzzzzzzzzzzzzzzzz

Schlaflose Städte

Wo und wann, das hätte ich gerne mal erklärt, kann jemand in dieser großen Stadt sechs Stunden ungestörten Schlaf garantieren?

Wen, der sich die Mühe macht, darüber nachzudenken, wie erbarmungslos unsere städtischen Arrangements die Notwendigkeit des Schlafs missachten, wird es verwundern, wenn der Irrsinn zunimmt, wenn Ärzte sich von Jahr zu Jahr mehr mit Erkrankungen des Nervensystems herumschlagen müssen, wenn Männer und Frauen immer rascher und rascher erschöpft sind?

Diese mahnenden Worte, die konstatieren, dass das überfüllte London im Begriff sei, dem Schlaf den Garaus zu machen, stammen aus einem Brief an die *Times*, geschrieben im Jahre 1869 von einem Arzt aus der Harley Street. Wir neigen zu der Ansicht, dass die Klagen über Lärmbelästigung und einen zu raschen Lebensrhythmus eine durch und durch moderne Erfahrung seien. Dieser Brief aber lässt darauf schließen, dass das Ringen zwischen dem Bedürfnis nach Ruhe und der lärmenden Ruhelosigkeit einer Großstadt schon seit geraumer Zeit tobt. Auch zieht er eine höchst vertraute Verbindung zwischen Zwängen des städtischen Lebens und der geistigen Gesundheit der Bürger.

Was mag diesen Arzt des Nachts wach gehalten haben? Das Rufen der Droschkenfahrer, das Grölen und Singen Betrunkener, die Zeitungsjungen, Drehorgeln, Straßenkehrer oder, schlimmer als alles andere, die Ziehharmonikaspieler? Nicht ganz das Pralinenschachtelbild des viktorianischen London.

Siehe auch Träume aus den Dreißigern, Seite 262

Warum Delphine im Schlaf nicht ertrinken

Wenn es um evolutionäre Anpassungen geht, gehört die Art und Weise, wie Delphine schlafen, zweifellos zu den genialsten überhaupt. Delphine können, wie andere Meeressäuger übrigens auch, nur eine Hälfte ihres Gehirns schlafen lassen, während die andere wach bleibt. Auf diese Weise befindet sich ein Delphin nie in dem schutzlosen Zustand kompletter Bewusstlosigkeit; mindestens eine Hirnhälfte hält immer Wache.

Wenn Delphine für ein paar Stunden in dieses Stadium des Halbschlafs verfallen, treiben sie regungslos unter der Wasseroberfläche. Die wache Hälfte des Gehirns hält Ausschau nach Räubern und schickt den Delphin, wenn nötig, zum Atmen an die Oberfläche, sodass er nicht ertrinkt. Beide Hirnhälften übernehmen abwechselnd die Wachbeziehungsweise Schlafschicht und halten dabei jeweils ein Auge offen, das andere bleibt geschlossen.

Das ist mehr als nur ein cleverer Partytrick. Während das Atmen beim Menschen ein unwillkürlicher Akt ist, den wir ohne nachzudenken auch im Schlaf munter ausführen können, ist das Atmen für Delphine und Wale ein bewusster Vorgang – sie müssen wach genug sein, um zu merken, wann sie an die Oberfläche müssen, um Luft zu schöpfen.

Es gibt von dem Verhalten in diesem halb wachen und halb schlafenden Dämmerzustand auch verschiedene »Gruppenversionen«. Enten an der Peripherie eines gemeinsam ruhenden Schwarms halten buchstäblich ein Auge offen, um Gefahren rechtzeitig zu erkennen.

Delphine sollen angeblich ein Drittel des Tages in diesem friedlichen Dämmerzustand verbringen – in etwa so lange, wie auch der Mensch schläft. Schlafforscher haben darüber spekuliert, was die »monohemisphärische« Schlaftechnik uns über die Schlafprobleme des Menschen verraten könnte. Ist es einem Tier möglich, sich hinreichend auszuruhen und zu erholen, ohne ganz in tiefen Schlaf abzugleiten? Und können auch wir vollen Nutzen aus unserem Schlaf ziehen, wenn wir halb wach bleiben? Hat ein Verhalten wie das Schlafwandeln damit zu tun, dass ein Teil des Gehirns noch wach ist, obwohl es schlafen sollte?

Und noch mehr Fragen wirft dieser halb schlafende und halb wache Zustand auf: Kann ein Tier träumen, wenn es halb wach ist? Man hat lange angenommen, dass Delphinen der mit dem Träumen in enger Verbindung stehende REM-Schlaf abgeht. Neuere Forschungen zweifeln das allerdings an und behaupten, es gebe Anzeichen dafür, dass Delphine doch träumen. Ob das wohl heißt, dass ein schläfrig vor sich hin dämmernder Delphin seine eigenen Träume beobachten kann?

Siehe auch Traumland, Seite 240

Kaffee contra Schlaf

Kaffee oder, genauer, das Koffein im Kaffee, hält Sie wach. Es ist ein Stimulans, das den Vorgang des Einschlafens wirksam unterbindet. Die meisten Empfehlungen für einen erholsamen Schlaf beinhalten daher auch die Mahnung, auf Kaffee besser zu verzichten. Anders herum betrachtet: Wenn Sie am Abend noch mit aller Gewalt etwas fertig machen müssen, kann eine Tasse Kaffee sehr hilfreich sein und den Drang zu schlafen vorübergehend abwehren.

Herauszufinden, wie viel Koffein Sie dabei zu sich nehmen, ist allerdings nicht immer so einfach, denn die Menge in einer Tasse Kaffee kann sehr stark schwanken. Eine Tasse Filterkaffee enthält im Regelfall zwischen 80 und 115 Milligramm Koffein, eine Tasse Instantkaffee im Schnitt 65 Milligramm. Espresso mag einem so vorkommen, als habe er es in sich, aber da man ihn meist in sehr viel kleineren Mengen trinkt, liegt auch hier die Koffeindosis meist bei nicht mehr als 80 Milligramm.

Diese Konzentrationen schwanken allerdings ganz erheblich. Eine Studie der britischen Lebensmittelbehörde FSA (Food Standard Agency) kam zu dem Ergebnis, dass der Koffeingehalt von Instantkaffee zwischen 21 und 120 Milligramm schwankt, bei Filterkaffee reicht die Palette sogar von 15 bis 254 Milligramm. Diese Untersuchung, bei der in zehn Regionen des Vereinigten Königreichs daheim zubereitete Heißgetränke mit denen aus Cafés verglichen wurden, kam auch zu dem Schluss, dass die Koffeinmenge in Tee zwischen einem und neun Milligramm pro Tasse schwankt. Den Teebeutel fünf Minuten ziehen zu lassen, kann die Koffeinmenge pro Tasse verdoppeln. Um die Wirkung eines warmen Getränks vor dem Schlafengehen also richtig einschätzen zu können, müssen Sie viele Variablen in Betracht ziehen: die Größe der Tasse, die Kaffee- oder Teesorte und wie stark sie gebrüht wurde. Fünf Tassen eines schwachen Instantkaffees verschaffen Ihnen unter Umständen einen geringeren Koffeinkick als eine einzige Tasse frisch gemahlenen Filterkaffees.

Wenn Sie genügend Kaffee intus haben und dies das Schlafbedürfnis dennoch nicht zügeln will, kann das auch an einem anderen Parameter der Kaffee-gegen-Schlaf-Strategie liegen. Menschen entwickeln nämlich eine gewisse Toleranz für Koffein – je mehr wir von dem Zeug in uns hineinschütten, desto weniger wirksam wird es. Den Gelegenheitskaffeetrinker mag eine ordentliche Portion frisch aufgebrühten Kaffees stundenlang wach halten, den abgehärteten Vieltrinker beeindruckt sie nicht im Mindesten.

Aber Kaffee kann eine relativ lang anhaltende Wirkung haben. Sechs Stunden, nachdem man eine Tasse Kaffee getrunken hat, kann noch die Hälfte des darin enthaltenen Koffeins im Körper zirkulieren. Wenn man gegen Abend eine Tasse Kaffee trinkt, kann es daher durchaus sein, dass diese sich während der Schlafenszeit immer noch bemerkbar macht.

Daneben sollte man nicht vergessen, dass Kaffee kein Ersatz für Schlaf sein kann. Auch wenn Sie damit für den Augenblick verhindern, dass Sie einschlafen, so enthebt Sie das nicht der Notwendigkeit an sich. Das Bedürfnis ist und bleibt vorhanden, aufgeschoben zwar, aber noch lange nicht aufgehoben. Jeder, der schon einmal eine Nacht mit zu viel Kaffee hinter sich gebracht hat, wird das scheuß-liche Gefühl kennen, vom Koffein völlig überdreht zu sein und gleichzeitig vor Müdigkeit tot umfallen zu können.

Um die Wirkung von Koffein auf den Schlaf weiß man seit Langem. Die espressostarke Rezension eines Theaterstücks mit dem Titel *Black Coffee* von Agatha Christie spiegelt das sehr schön wider. Der Kritiker des *Observer* schrieb im April 1931: »Schwarzer Kaffee ist angeblich ein starkes Stimulans und ein mächtiger Feind des Schlafs. Mir scheint der Titel des Stücks ein wenig übertrieben.«

Siehe auch Die Top-Ten-Tipps für eine unruhige Nacht, Seite 181

Kann ein Schlafender ein Verbrechen begehen?

Im Jahre 1846 stand der des Mordes angeklagte Albert Tirrell im amerikanischen Boston vor Gericht. Man beschuldigte ihn, die Prostituierte Maria Ann Bickford ermordet zu haben. Er habe ihr die Kehle durchgeschnitten und dann das Bordell, in dem sie arbeitete, in Brand gesetzt. Er leugnete nicht, diese furchtbaren Taten begangen zu haben. Seine Verteidigung aber lautete, dass er die ganze Zeit über geschlafwandelt habe und für Handlungen, über die er keine Kontrolle gehabt habe, nicht verantwortlich zu machen sei. Die Jury entschied zu seinen Gunsten, sprach Tirell frei und schuf damit den Präzedenzfall für eine erfolgreiche Verteidigung unter Berufung auf das Phänomen des Schlafwandelns.

Dieser Prozess führt deutlich vor Augen, wie seltsam Schlafwandeln ist. Die Betreffenden laufen umher und kennen sich aus, sind sich ihrer selbst und ihrer Handlungen jedoch nicht aktiv bewusst. Sie vermögen unter Umständen sogar auf einfache Fragen zu antworten, nehmen die Außenwelt aber nicht im eigentlichen Sinne wahr und merken auch nicht, wer oder was sich um sie herum befindet. Sind sie wirklich da? Inwieweit sind sie verantwortlich für das, was sie sagen oder tun?

Schlafwandeln ist etwas anderes als das Ausleben von Träumen, denn es findet nicht in jenem traumfreundlichen Stadium des Schlafzyklus statt, sondern geschieht mitten im Tiefschlaf, wenn das Gehirn vom Wachzustand am weitesten entfernt und am wenigsten aktiv ist. Genau dann, wenn das Gehirn, der Sitz des Bewusstseins und der Persönlichkeit, am wenigsten Kontrolle hat.

In der Regel ist das Schlimmste, was passieren kann, dass der Schlafwandelnde sich verletzt oder etwas Peinliches tut. Was aber geschieht, wenn er jemand anderen verletzt? Wo liegt die Verantwortung für eine Handlung, die von jemandem begangen wurde, der sich seines Handelns nicht bewusst war?

Auf einer Konferenz der Royal Society of Medicine zum Thema Schlaf war zu erfahren, dass es in Fällen von Nachtschreck (Pavor nocturnus), einer dem Schlafwandeln verwandten Störung, weit häufiger als bislang angenommen zu Gewalthandlungen kommt. Jemand der unter Pavor leidet, glaubt, er werde angegriffen, und schlägt oder tritt unter Umständen nach der Person, die mit ihm das Bett teilt. In einem Fall musste eine Frau aus dem Schlafzimmer ausziehen, weil ihr Mann nicht aufhörte, sie zu attackieren. Er hielt sie für einen japanischen Gefängniswärter in einem Kriegsgefangenenlager.

Auch aus jüngerer Zeit gibt es Gerichtsverfahren, bei denen Schlafwandeln als Argument der Verteidigung bemüht wurde. Im Jahre 2005 wurde der des Mordes an seinem greisen Vater angeklagte Jules Lowe freigesprochen, nachdem er dem Gericht in Manchester glaubhaft hatte machen können, dass er während der Tat geschlafwandelt und somit keinerlei Erinnerungen an die Ereignisse habe. Das Urteil lautete Freispruch aufgrund geistiger Unzurechnungsfähigkeit.

Man nimmt an, dass es über die ganze Welt verstreut etwa sechzig Mordfälle gibt, in denen die Verteidigung mit Schlafwandeln argumentiert hat – nicht immer erfolgreich.

Siehe auch Traumdichtung, Seite 260

Schlafhölle

~~~~~~

Schlafmangel und Schlafentzug

Es hat immer Menschen mit Schlafstörungen gegeben, aber nie zuvor war Schlafmangel ein so weitverbreitetes Problem wie heute. In einer Vierundzwanzig-Stunden-Kultur zu leben ist das eine, deswegen wach zu bleiben etwas anderes.

Man hat wird das Gefühl nicht los, dass der Tag nicht genügend Stunden hat, um uns den Schlaf zu ermöglichen, den wir brauchen. Ärzte (stets auf Abkürzungen versessen) sagen, dass eine der häufigsten Klagen, mit denen sie gegenwärtig in der Praxis zu tun haben, CFS laute – chronische Müdigkeit, das Kürzel kommt von der englischen Bezeichnung *chronic fatigue syndrome*. In den Vereinigten Staaten, die dem Rest der Welt ja bekanntlich immer ein Stück voraus sind, wenn es um besorgniserregende Tendenzen im Bereich Gesundheit geht, hat sich das Problem der Schlafstörungen zu ungeahnten Dimensionen hochgeschraubt. Zwischen 2001 und 2007 gab es bei der Verordnung von verschreibungspflichtigen Schlaftabletten einen Anstieg um 75 Prozent. Im gleichen Zeitraum schnellte der Umsatz bei Schlafmitteln insgesamt von 1,3 Milliarden auf 4,6 Milliarden Dollar.

Lange am Arbeitsplatz ausharren, Arbeit mit nach Hause nehmen, zu viele Zerstreuungsmöglichkeiten am Abend – es kann eine Menge Gründe geben, nicht zeitig zu Bett zu gehen. Das körperliche Bedürfnis nach ausreichend Schlaf aber bleibt bestehen. Wir tun von allem zu viel – nur beim Schlafen sind wir nicht so großzügig.

Das aber hat seinen Preis. Es an Schlaf fehlen zu lassen heißt, dem System unseres Körpers Ruhe und Erholung zu versagen. Es macht Menschen gestresst und reizbar, es beeinträchtigt die Konzentrationsfähigkeit, einfache Aufgaben erscheinen mit einem Mal kompliziert, Gedächtnis und motorische Fertigkeiten lassen nach. Neunzehn Stunden wach zu bleiben hat dieselben negativen Auswirkungen auf unser Leistungsvermögen wie ein paar Gläser Alkohol zu viel.

Jeder Handgriff wird schwieriger, wenn Sie nicht genug geschlafen haben, Gefühle geraten aus dem Lot, Triviales kann eine wütende oder tränenreiche Reaktion hervorrufen, Stimmungen machen eine Berg- und Talfahrt wie in einer Achterbahn. Am deutlichsten können Sie dies bei kleinen Kindern beobachten, deren Verhalten entsetzlich anstrengend sein kann, wenn sie nicht genug geschlafen haben. Schlafmangel wirkt auf Kinder wie eine bewusstseinsverändernde Droge: Sie verwandeln sich in Emotionsmonster.

Im Auftrag des Militärs sind Untersuchungen durchgeführt worden, durch die geklärt werden sollte, in welchem Maße Schlafmangel die Entscheidungsfähigkeit und das moralische Urteilsvermögen von Soldaten herabsetzt. Experimente haben gezeigt, dass Menschen, wenn sie sehr müde sind, leicht übereilte Entscheidungen fällen. Es handelt sich dabei um eine Art moralische Version von zu schnellem Fahren. Das US Army Institut of Research, eine medizinische Forschungseinrichtung des amerikanischen Militärs, hat festgestellt, dass Menschen, deren Schlaf man unterbrochen beziehungsweise die man ganz am Schlafen gehindert hat, sehr viel eher dazu neigen, »unangemessene Entscheidungen zu fällen«, wenn sie unerwartet vor eine Wahl gestellt werden. Im Umgang mit Schusswaffen kann so etwas ernsthafte Folgen haben.

Die meisten von uns haben hin und wieder anstrengende Zeiten, in denen der Schlaf zu kurz kommt, ob nun wegen Schichtarbeit, dem Aufarbeiten von Liegengebliebenem, einem zu voll gestopften Privatleben, der Vorbereitung auf Prüfungen, Schlafstörungen, Problemen wie Schlafapnoe oder einem Neugeborenen. Wir mögen noch nicht so weit gewesen sein, den Mond anzuheulen, aber wir alle haben eine lebhafte Vorstellung davon, wie erbarmungslos es sich anfühlt, wenn man sich nach nichts mehr sehnt als nach Schlaf, wenn man von dem seltsamen Gefühl regiert wird, vom eigenen Körper losgelöst und zu müde zum Sprechen oder Trinken zu sein.

Experimente haben gezeigt, dass Menschen, wenn sie sehr müde sind, leicht übereilte Entscheidungen fällen. Es handelt sich dabei um eine Art moralische Version von zu schnellem Fahren.

Hier eine treffende Beschreibung, wie sich so etwas anfühlt: »Vor Wut warf ich meinen Piepser quer durch den Bereitschaftsraum an die gegenüberliegende Wand. Ich werde nicht leicht zornig, aber ich war Stationsarzt in einer Kinderklinik und seit sechsunddreißig Stunden auf den Beinen. Dieser Piepser hatte einmal zu viel gepiepst. Der Schlafmangel hatte mich aus einem ruhigen, fürsorglichen Menschen in ein reizbares, impulsives Bündel verwandelt.«

Aber es kann noch schlimmer kommen. Außer sich zerschlagen und missgelaunt zu fühlen, kann jemand, dem es an Schlaf fehlt, sich auch langfristige Gesundheitsprobleme einhandeln. Jeden, der schon einmal Nachtschichten abgeleistet hat, wird es nicht verwundern, welche körperlichen Schäden ein gestörter Schlaf verursacht. Er wird die Mischung kennen aus zwanghaftem Junk-Food-Verzehr, verlangsamten Reaktionen und einem Körper, an dem alles wehtut, obwohl er keinen Sport getrieben hat.

Es kann kurzzeitig auch zu extremen Reaktionen kommen, vor allem wenn Menschen sich freiwillig dem Schlaf verweigern. Da ist zum Beispiel Tony Wright aus Penzance in Cornwall. Im Mai 2007 hatte er es fertiggebracht, elf Tage, zwei Stunden, vier Minuten und acht Sekunden ohne Schlaf auszukommen. Am Ende dieses Marathons an fehlgeleiteter Ausdauer berichtete er über Besuche von »tanzenden Horden kichernder Elfen und Kobolde«. Inzwischen gibt es keine offiziellen Rekorde für solche Unterfangen mehr, weil die Leute vom *Guinness-Buch der Rekorde* Sorge haben, dass Menschen bei solchen Rekordversuchen ihre Gesundheit ruinieren. Das Ganze erinnert an die Tanzmarathons, die zu Zeiten der Weltwirtschaftskrise in den dreißiger Jahren in Amerika veranstaltet wurden, bei denen mit Armut geschlagene Paare um Geldpreise konkurrierten, indem sie so lange wie möglich wach blieben, um zu tanzen. Diese Veranstaltungen wurden in einigen Staaten verboten, nachdem ein solcher schlafloser Tanz nach siebenundachtzig Stunden mit dem Tod eines Wettbewerbsteilnehmers geendet hatte.

Menschenrechtsgruppen haben die Methoden aufgelistet, mit denen Folterer ihre Opfer durch Schlafentzug um den Verstand bringen und deren Willen brechen. Die Gefangenen beginnen unter extremem Stress, Halluzinationen und Angst einflößenden Verwirrungszuständen zu leiden. Es gibt keine blauen Flecken und keine äußeren Zeichen von Gewalt, aber für die Gefangenen ist es eine nicht minder brutale Erfahrung. Laut der Stiftung für die Behandlung von Folteropfern (Medical Foundation for the Care of Victims of Torture) können derartige Stress- und Belastung erzeugende Methoden »schwere bleibende psychische Schäden« anrichten.

Auch Stalins politische Vollstrecker bedienten sich des Schlafentzugs als Waffe gegen ihre Gefangenen. Menachem Begin, der spätere Premierminister von Israel, war während des Zweiten Weltkriegs in der Sowjetunion interniert und hatte dereinst diese Foltermethode über sich ergehen lassen müssen. Er beschreibt den Zustand des nach Schlaf lechzenden Gefangenen wie folgt: »Sein Geist ist sterbensmüde, seine Beine sind ruhelos und er hat nur noch ein Verlangen: zu schlafen ... Jeder, der ein solches Verlangen schon einmal verspürt hat, weiß, dass nicht einmal Hunger und Durst mit ihm zu vergleichen sind.«

Es ist natürlich nicht wirklich vergleichbar, aber Eltern von Kleinkindern, die in nächtlicher Kälte Lied um Lied singen, um ein weinendes Kind zu beruhigen, während ihr Kopf sich vor Erschöpfung watteweich anfühlt, werden sich annähernd in ihn hineinversetzen können. Am Schlafen gehindert zu werden heißt, daran gehindert werden, Mensch zu bleiben.

In einem Artikel in der *Psychiatric Times* beschuldigt Stanley Coren, Professor an einer kanadischen Universität, die Erfindung der elektrischen Glühbirne, die Verringerung der nächtlichen Schlafdauer bewirkt zu haben, und legt

Auch Stalins politische Vollstrecker bedienten sich des Schlafentzugs als Waffe gegen ihre Gefangenen. Menachem Begin, der spätere Premierminister von Israel, war während des Zweiten Weltkriegs in der Sowjetunion interniert und hatte dereinst diese Foltermethode über sich ergehen lassen müssen.

detailliert dar, dass Schlafmangel über einen längeren Zeitraum ein »Muster der mentalen Desorientierung entstehen lässt, das psychotischen Symptomen ähnelt«. Er berichtet über einen Rekordversuch im Wachbleiben, bei dem der Betreffende extrem unausgeglichen, irrational und paranoid wurde und anfing zu glauben, dass die Flecken auf dem Tisch Insekten seien. »Er konnte nicht mehr zwischen Wirklichkeit und Albtraum unterscheiden.«

Gehen wir noch einen Schritt weiter: Der völlige Verzicht auf Schlaf ist mit hoher Wahrscheinlichkeit tödlich. Tierversuche haben gezeigt, dass der komplette Entzug von Schlaf bei Ratten binnen zwei Wochen zum Tode führt. Wie vieles, was am Schlaf bislang einigermaßen rätselhaft bleibt, ist auch hier nicht klar, weshalb das so ist, aber die Ratten erleiden einen Totalzusammenbruch und sterben dann. Sie fressen weit mehr als üblich, siechen dahin, entwickeln Wunden und Geschwüre an Schwanz und Pfoten und verlieren die Fähigkeit, ihre Körpertemperatur zu regulieren.

Natürlich kennen wir alle die zermürbenden Auswirkungen von zu wenig Schlaf. Wir brauchen wirklich keinen erhobenen Zeigefinger, der uns sagt, dass es dem Körper schadet, die Psyche belastet und alles in allem wirklich eine Qual ist, im wahrsten Sinne des Wortes eine Form von Folter. Aber das eigentlich Seltsame ist, dass wir daraus nichts zu lernen scheinen. Immer ist unser Schlaf das Eckchen, an dem herumgeschnippelt wird. Wenn unsere Arbeitsbelastung zunimmt, ist Schlaf der Verlierer. Dann lesen wir am anderen Morgen mit vor Müdigkeit geröteten Augen auf unseren PC-Bildschirmen, wie viel Schaden wir unserem Körper zufügen, wenn wir am Abend so lange aufbleiben. Schlaf ist eines der wenigen Vergnügen im Leben, die nichts kosten – und trotzdem schaffen wir es noch immer nicht, auch nur annähernd genug davon zu bekommen.

Inmitten der Flut an neuen wissenschaftlichen Artikeln, die vor den Gefahren anhaltenden Schlafmangels warnen, gibt es einen von Eve van Caulter, einer Professorin von der University of Chicago, die schreibt: »Schlafmangel beeinträchtigt jede einzelne physiologische Funktion des Körpers«. Jede einzelne, also alle, das ist ziemlich viel. Aber bedeutet das, dass ich nun früher zu Bett gehe?

Siehe auch Mensch und Winterschlaf, Seite 129

Schlaflosigkeit

Was kann grausamer sein, als wach im Bett zu liegen, nach Schlaf zu lechzen und nicht einschlafen zu können? Es schlaucht, und am anderen Morgen wird es noch schlimmer sein, es wird den Tag zur rotäugigen Hölle machen, aber der Schlaf will und will sich nicht einstellen. Der Morgen beginnt zu grauen, noch immer keine Spur von Schlaf, und so stehen Sie auf und fühlen sich zerschlagener und verlorener als beim Zubettgehen.

Zwischen einem Viertel und einem Drittel aller Erwachsenen wird in seinem Leben irgendwann einmal unter Schlaflosigkeit zu leiden haben, wobei Frauen häufiger betroffen sind als Männer, ältere Menschen häufiger als junge. Für viele wird es sich dabei um eine kurzfristige Erfahrung, eine sogenannte »transiente Insomnie« handeln, die durch Sorgen und Ängste verursacht wird. Diese können alles betreffen – von der Furcht, eine Hypothek nicht zahlen zu können, bis zum Ärgernis am Arbeitsplatz. So etwas kann ein paar Nächte lang dauern, in denen man schlaflos an die Decke starrt, aber dann geht die Phase vorüber. Bei manchen Menschen entsteht durch ein länger währendes Problem wie eine schwere Erkrankung oder eine Scheidung eine »kurzzeitige Insomnie«, die ein paar Monate andauern kann. Der echte Knochenbrecher aber ist die »chronische Insomnie«, sie bedeutet, dass der Leidende über sechs Monate oder mehr Nacht für Nacht nicht in der Lage ist, erholsamen Schlaf zu finden. Mag sein, dass er ein paar Stunden döst, aber es reicht nicht aus, um hinreichend viel oder hinreichend guten Schlaf zu bekommen. Man schätzt, dass zwischen zehn und 15 Prozent aller erwachsenen Briten an irgendeinem Punkt in ihrem Leben schon einmal unter chronischer Schlaflosigkeit gelitten haben.

Die möglichen Ursachen für Insomnie addieren sich zu einer lange Liste, die der britische Gesundheitsdienst – der National Health Service – in fünf Kategorien einteilt: körperliche, physiologische, psychische, pharmakologische und psychiatrische Ursachen. Dieser Katalog macht deutlich, wie viele Faktoren sich nachteilig auf unseren Schlaf auswirken können. Eine körperliche Ursache für gestörten Schlaf könnten Rückenschmerzen oder eine Arthritis sein, eine physiologische Ursache wäre das Schnarchen Ihres Partners oder zu viel Helligkeit, psychisch bedingt wäre Ihre Schlaflosigkeit durch Stress oder Trauer. Psychiatrische Ursachen können eine Depression oder eine Demenz sein und im pharmakologischen Bereich gibt es die Nebenwirkungen von gewissen Medikamenten.

Auch kann Insomnie eine Sekundärfolge von anderen Schlafproblemen sein: Apnoen – Atemstillstände – während des Schlafs, durch die der Betreffende immer wieder erwacht, stellen zum Beispiel ein zunehmendes Problem dar.

Auch die Lebensweise kann ihren Beitrag leisten. Ein unregelmäßiger Rhythmus der Arbeitsschichten kann die innere Uhr des Körpers durcheinanderbringen und alle normalen Signale zum Einschlafen wirkungslos machen. Nie Sport zu treiben und sich dann kurz vorm Zubettgehen noch einen starken Kaffee zu genehmigen, ist ebenfalls nicht hilfreich. Auch wenn der Genuss von Alkohol zunächst entspannende Wirkung zeigt, kollidiert er doch mit der Schlafqualität. Man nimmt an, dass jeder zehnte Fall von Insomnie mit dem Missbrauch von Alkohol oder anderen Drogen zusammenhängt

Schlaflosigkeit kann auch erlernt werden. Sie beginnt unter Umständen mit einem äußeren Anlass – wenn Sie zum Beispiel in nächster Nähe zu einem Flughafen wohnen oder eine persönliche Krise durchleben –, doch die Einschlafprobleme können sich so verselbständigen, dass es schwer wird, wieder eine gesunde Schlafroutine zu entwickeln. Zubettgehen wird irgendwann mit Wachliegen statt mit Schlafen gleichgesetzt.

Es gibt eine Menge Schlafloser, die unter keinem der hier genannten Faktoren zu leiden haben und dennoch Nacht für Nacht die Wände hochgehen. Etwa ein Drittel aller Menschen, die unter Insomnie leiden, berichten über andere Fälle in der Familie, was auf eine genetische Ursache schließen lässt.

Was aber kann getan werden, damit man nachts besser schläft?

Schlafexperten sind nicht verlegen um Ratschläge, die die Chancen für einen erholsamen Schlaf erhöhen. Menschen, die unter Schlafstörungen leiden, sollten sich eine gleichmäßige Routine für das Zubettgehen und das Aufstehen zulegen – unabhängig davon, wie müde sie sind. Jedwede Ablenkung wie Fernsehen, Computer oder unnötige Lichtquellen sollten im Interesse einer ruhigen und entspannenden Umgebung aus dem Schlafzimmer verbannt werden. Betätigen Sie sich während des Tages ein bisschen sportlich, und verzichten Sie ein paar Stunden vor dem Zubettgehen auf Koffein und Alkohol.

Jemandem, der seit Langem unter Schlaflosigkeit leidet, wird all das ärgerlich abgedroschen klingen; ebenso wie das Sammelsurium an alternativen Schlafmitteln, die Empfehlung von Entspannungstechniken und andere psychologische Ansätze. Wenn Sie Jahre hindurch mit Schlafproblemen gekämpft haben, ist es höchstwahrscheinlich nicht allzu hilfreich, wenn man Ihnen rät, Joggen zu gehen oder heiße Milch zu trinken. Eine andere Herangehensweise besteht darin, sich eines der vielen Millionen Rezepte geben zu lassen, die jährlich für Schlaftabletten ausgestellt werden. Aber auch das ist nur zeitlich begrenzt wirksam, denn Schlafmittel können ihre Wirkung einbüßen und zur Sucht werden.

Der Schriftsteller F. Scott Fitzgerald schilderte in seinem Aufsatz »Schlafen und Wachen« den albtraumhaft vorhersehbaren Ablauf seiner schlaflosen Nächte, beschrieb minutiös seine Vorbereitungen auf das Zubettgehen (ein Ritual mit einem Drink und ein paar Schlaftabletten), während er die ganze Zeit über wusste, dass er nach ein paar Stunden der Ruhe wieder aufwachen und völlig außerstande sein würde, sich abermals zum Schlafen zu zwingen. In puncto Schlaflosigkeit, so glaubte er, verfüge jeder über seinen eigenen, höchstpersönlichen Dämon. »Offensichtlich ist die Schlaflosigkeit eines jeden von der seines Nachbarn so verschieden wie die Hoffnungen und Wünsche des Tages.« Der Aufsatz erschien in einer 1945 postum veröffentlichten Sammlung mit dem treffenden Titel *Der Knacks*.

Siehe auch Was ist ein Nachtmahr?, Seite 239

Siebenschläferfett und Cannabis

Schlaflosigkeit mag uns wie ein Nebenprodukt unserer sorgengetriebenen, ruhelosen Gegenwart vorkommen, aber es gibt sie seit ewigen Zeiten. Genauso wie es immer Wunderkuren gegeben hat, die versprachen, die Schlaflosen aus ihrer nächtlichen Hölle zu befreien.

Die Griechen und Ägypter kamen hier ohne Umwege zur Sache, indem sie Opium nahmen. Im Mittelalter wurde Opium in Form von sogenannten »Schlafschwämmen« (auch bekannt unter ihrem treffenden lateinischen Namen *spongia somnifera*) angeboten. Ein Rezept dafür aus dem 11. Jahrhundert nennt Opium, Bilsenkraut, Lattichsamen, Alraune und Efeu. Diese wirksame Mischung wurde dann auf Schwämme aufgetragen, die man demjenigen, der in den Schlaf befördert werden sollte, unter die Nase hielt.

Ärzte des Elisabethanischen Zeitalters empfahlen als Heilmittel gegen Schlaflosigkeit »Zitronensirup, Wermut oder abendlich genossenen Salat«. Die Patienten konnten es aber auch mit »Mohn, Veilchen, Rosen, Muskatblüte und Alraune, in destilliertem Wasser eingenommen« versuchen. Mohn und Alraune tauchen auch in Shakespeares Stücken als Schlafdrogen auf. »Mohnsaft nicht noch Mandragora,/ Noch alle Schlummersäfte der Natur/Verhelfen je dir zu dem süßen Schlaf,/den du noch gestern hattest«, sagt Jago zu Othello.

Ein etwas aufwendigeres Heilmittel aus Elisabethanischer Zeit, vermutlich den Römern abgeschaut, ist »das Fett eines Siebenschläfers, aufgetragen auf die Fußsohlen«. Das mag sehr seltsam klingen, aber zwischen Murmeltieren, Siebenschläfern und Schlaf gibt es eine fest etablierte Verknüpfung – die nicht nur in Lewis Carrolls bezaubernder

Alice im Wunderland in jenem fest schlafenden Murmeltier auf der Teegesellschaft ihren Niederschlag findet. Murmeltieren und Siebenschläfern scheint eine besondere Aura als Geschöpfen des Schlafes anzuhängen. Angeblich pflegten die Römer sie in speziellen Käfigen zu halten und zu verzehren, wenn die kleinen schlafsüchtigen Geschöpfe ausreichend fett geworden waren.

Die elisabethanische Empfehlung, Salat gegen Schlaflosigkeit zu essen, hat eine lange, hartnäckige Tradition. Vom antiken Rom bis auf den heutigen Tag wird behauptet, dass Salat über sedative Eigenschaften verfüge. Der weiße Saft in den Leitbündeln der Salatpflanzen, auch Lattich-Milchsaft oder Lactucarium, galt vor der Verwendung von Opium als schmerzstillendes, beruhigendes, schlafförderndes Mittel. Teile der Wissenschaft lehnen dies als unbewiesen ab, aber der Glaube daran scheint seltsam fest zu wurzeln. Die *Sun* empfahl vor nicht allzu langer Zeit ein Salatsandwich als Mittel gegen Schlaflosigkeit.

In den siebziger Jahren des 19. Jahrhunderts wurde eine weitere pflanzliche Droge gegen Schlaflosigkeit propagiert: Cannabis. Eine französische Firma mit Sitz in London warb für ihre besondere, medizinisch wirksame Zigarettensorte: »Indian Cigarettes«, die Packung zu einem Schilling und neun Pence. Diese Cannabis-Zigaretten – mit Namen »Cannabis Indica« verfügten über eine »bemerkenswerte Heilwirkung bei Asthma, Neuralgien und Schlaflosigkeit«, glaubte man den neuesten Versuchen an Pariser Kliniken.

Noch prickelnder wurde es zwanzig Jahre später, als man Champagner als probates Mittel gegen Schlaflosigkeit propagierte. Laurent-Perrier brachte einen »Coca-Tonic-Champagner« auf den Markt, der, wie die Firma behauptete, auf »demselben Grand-Vin-Brut basierte, der von den

Winzern unserer Zeit als wunderbarer Träger für das wohl-
bekannte Nerventonikum Coca anerkannt ist. Die Zusam-
mensetzung ist perfekt und kann in sämtlichen Fällen von
Schlaflosigkeit angewendet werden.« Man versicherte dem
Leser, »diese Weine würden von Ärzten wärmstens empfohlen«.

Siebenschläferfett war definitiv aus der Mode gekommen.

Siehe auch Der Tempel des Heilschlafes, Seite 140

Schuldbewusste Raucherträume

Es wirkt wie eine besonders boshafte Volte des Geistes, aber
es kommt extrem häufig vor, dass jemand, der gerade das
Rauchen aufgegeben hat, träumt, er sei wieder gut dabei.
Berater angehender Nichtraucher berichten, dass Leute, die
versuchen, sich das Rauchen abzugewöhnen, von solchen
Träumen regelrecht gequält werden können.

Es ist die gemeinste Sache der Welt. Der Raucher hat
den weisen Schritt getan, aufzuhören, und wird dann zum
Dank von seinem eigenen Unterbewusstsein mit Visionen
gequält, die ihm suggerieren, wie sehr er seine einstige
Droge der Wahl vermisst. Der bekehrte Raucher hat also
nicht einmal das Vergnügen einer heimlichen Zigarette,
wohl aber die Schuldgefühle, die eine solche Entgleisung
hervorrufen würde. Ein geläufiges Traumszenario ist, dass
auf einer Party Zigaretten herumgereicht werden, der
Exraucher sich bei der erstbesten Gelegenheit eine ansteckt
und damit sein erwachendes Selbst in einen Zustand neid-
erfüllten Schuldbewusstseins bugsiert.

Solche Raucherträume können noch Jahre später vorkommen und unter anderem durch Stress ausgelöst werden. Leute, die das Rauchen aufgegeben haben, sind von

der Intensität dieser Träume häufig völlig überrascht. Sie können extrem realistisch wirken, der ehemalige Raucher schmeckt das Nikotin und riecht den Zigarettenrauch. Auch wenn jemand jahrzehntelang geraucht und währenddessen niemals vom Rauchen geträumt hat, kann es passieren, dass er sich beim Aufhören solcher Träume nicht erwehren kann. Das ist wohl die Rache des Nikotins.

Siehe auch Traumgläubige, Seite 264

Schäfchen zählen

Schäfchen zählen ist die klassische Methode, sich selbst in den Schlaf zu manövrieren. Aber hilft es? Eine Untersuchung von Wissenschaftlern der Oxford University, die dieser brennenden Frage gewidmet war, hat ergeben, dass das Zählen von Schafen nicht übermäßig effizient ist. Die Forscher haben dies getestet, indem sie drei Gruppen von Schlaflosen auftrugen, an jeweils etwas ganz Bestimmtes zu denken: Die eine Gruppe sollte Schäfchen zählen, die andere sich eine entspannt-idyllische Szene – einen Strand vielleicht – vorstellen, und die dritte durfte denken, an was sie wollte.

Der Gewinner in der Kategorie »effizienteste Einschlafhilfe« war die Strandszene, »Schäfchenzählen« und »beliebige Gedanken« lagen weit abgeschlagen dahinter. Es sieht so aus, als seien beschauliche Gedanken ein besserer Nährboden für Schläfrigkeit als der anstrengende Versuch, alle diese hüpfenden Lämmer zu zählen.

Das Schäfchenzählen als Werkzeug, den Zählenden in den Schlaf gleiten zu lassen, soll sich von der schwierigen, immer wiederkehrenden Aufgabe eines Schäfers herleiten, der ständig bemüht sein musste, sicherzustellen, dass seine Herde vollzählig war. Im Norden Englands und im Süden

Schottlands hatte man ein eigenes Zählsystem, mit dem die Schäfer zu garantieren versuchten, dass sie die richtige Kopfzahl erfasst hatten. Das war eine mühsame Arbeit, die mehrmals am Tag durchgeführt werden musste, und die Schäfer bedienten sich, um den Überblick über ihre Schafe zu behalten, eines speziellen rhythmischen Zählverfahrens. Das Ganze war eine so endlose Prozedur, dass man sagte, der arme Schäfer könne gar nicht anders, als dabei allmählich in einen sanften Schlummer zu fallen. Das Zählsystem trägt den Namen »Yan, Tan, Thethera« nach den kumbrischen Worten für eins, zwei, drei – übrigens ein schönes Beispiel dafür, wie einzelne Sprachfragmente in isolierten Gegenden überleben können.

Leider ist es überhaupt kein gutes Einschlafrezept für Sie.

Siehe auch Wiegenlieder, Seite 48

Die Top-Ten-Tipps für eine unruhige Nacht

Hier ein paar Vorschläge, wie Sie eine unruhige Nacht noch schlimmer machen können. Einen Toast auf die nächtliche Hölle!

— Trinken Sie kurz vor dem Schlafengehen eine ordentliche Menge Kaffee, am besten Filterkaffee. Auch ein paar Gläser Alkohol erhöhen die Wahrscheinlichkeit, dass Sie mitten in der Nacht aufwachen, und sorgen dafür, dass Ihr Schlaf nicht erholsam wird. Wenn Sie dann noch zufällig Raucher sind, können Sie auf Ihre Liste der zuverlässig schlafstörenden Mittel auch noch Nikotin setzen.

— Sorgen Sie dafür, dass Ihr Schlafzimmer entweder stickig warm oder eiskalt ist – beides wird die Chance dafür herabsetzen, dass Sie Ruhe finden und die ganze Nacht durchschlafen. Meiden Sie um jeden Preis ein gut gelüftetes, gemütliches Schlafzimmer. Verwenden Sie Bettzeug, das – je nach Saison – entweder zu warm oder nicht warm genug ist.

— Nehmen Sie so kurz vor dem Zubettgehen wie irgend möglich Unmengen fetter oder stark gewürzter Speisen zu sich. Dann hat Ihr Magen etwas zu grübeln. Auch Sodbrennen ist eine gute Möglichkeit, den Schlaf zu verzögern. Meiden Sie unbedingt magenberuhigende Getränke wie Tee und Milch.

— Hintergrundgeräusche wie das Gedudel eines Radios oder das nächtelange Geschnatter eines Fernsehers werden zuverlässig dazu beitragen, Ihren Schlaf zu stören. Auch Licht kann Schlaf überaus wirksam unterbinden.

— Finden Sie etwas, das Sie so richtig fordert und beißen Sie sich daran fest, so lange Sie können. Sehen Sie zu, ob Sie Ihren Herzschlag nicht genauso zum Rasen bringen können wie Ihre Gedanken.

— Suchen Sie sich einen Arbeitsplatz, an dem Sie Schicht arbeiten müssen, damit Ihr Körper nie so genau weiß, ob es gerade an der Zeit ist, ins Bett zu gehen oder aufzustehen. Das kann sich als echter Todesstoß für jeden Schlafversuch erweisen.

— Statten Sie Ihr Schlafzimmer mit so vielen Zerstreuungs- und Ablenkungsgeräten wie möglich aus. Stellen Sie sich einen Computer ans Bett, und sorgen Sie dafür, dass Ihr Smartphone immer eingeschaltet ist und so nahe an Ihrem Kopfkissen wie möglich liegt – auf dass Ihr Schlafzimmer nie zu einem Ort verkomme, der allein dem Schlaf gewidmet ist.

— Vermeiden Sie unbedingt jede Zeit zum Abschalten zwischen irgendwelchen nervenaufreibenden Aktivitäten und dem Zubettgehen. Schauen Sie beispielsweise, ob Sie nicht am späten Abend eine wirklich knifflige, anstrengende Arbeit anfangen können, um gleich darauf in die Federn zu schlüpfen. Oder brechen Sie einen Streit mit jemandem vom Zaun, der Ihnen nahesteht. Ihr Geist wird vor Aktivität sprühen, und Schlaf wird zu einer entfernten Erinnerung.

⌐ Suchen Sie sich einen Partner, der wie eine Dampflok schnarcht, und lassen Sie ihn kurz bevor er zu Bett geht, ein paar Bierchen trinken. Er wird sich anhören wie ein abflugbereites Flugzeug, Ihre Nerven werden zu kleinen Fetzen geschreddert, und jedwede Hoffnung auf Schlaf wird dahin sein.

⌐ Treiben Sie möglichst wenig Sport und verwandeln Sie sich in ein heruntergekommenes physisches Wrack. Denken Sie daran: Depressionen und mangelndes Wohlbefinden gehören zu den effizientesten Möglichkeiten, der Schlaflosigkeit den Weg zu bereiten.

Viel Spaß!

Siehe auch Futons: Schlafmöbel des Grauens, Seite 68

Mutterleid

Während kleine Kinder ihre Milchbecher umklammert halten, krallen sich ihre todmüden Eltern nicht minder inbrünstig an ihren Kaffeebechern fest. Schlafmangel und Elternsein gehen Hand in Hand.

Die Ehrlichkeit gebietet es zuzugeben, dass Mütter oftmals einen größeren Teil der Last zu tragen haben als Väter. Während Männer das Schreien eines Babys im Nebenzimmer glatt verschlafen können, reagieren Mütter sehr viel empfindlicher darauf und können nicht verhindern, dass sie aufwachen. Manchmal hat das Kleine kaum den ersten Ton von sich gegeben, schon steht die Mutter senkrecht im Bett.

Frauen leiden häufiger unter Schlafstörungen als Männer, und ein Faktor, der Frauen mit Kindern zu schaffen machen könnte, ist der Umstand, dass sich durch die Mutterschaft ihr Schlafverhalten verändert hat: Sie sind lärmempfindlicher und wachen allzu leicht auf. Das mag ihnen helfen, für ihr Baby auf dem Posten zu bleiben, aber es kann sein, dass sie noch Jahre später bei Verkehrslärm oder dem Geräusch einer zugeknallten Autotür aufwachen.

Harte Zeiten warten oftmals auch auf Mütter, die wieder anfangen zu arbeiten. Eine Umfrage der Zeitschrift *Mother and Baby* ergab, dass 56 Prozent aller arbeitenden Mütter in Großbritannien das Gefühl hatten, dass ihre Müdigkeit sie in einen »Zustand der Verzweiflung« hineinmanövriert habe. Das ist eine ziemlich heftige Form von Unwohlsein und eine noch größere Anzahl (70 Prozent) war der Ansicht, dass ihre Müdigkeit sie daran hindere, ihre Aufgaben wirklich effizient zu erfüllen. Bis zu dem Zeitpunkt, an dem das Kind anderthalb Jahre alt war, hatten die Mütter eine durchschnittliche Schlafdauer von nur fünf Stunden pro Nacht. Kein Wunder, dass sie von Streit und Spannungen in ihren Beziehungen berichteten; Schlafmangel macht sich in allen Bereichen des Lebens bemerkbar.

Eine andere Umfrage verglich den Schlaf moderner Mütter mit der Erfahrung von deren Müttern – und behauptete, dass britische Mütter in den sechziger und siebziger Jahren 30 Prozent mehr Schlaf bekommen hätten als die heutige, von chronischem Schlafmangel gepeinigte Generation. Es ist daher vermutlich auch wenig verwunderlich, dass acht von zehn Müttern unserer Zeit in dieser Umfrage mehr Interesse an Schlaf als an Sex zeigten.

Siehe auch Wann schläft die einsame Weltumseglerin?, Seite 142

Tödlicher Schlafmangel

Die letale familiäre Insomnie, auch bezeichnet als tödliche familiäre Schlaflosigkeit (englisch *fatal familial insomnia*, kurz FFI) muss eine der schrecklichsten Krankheiten sein, die eine Familie treffen können. Sobald sie einsetzt – was meist in mittleren Jahren der Fall ist –, liegt vor den Betroffenen nur noch eines: eine Hölle der Schlaflosigkeit. Wer an ihr leidet, kann nicht mehr schlafen, wird immer erschöpfter und demoralisierter, irgendwann schwer krank und stirbt schließlich.

Wie der Name deutlich sagt, ist die letale familiäre Insomnie eine tödliche Form der Schlaflosigkeit, die (in einer sehr kleinen Zahl unglücklicher Familien) von Generation zu Generation weitergegeben wird. Ist ein Elternteil mit dieser genetischen Bürde belastet, besteht für die Kinder ein Risiko von 50 Prozent, diese Krankheit zu erben. Studien haben die tödliche Erkrankung in den betroffenen Familien über Generationen hinweg durch ungeklärte Todesfälle und mysteriöse Symptome zurückverfolgen können.

Der medizinische Bericht über einen Mann, der im Alter von dreiundfünfzig Jahren an diesem Leiden erkrankte, zeigt, wie grausam es ist, wenn einem Ruhe und Erholung durch den Nachtschlaf versagt bleiben. Dieser Patient, ein lebhafter und geselliger Mensch litt unter zunehmenden Schlafstörungen, bis er nur noch zwei bis drei Stunden pro Nacht schlief. Obwohl das zutiefst belastend war, fuhr er fort, zur Arbeit zu gehen und sein normales Leben weiterzuführen, bis die Schlaflosigkeit noch schlimmer wurde und er nur noch eine Stunde pro Nacht schlafen konnte.

Der Patient befand sich in einem Zustand lustloser Erschöpfung, stets an der Schwelle zum Schlaf, der sich ihm letztlich doch verweigerte. Derart extremer Schlafmangel führt zu Halluzinationen und einer Veränderung der Persönlichkeit. Dieser entsetzlich schlafhungrige Mann schwankte zwischen Schüttelfrost und Schweißausbrüchen, begann unter Gehstörungen zu leiden und war irgendwann außerstande, auch nur einfachste Aufgaben auszuführen. Sein Sehvermögen ließ nach, das Atmen wurde mühsam, und seine Sprache undeutlich. Er litt Nacht für Nacht, Tag für Tag unter der schlimmsten Schlaflosigkeit, die man sich vorstellen kann. Irgendwann wurde er in eine Klinik eingeliefert und starb, ohne die Fähigkeit, Körper und Geist in erholsamem Schlaf regenerieren zu können, jemals wiedererlangt zu haben.

Bislang gibt es für diese furchtbare Erkrankung keine Heilung; man nimmt an, dass weltweit nur wenige Dutzend Familien davon betroffen sind. Ausgelöst wird sie offenbar durch einen genetischen Defekt, durch den ein normalerweise unschädliches Protein so verändert wird, dass es Nervenzellen in bestimmten Hirnregionen schädigt. D. T. Max hat mit *The Family that Couldn't Sleep* (2007) ein packendes Buch über eine italienische Familie geschrieben, in der diese Krankheit seit zwei Jahrhunderten grassiert und in dem er mutmaßt, dass ihr Vorkommen möglicherweise auf eine einzige Person aus ebendieser Familie zurückgeht, die im

18. Jahrhundert in Italien gelebt hat. Er schreibt in dem Buch von einem »dynastischen Fluch« und der »vielleicht schlimmsten Krankheit der Welt«.

Siehe auch Schlaf und Tod, Seite 276

Wie Dickens seine Schlaflosigkeit mit einem Kompass bekämpfte

Charles Dickens hat furchtbar unter Schlaflosigkeit gelitten, und einer seiner Versuche, dieser zu begegnen, bestand darin, sein Bett mit dem Kopfende gen Norden zu stellen. Er könne kaum sagen, wie sehr er unter seiner Schlaflosigkeit leide, schrieb er. Er experimentierte unter anderem mit Laudanum, einem Gemisch aus Wein, Gewürzen und Opium, das ihm zwar beim Einschlafen half, ihm jedoch am anderen Morgen Übelkeit verursachte.

Einen Kompass zu verwenden, um in der korrekten Ausrichtung einzuschlafen, mag exzentrisch klingen, spiegelt aber schön das Interesse des Viktorianischen Zeitalters am Einfluss von Magnetfeldern wider. Und dieser Glaube, dass die Himmelsrichtung die Qualität des Schlafs beeinflussen kann, hat sich noch lange nach dem Tod des Schriftstellers gehalten. Einer jener voluminösen Almanache mit dem Titel *Everything Within* aus dem Jahre 1935 führt die drei besten Mittel gegen Schlaflosigkeit auf: warme Milch, einen strammen Spaziergang in frischer Luft und das Bett in Nordsüdrichtung aufstellen. »Das Bett so aufzustellen, dass der Kopf nach Norden weist, soll ein Mittel sein, einen tiefen Schlaf zu befördern, und diese Methode ist von mehreren Leidenden ausprobiert worden und hat sich als erfolgreich erwiesen« teilte man den Lesern mit.

Vielleicht lag Dickens gar nicht so verkehrt, denn raten Sie mal, was Sie zu lesen bekommen, wenn Sie sich Feng-Shui-Ratschläge zum Thema Schlaf anschauen? Auch diese chinesische Philosophie vom richtigen Ausrichten der Dinge sagt, dass mit dem Kopf nach Norden zu schlafen die beste Möglichkeit ist, Schlaflosigkeit zu begegnen.

Charles Dickens brachte es fertig, großen Nutzen aus seinen durchwachten Nächten zu ziehen. Unfähig, bei Nacht Schlaf zu finden, aber entschlossen, der Schlaflosigkeit durch Bewegung Herr zu werden, streifte er durch die Straßen Londons und marschierte am Flussufer entlang, vorbei an verlassenen Sehenswürdigkeiten. Seine Beschreibungen dieser nächtlichen Wanderungen, in denen der Autor auf den Tagesanbruch wartet, haben etwas Dunkles, Halluzinatorisches. Diese Spaziergänge dauerten Stunden. Ein Freund von Dickens beschreibt, wie dieser manchmal um zwei Uhr morgens aufstand, und dann bis neun Uhr unablässig marschierte; man sagt, er habe fünfzig Kilometer an einem Stück zurücklegen können. Er frage sich, warum der große Meister, der doch alles wisse, dereinst, als er Schlaf den täglichen kleinen Tod nannte, Träume nicht das tägliche Abhandenkommen der Vernunft genannt habe, schrieb Dickens in *The Uncommercial Traveller* (1860).

Dickens Berichte über seine Lesereisen kommen wieder und wieder auf das Thema Schlaflosigkeit zurück, die ihn stellenweise so lähmte, dass er vor Erschöpfung schier zusammenbrach und sich kaum rühren konnte. Dem Triumph seiner Darbietungen vor einer erwartungsvollen Zuhörerschar folgte der stille Kampf mit seiner Unfähigkeit zu schlafen.

Dickens interessierte sich überdies sehr für anderer Leute Schlaf. Und Schlafforscher attestieren dem großen

Romancier des Viktorianischen Zeitalters eine der frühesten
und genausten Beschreibungen der Schlafapnoe und zwar
in der Gestalt des ewig schläfrigen, an Fettsucht leidenden
Joe Joseph in seinem Roman *Die Pickwickier.*

Es gibt auch die Theorie, dass Scrooges Geisterträume
in Dickens Weihnachtsmärchen *A Christmas Carol* die
Beschreibung eines Phänomens sind, dass man als Schlaf-
paralyse oder Schlaflähmung bezeichnet, und bei dem der
Schlafende das Gefühl hat, wach zu sein, sein Körper aber
noch unfähig ist, sich zu regen oder zu bewegen. Halluzinationen und schaurige Visionen können diesen Zustand zwischen Wachen und Schlafen begleiten. In vielen Kulturen
wird dieser unschöne Trick des Geistes mit einem schlechten Omen, Hexen und Dämonen in Verbindung gebracht.

In einer hübschen Verneigung vor den Verdiensten von
Charles Dickens um die Beschreibung von Schlafstörungen
und -phänomenen nennt die US-amerikanische National
Sleep Foundation ihre Stipendien für die Schlafforschung
»Pickwick-Fellowships«.

Siehe auch Traumdichtung, Seite 260

Ein schlafloser Premierminister, der zurücktreten musste

Harold Wilson, Labour-Premierminister in den sechziger
und siebziger Jahren, musste nicht lange überlegen, als
er nach dem wichtigsten Gut gefragt wurde, das einen
Menschen befähigt, an der Spitze der politischen Leiter zu
bleiben: »Ich glaube, dass das größte Plus, das ein Staats-
oberhaupt haben kann, in der Fähigkeit besteht, nachts
gut schlafen zu können.« Doch seine Vorgänger hatten
dieses Glück nicht immer. Ein liberaler Premierminister

des 19. Jahrhunderts trat nach weniger als zwei Jahren Amtszeit zurück, von chronischer Schlaflosigkeit an den Rand des Zusammenbruchs getrieben.

Der Fünfte Earl of Rosebery, dessen kurze Amtszeit von Zeitgenossen wie Gladstone, Disraeli und schließlich Lloyd George überschattet wurde, mag heute nicht mehr sein als eine historische Fußnote, seinerzeit aber war er als Goldjunge der spätviktorianischen Politik gefeiert worden – witzig, charmant und mit guten Beziehungen –, seine Laufbahn versprach einen mühelosen Aufstieg durch die Instanzen. Er hatte außerdem die politisch kluge Entscheidung getroffen, eine extrem reiche Erbin zu heiraten. Im Jahre 1894 wurde er im Alter von nur sechsundvierzig Jahren Premierminister.

Statt eines großen Triumphs förderte seine Ankunft auf dem politischen Gipfel etwas Trostloses ans Tageslicht. Rosebery litt entsetzlich unter Schlaflosigkeit, verursacht vielleicht durch einen Hang zu Depressionen oder aber umgekehrt, die Schlaflosigkeit verursachte diesen. Unfähig, Ruhe zu finden, ließ er sich nächtens in seiner Kutsche Runde um Runde durch Londons Straßen fahren, und bemühte sich, dabei einzuschlafen.

Der Versuch, das Land zu regieren, während er selbst von schlafloser Erschöpfung gepeinigt wurde, erwies sich für Rosebery selbst bei Tag als Albtraum. Als er das Amt übernahm, wurde sein Problem noch im selben Jahr von der internationalen Presse thematisiert. Die *New York Times* berichtete, dass Rosebery »mithilfe des alten amerikanischen Hausmittels, kurz vor dem Zubettgehen ein Glas sehr warmes Wasser zu trinken«, versuchte habe, seiner Schlaflosigkeit beizukommen. Rosebery hatte bei dem Versuch, mithilfe von Drogen Schlaf zu finden, auch etwas sehr viel Stärkeres probiert: immer größer werdende Dosen Morphium. Man berichtet, er habe von sich gesagt, dass er »jedes Opiat mit Ausnahme des House of Lords ausprobiert« habe.

Die Amtszeit des von Ängsten, Stress und der Unfähigkeit, Ruhe zu finden, geplagten Rosebery war von kurzer Dauer. Nach seinem Rücktritt berichtet er über seine Erfahrungen: »Ich kann das Jahr 1895 nicht vergessen. Nacht für Nacht dazuliegen, hellwach in die Dunkelheit zu starren, von den eigenen Nerven zermartert, ohne Hoffnung auf Schlaf... ist eine Erfahrung, die kein Mensch mit einem gesunden Geist und Bewusstsein wiederholen würde.« Er nahm seine politische Karriere nie wieder auf.

Siehe auch Protest im Bett, Seite 99

Sex, Drogen und zu viel davon

Der Rat zum Thema Schlaftabletten kann nicht anders lauten, als dass diese nur die letzte Zuflucht sind, eine vorübergehende Maßnahme, die jemandem ein bisschen Luft zum Atmen verschafft, während er sich mit irgendwelchen tiefsitzenden Problemen herumschlägt. Aber es muss da draußen teuflisch viele Leute geben, die diese letzte Zuflucht brauchen. In Großbritannien werden jährlich mehr als zehn Millionen Rezepte für Schlaftabletten ausgestellt. In den Vereinigten Staaten stieg der Umsatz an Schlaftabletten zwischen 2000 und 2005 um 60 Prozent.

Die in Massen fabrizierte und in ebensolchen Massen vertriebene Schlaftablette gibt es seit Anfang des 20. Jahrhunderts; vom Beginn des Jahrhunderts bis weit in die siebziger Jahre hinein blieben Barbiturate die klassische Einschlafdroge. Ob die frechen Bubiköpfe der Goldenen

Zwanziger, die selbstmordgefährdeten Blondinen der fünfziger oder die gelangweilten kalifornische Hausfrauen der siebziger Jahre – Barbiturate waren die Schlaftablette der Wahl.

Kleiner Exkurs am Rande: Für den Ursprung des Namens Barbiturate gibt es zwei mögliche Erklärungen, die unterschiedlicher nicht sein könnten. Barbitursäure soll entweder nach der heiligen Barbara benannt sein, an deren Gedenktag sie entdeckt wurde, oder aber nach einem Barmädchen namens Barbara, das zufällig an jenem Tage die Drinks servierte, als der Erfinder seine Entdeckung feierte.

Wie dem auch sei, Barbiturate wurden flächendeckend eingesetzt und ebenso flächendeckend missbraucht. Sie waren in hohem Maße suchtbildend und konnten in Kombination mit Alkohol sehr leicht zu einer Überdosierung führen. Die Namen dieser Medikamentenklasse gehören zum dunkleren Teil der Geschichte der Popkultur des 20. Jahrhunderts. Phenobarbital, Luminal, Nembutal und Veronal sind genauso zum Symbol jener Ära geworden wie die Namen von Autos. Veronal verdankt seinen Namen der italienischen Stadt Verona, beide sollten mit extremer Friedfertigkeit assoziiert werden. Nembutal kommt in einem Song von The Clash vor. Eine andere Handelsmarke, Tuinal, verdankt der Band The Pogues lyrischen Ruhm.

Im Verlauf des 20. Jahrhunderts wurden mehr als 2500 verschiedene Arten von Barbituraten entwickelt. Sie wurden zu Milliarden produziert, wobei die Höhepunkte der Herstellung Ende der vierziger und dann noch einmal Ende der fünfziger Jahre lagen. Auch die Abhängigkeit wurde in Massen produziert: Mitte der sechziger Jahre soll es in Großbritannien 135 000 Barbituratabhängige gegeben haben, proportional gesehen ein ungleich höherer Anteil der Bevölkerung als die 250 000 Süchtigen in den Vereinigten Staaten.

Einige berühmte Todesfälle in jungen Jahren gehen auf das Konto von Barbituraten – Marilyn Monroe unter anderem, und Jimmy Hendrix. Aber es gab auch weniger bekannte Opfer, in den Nachkriegsjahren stiegen die Zahlen dramatisch an. Mitten in den Swinging Sixties – zwischen 1965 und 1970 – starben in Großbritannien mehr als 12 000 Menschen versehentlich oder absichtlich an einer Barbituratüberdosis.

Peu à peu wurden Barbiturate durch neue schlaffördernde Wirkstoffe ersetzt, die weniger abhängig machen und bei einer Überdosierung weniger Schaden anrichten sollten. Wie bei allen medizinischen Fortschritten wurde durch diese Neuerungen allen möglichen bis dahin unbekannten Nebenwirkungen der Weg geebnet.

Schlaftabletten werden heute längst nicht mehr so großzügig verteilt wie in den großen Tagen von Sex, Drogen und Überdosen. Vielmehr gibt es entschieden die Tendenz, den Ursachen von Schlaflosigkeit – Depressionen, Ängsten oder anderen Leiden und Krankheiten, die den Schlaf beeinträchtigen – auf den Grund zu gehen. Bevor man Tabletten verschreibt, wird man Alternativen wie Akupunktur, Hypnotherapie und Sport empfehlen.

Die heute verschriebenen Schlaftabletten gehören gemeinhin alle zu einer Wirkstoffgruppe, die man als »Benzodiazepine« bezeichnet und die der Nachfolger der Barbiturate ist. Dabei handelt es sich um Beruhigungsmittel, die sedieren und die Auswirkungen von Stress auffangen sollen, sie tragen Namen wie Temazepam und Loprazolam. Eine noch neuere Entwicklung waren die sogenannten

»Z-Wirkstoffe«, die Schlaflosigkeit und Ängsten wirkungs-
voll Herr werden sollten. Sie tragen Namen wie Zopliclon
und Zolpidem.

Wie bei allen Medikamenten gibt es auch bei diesen Probleme, wenn sie über einen langen Zeitraum eingenommen
werden. Der NHS warnt vor Konzentrations-, Gedächt-
nis- und Aufmerksamkeitsstörungen, und weist darauf
hin, dass zu den Entzugssymptomen Schüttelfrost und
Albträume gehören können. Das Internet quillt über von
Behauptungen und Gegendarstellungen zu den Vor- und
Nachteilen verschiedener Arten von Arzneien gegen Schlaflosigkeit. Für die Zukunft haben die Arzneimittelhersteller
vor, Schlafmittel herzustellen, die den Körper nach dem
Anstoßen des Schlafs sehr schnell wieder verlassen, um so
das Risiko für einen schweren Schlafmittelkaterkopf am
anderen Morgen herabzusetzen.

Es gibt keinerlei Anzeichen dafür, dass der Schlafmittel-
markt einbrechen wird. Selbst die modernste aller Familien,
die Simpsons, hat schon auf Schlafmittel zurückgegriffen.
In der Folge *Brand und Beute,* in der Homer verzweifelt versucht, seine Schlaflosigkeit mit Medikamenten in den Griff
zu bekommen, wirkt er auf seine Kinder wie ein »Pillen-
zombie«.

Siehe auch Zutaten und Beiwerk für den vollkommenen
Schlaf, Seite 100

Hilft Schnaps zum Schlafen
oder ist er eher hinderlich?

Jeder, der schon einmal ein paar Gläser Wein am Abend getrunken hat, wird wissen, dass Alkohol ein sehr angenehmes Gefühl von Schläfrigkeit herbeiführen kann. Genau diese sedierende Wirkung ist das, was viele Menschen, die Probleme mit dem Schlafen haben, veranlasst, vor dem Schlafengehen einen oder zwei Drinks zu sich zu nehmen. Aber Alkohol ist kein guter Freund für den gebeutelten Problemschläfer. Wenn er auch das Einschlafen erleichtert, so stört er doch die Qualität des Schlafs, sorgt für eine ruhelose, unruhige Nacht und lässt den armen Schluckspecht am anderen Morgen völlig zerschlagen aufwachen. Nun mag dieser daraufhin vielleicht versucht sein, die Alkoholdosis vor dem Zubettgehen zu erhöhen, das aber kann einen Teufelskreis in Gang setzen, bei dem die schlaffördernde Wirkung des Alkohols nachlässt, die schlafstörende hingegen zunimmt. Die negativen Auswirkungen von Alkohol auf den Schlaf sind bis zu sechs Stunden nach dem Genuss noch messbar, und das bedeutet, dass auch ein Gläschen nach der Arbeit sich noch spät am Abend auf Ihren Schlaf auswirken kann.

Der Zecher leidet mitunter nicht nur durch wenig erholsamen Schlaf, Alkohol vor dem Schlafengehen kann noch andere, weit ernstere Folgen haben. Er ist ein echtes Problem für Leute, die unter Schlafapnoe leiden – einer massiv zunehmenden Störung, da die Menschheit insgesamt im Begriff ist, immer träger und übergewichtiger zu werden. Manche Tests legen darüber hinaus auch die Vermutung nahe, dass bereits geringe Mengen Alkohol die Art und Weise beeinflussen, wie Erinnerungen im Schlaf verarbeitet werden.

Studenten, denen man etwas zu erinnern aufgab und dann vor dem Schlafengehen Alkohol verabreichte, schnitten beim Gedächtnistest am anderen Morgen schlechter ab. Diese Nachricht könnte für die Jüngeren unter uns, die auf ein Examen büffeln und vorhaben, sich am Abend einen Drink zu genehmigen, doch eine Überlegung wert sein.

Etwas, das Erfahrung uns möglicherweise längst gelehrt hat und das von Wissenschaftlern auch bestätigt wurde, ist der Umstand, dass Schlaflosigkeit die Wirkung von Alkohol verstärken kann. Wenn Sie schlecht geschlafen haben und sich dann später am Tag noch ein Gläschen genehmigen, ist das so, als tränken Sie auf nüchternen Magen.

Noch schlechter sind die Nachrichten für Alkoholiker, die versuchen, von der Flasche wegzukommen, denn eines der geläufigsten Entzugssymptome ist Schlaflosigkeit. Selbst nachdem der Trinker mit dem Trinken aufgehört hat, bleibt die Schlafstörung bestehen wie ein kaputte Uhr, die sich nicht mehr richtig stellen lässt. Sie kann Monate dauern und manchmal irreparabel sein. Und einer der häufigsten Gründe dafür, dass »trockene« Alkoholiker wieder zu trinken beginnen, ist der, dass sie glauben, dann wenigstens schlafen zu können.

Siehe auch Kaffee contra Schlaf, Seite 161

Schlafschulden: eine moderne Form des Kontoüberziehens

Die Vorstellung, dass es so etwas wie »Schlafschulden« geben kann, passt genauso zu unserer Kultur wie das Vierundzwanzig-Stunden-Shopping, das mitternächtliche Umherirren in den Warenschluchten eines Supermarkts in Gesellschaft all der anderen aschfahlen Nachteulen. Es ist Teil unserer hyperaktiv-gehetzten Lebensweise, die wir uns erfunden haben, um Arbeit und Familie unter einen Hut zu bekommen, bei der uns aber nie genügend Zeit oder Energie bleibt, um eines davon wirklich zu genießen. Es ist jenes elende Gezerre, das uns, immer in dem Bewusstsein, ohnehin längst zu spät zu kommen, unablässig quer durch die Stadt treibt und am Abend mit dem Wissen ins Bett fallen lässt, dass man am anderen Morgen zur Müdigkeit verdammt sein wird.

Schlafschulden sind so etwas wie der Glaube, dass ein Schlafdefizit sich im Laufe der Zeit aufaddiert und wie eine Geldschuld irgendwann abbezahlt werden muss. Nacht für Nacht zu spät zu Bett zu gehen, häuft einen Schlafschuldenberg an, der durch Extraschlaf an anderer Stelle abgebaut werden muss. Diese Annahme fußt nicht gerade auf exakter Wissenschaft – und es gibt genügend Kritiker, die finden, dass sich diese Hypothese nicht beweisen lässt –, aber es ist ein weiteres Motiv in unseren Reflexionen über den Trübsinn, der sich über dem Mangel an Schlaf einstellt. Was die Vorstellung von Schlafschulden so besonders macht, ist der Umstand, dass sie nahelegt, dass sich fehlende Nachtschlafstunden hier und da zu einer Gesamtkostensumme auftürmen. Regelmäßig, Woche für Woche, Monat für Monat, Jahr für Jahr zu wenig Schlaf zu bekommen, lässt ein massives Schlafdefizit mit tief greifenden Folgen für die körperliche und seelische Gesundheit entstehen.

Vor ein paar Jahren wurde Bachelorstudenten der amerikanischen Stanford University von Fachleuten ihres eigenen Schlafforschungszentrums eine bittere Wahrheit offenbart. Sie lautete, dass verschiedenen Tests zufolge bei den Studenten 80 Prozent der jungen Leute unter »gefährlichem Schlafmangel« litten und dass, wo doch heute jedermann aus der Werbung um die Wichtigkeit von körperlicher

Aktivität und guter Ernährung weiß, ein bedauerlicher Mangel an Wissen zum Thema Schlaf herrsche. »Wenn Sie sich häufig müde fühlen oder bei jeder sich bietenden langweiligen oder beruhigenden Situation schläfrig werden, haben Sie mit großer Wahrscheinlichkeit hohe Schlafschulden. Schlafschulden machen uns anfällig für Apathie, Unaufmerksamkeit und unfreiwillige Schafattacken. Fehler, Unfälle, Verletzungen, Todesfälle und Katastrophen können die Folge sein – von schlechten Noten ganz zu schweigen«, mahnte Dr. William Dement seine Studenten. Als er in den Ruhestand ging, schenkte Dr. Dement ihnen T-Shirts mit dem Slogan »Müdigkeit ist Alarmstufe Rot«.

Auch die Wohlfahrtsorganisation für Gesundheit, Mind, verweist darauf, dass zu wenig Schlaf eine zermürbende Wirkung auf die psychische Gesundheit hat: »Schlafschulden können die Intelligenz und die Bewegungskontrolle beeinträchtigen und negative Auswirkungen auf den Stoffwechsel und die Hormone haben. Solange Menschen Schlafschulden mit sich herumschleppen, laufen sie Gefahr, Fehler zu machen oder irrational zu reagieren. In manchen Fällen trägt Schlafmangel massiv zur Entstehung von schweren Störungen der geistigen Gesundheit bei.«

Nun, da die Vorstellung von Schlafschulden einmal eingeführt ist und der zugehörige Schlafkredit einem Damoklesschwert gleich bedrohlich über unseren Köpfen schwebt, stellt sich als Nächstes die Frage: »Wie sollen wir sie abbezahlen?« Kommen wir hin mit einer Stunde Schlaf für jede verpasste Stunde? Oder gibt es irgendeinen Zinssatz? Ist es, als kauften wir mit Kreditkarten ein, bei denen es von Mal zu Mal schwerer wird, die Belastung auszugleichen?

Es erstaunt niemanden, dass Menschen (so sie die Gelegenheit bekommen) länger schlafen, wenn sie in den vorangegangenen Nächten nicht genügend Schlaf hatten. Doch über die Rückzahlungsbedingungen für lange Phasen des Schlafmangels ist man sich uneins. Es wird die Ansicht vertreten, dass drei Tage regelmäßigen Schlafes nur ein unzureichender Ausgleich für eine längere Phase der Schlaflosigkeit seien. Ein anderer Standpunkt besagt, dass Schlafmangel mehr so etwas wie Durst sei, und, sobald man genug getrunken habe, das Bedürfnis gestillt sei. Es besteht keine Notwendigkeit, weiterzutrinken, nachdem der Durst gelöscht ist.

Es gibt aber auch die Theorie, dass die ganze Vorstellung von Schlafschulden eine künstliche Erfindung sei, ein Produkt, das dem Verlangen irgendwelcher Tratschzirkel entsprungen sei, sich um irgendwas sorgen zu müssen. Die Skeptiker in puncto Schlafschulden stehen auf dem Standpunkt, dass Menschen in ihren Schlafmustern extrem anpassungsfähig seien und es gerade en vogue sei, uns als eine vom Schlafmangel gezeichnete Generation zu sehen. Diese Position verdeutlicht unter anderem eine wichtige Unbekannte in den Gleichungen um unser Schlafbedürfnis: Nur weil Menschen gerne im Bett bleiben, wenn sie die Gelegenheit dazu bekommen, heißt das nicht notwendigerweise, dass sie einem biologisch begründeten Bedürfnis nach mehr Schlaf nachgeben. Vielleicht schlafen die Leute länger, weil sie gerne schlafen oder weil sie keine Lust haben, aufzustehen und etwas anderes zu tun – es heißt nicht, dass mehr Schlaf »natürlicher« ist. Die Schlafmenge, auf die wir kommen, lässt sich vergleichen mit der Menge an Nahrung, die wir zu uns nehmen: Beide sind ebenso sehr dem Vergnügen wie einem körperlichen Bedürfnis geschuldet. Aber wie können wir den Unterschied zwischen Schlafschulden und modisch angesagtem Müdesein herausfinden?

Es gibt einen populären Test für die Bestimmung des Müdigkeitsniveaus, er trägt die Bezeichnung »Epworth Sleepiness Scale« (zu Deutsch auch Epworth-Schläfrigkeitsskala, kurz ESS), benannt nach der Klinik im australischen Melbourne, an der er entwickelt wurde. Mit diesem Fragebogen soll unterschieden werden zwischen Personen, die echte Schlafprobleme haben, und solchen, die lediglich unter weniger schwerwiegender Tagesmüdigkeit leiden. Der Test listet acht Aktivitäten auf und fragt die Probanden, wie groß für sie die Wahrscheinlichkeit ist, dass sie in diesen Situationen eindösen. Für jede Situation gibt es eine Skala mit vier Bewertungsmöglichkeiten.

würde niemals einnicken = 0

geringe Wahrscheinlichkeit einzunicken = 1

mittlere Wahrscheinlichkeit einzunicken = 2

hohe Wahrscheinlichkeit einzunicken = 3

Die acht Situationen sind:

Im Sitzen lesend

Beim Fernsehen

Wenn man passiv (als Zuhörer) in der Öffentlichkeit sitzt (z. B. im Theater oder bei einem Vortrag)

Als Beifahrer im Auto während einer einstündigen Fahrt ohne Pause

Wenn man sich am Nachmittag hingelegt hat, um auszuruhen

Wenn man sitzt und sich mit jemandem unterhält

Nach dem Mittagessen (ohne Alkohol) ruhig dasitzend

Als Fahrer eines Autos, das verkehrsbedingt einige Minuten halten muss

Ein Gesamtwert von 0 bis 6 Punkten bedeutet, dass Sie hinreichend Schlaf bekommen, ein Wert zwischen 7 und 9 Punkten ist Durchschnitt, über 9 bedeutet, dass Sie ein echtes Schlafdefizit haben könnten.

Siehe auch Zwei alte Feinde: Arbeit und Schlaf, Seite 88

Der Schichtarbeiter und der Wattekopf

Es ist mitten in der Nacht, über Ihrem Kopf flackert die Leuchtstoffröhre, auf dösenden Computern geistern Bildschirmschoner, und der Kopierer steht auf Bereitschaft. Sie aber halten die Stellung in Ihrer Nachtschicht, versuchen, aufmerksam und folgerichtig zu denken und zu arbeiten, während ihr Körper danach schreit, dass Sie sich hinlegen, schlafen und sich wie jedes andere normale Lebewesen auf dem Planeten benehmen.

Nach einer Phase der Müdigkeitsverdrängung mittels Koffein packt Sie der Heißhunger. Eigentlich haben Sie keinen Hunger, in Wahrheit ist Ihr Magen nur genauso durcheinander wie ihr Gehirn. Aber Sie holen sich etwas Fettes und Ungesundes zu essen und spülen es vermutlich mit einer weiteren Tasse Kaffee hinunter. Dann versuchen Sie, ein bisschen wacher zu werden, vielleicht indem Sie mit jemandem chatten oder etwas Ablenkendes lesen. Noch schräger ist es, wenn Sie bei der Nachtschicht Pause haben, denn was könnten Sie tun? Ein bisschen in den Läden stöbern, eine Runde joggen? Sie sitzen vor einem weiteren Kaffee auf Ihrem Stuhl, wirken, als hätte man Sie gehirnamputiert, und starren auf die Uhr; die Zeit dehnt sich.

Dann, etwa um sechs Uhr morgens, meldet sich die Welt da draußen mit ersten blassen Lebenszeichen zurück: Busse brummen ihres Weges, es wird hell, und ganz allmählich beginnt der neue Tag.

Ungefähr um diese Zeit bricht sich der Wattekopf Bahn, fängt Ihr Gehirn an, sich anzufühlen, als bestünde es aus irgendeinem Füllmaterial. Es ist eine seltsame Benommenheit, eine Gefühllosigkeit, gekoppelt mit dem Empfinden, entsetzlich verletzlich zu sein. Sie rennen leichter gegen Dinge oder werfen etwas um, der Verkehr ist schwieriger einzuschätzen, und alles scheint viel zu grell. Sie fühlen sich leicht im Kopf und empfinden gleichzeitig eine unglaubliche Schwere. Einfache Aufgaben zu erledigen fällt Ihnen schwerer und schwerer – sie müssen sich bewusst zur Konzentration ermahnen und Ihre Aufmerksamkeit auf das, was Sie zu tun haben, bündeln. Sie sind erschöpft, beben aber gleichzeitig vor widernatürlich nervöser Energie.

Dann schließlich, wenn alle anderen zur Tagschicht erscheinen, ist es für Sie Zeit nach Hause zu gehen. Während Ihre Kollegen allmählich eintrudeln, nehmen Sie den Zug aus der Stadt hinaus. Für Sie ist nun Schlafenszeit, auch wenn es Ihnen nicht unbedingt leichtfallen wird, sie als solche zu nutzen. Zu müde zu sein, um etwas Vernünftiges zu tun, heißt noch lange nicht, schlafen zu können. Es ist vielleicht neun Uhr morgens, wenn Sie nach Hause kommen – vollgepumpt mit Kaffee und Junk-Food. Sie sind außerstande, eine ordentliche Mahlzeit zu sich zu nehmen und kaum in der Lage, zu entspannen. Wer möchte schon abends unmittelbar nach der Arbeit ins Bett fallen? Der helllichte Morgen aber ist nicht gerade die Zeit, zu der man genussvoll ein Glas Wein trinkt und langsam runterkommt. Sie schalten den Fernseher ein, und gerade fängt das Kinderprogramm an. Aber wenn Sie nicht jetzt gleich am Vormittag, sondern später ins Bett gehen, wird es, wenn Sie aufstehen, schon wieder Zeit für die Arbeit sein, Zeit für eine weitere Nacht mit Watteschädel.

In einer immer wachen Rund-um-die-Uhr-Kultur müssen mehr Menschen denn je zu solcher Nachteulenzeit arbeiten: im Handel, in den Medien, in Callcentern und Telefonzentralen, im Transport, in Krankenhäusern und Notaufnahmen. Aber das natürliche Schlafbedürfnis zu ignorieren, kann einen hohen Preis fordern. Die deutlichste und glaubwürdigste Warnung stammt von der Weltgesundheitsorganisation WHO, die Ende 2007 Schichtarbeit, die den Schlaf-Wach-Rhythmus des Menschen stört, als »vermutlich krebsfördernd« einstufte. Die entsprechende Studie lenkte das Augenmerk auf das erhöhte Auftreten von Brustkrebs bei Frauen, die über lange Zeiträume Nachtarbeit geleistet hatten. Die Krebsforschungsbehörde der WHO, die International Agency for Research on Cancer, erklärte die Befunde wie folgt:

Die Untersuchungen stehen im Einklang mit Tierversuchen, die zeigen, dass konstante Beleuchtung, gedämpfte Beleuchtung bei Nacht oder ein simulierter chronischer Jetlag eine Tumorentwicklung deutlich beschleunigen kann. Andere Experimente belegen, dass die Verminderung des nächtlichen Melatoninspiegels das Auftreten und das Wachstum von Tumoren erhöht.

Diese Ergebnisse lassen sich durch eine von nächtlicher Lichteinwirkung verursachte Störung des zirkadianen Systems erklären. Diese kann den Schlaf-Wach-Rhythmus verändern, die Melatoninproduktion unterdrücken und die Regulation von Genen durcheinanderbringen, die an der Tumorentwicklung beteiligt sind. Von den verschiedenen Schichtarbeitsformen stören solche, die Nachtschichten einschließen, das zirkadiane System am meisten.

Diese internationale Gesundheitsorganisation vermeldete auch, dass fast 20 Prozent der arbeitenden Bevölkerung in den Industrienationen inzwischen die eine oder andere Form von Schichtarbeit zu leisten habe und dass es weitere Studien geben müsse, die das mit gestörten Schlafmustern potenziell einhergehende Krebsrisiko genauer unter die Lupe nehmen.

Die Tatsache, dass die Aufteilung der Schichtarbeit in vielen Berufen keiner regelmäßigen Verteilung gehorcht, ist ein weiteres Holzscheit für das Feuer der Schlafhölle. Oft wechseln Nachtschichten mit Tagschichten in einer Weise ab, dass der menschliche Körper keinerlei Chance hat, sich mit den verwirrenden Veränderungen zu arrangieren. Es kann zwischen sieben und vierzehn Tagen dauern, bis sich der Biorhythmus neu eingestellt hat. Während dieser Zeit ist der Schlaf unterbrochen und zerstückelt, lässt den Arbeitenden sich gerädert fühlen und macht ihn reizbar. Ändert sich der Schlaf-Wach-Rhythmus gleich darauf wieder, fängt der ganze Aufwand einer Umstellung der Schlafroutine wieder von vorne an. Derlei rotierende Schichten sind für den Schlaf der Betroffenen das Schlimmste und Fatalste. Und wir wissen auch, dass sie besonders gefährlich sind.

Eine Studie zu unterschiedlichen Schichtmustern auf Bohrinseln in der Nordsee kam zu dem Ergebnis, dass bei Personen, die in einem Wechsel aus sieben Nachtschichten und sieben Tagschichten arbeiteten, ein erhöhtes Risiko für

Herzerkrankungen und Diabetes bestand. Eine holländische Studie stellte darüber hinaus fest, dass Nachtarbeiter anfälliger für Herzrhythmusstörungen waren.

Das Alarmierendste an alledem ist, dass, obwohl längst erwiesen ist, dass Nachtschichten ein potenzielles Gesundheitsrisiko darstellen, so viele Leute trotzdem dazu gezwungen werden. Sollten Arbeitgeber wirklich von ihren Angestellten verlangen dürfen, dass diese unter Bedingungen arbeiten, die eindeutig krank machen? Sollten wir als Verbraucher wirklich erwarten, dass andere Menschen die ganze Nacht aufbleiben, damit wir um vier Uhr morgens unsere Überziehungszinsen verhandeln können?

Siehe auch Zirkadiane Rhythmen, Seite 268

Lichtverschmutzung

Es kommt wohl nicht von ungefähr, dass der Erfinder der Glühbirne, Thomas Alva Edison, in dem Ruf steht, eine Abneigung gegen das Schlafen gehabt zu haben. Die Verbreitung des elektrischen Lichts hat Häuser, Straßen und Städte für immer verändert und die Nacht zu einer Zeit gemacht, in der völlige Dunkelheit zur Seltenheit geworden ist.

Die Dunkelheit der Nacht ist das natürliche Umfeld für den menschlichen Schlaf. Aber wie andere Lebensräume der Tierwelt ist auch der Nachthimmel bedroht. Über den Städten hängt eine Dauerlichtglocke. Eine Studie zur Lichtverschmutzung aus dem Jahr 2007 ergab, dass Hobbyastronomen in Großbritannien im Sternbild Orion immer weniger Sterne sehen können. Der Orion ist eine der großen Orientierungsmarken am Nachthimmel; zum ersten Mal in der Geschichte der Menschheit entzieht er sich ihren

Blicken. Heute erspähen wir nachts eher die Lichter einer Ryanair-Maschine als Beteigeuze.

Bei Nacht ist der Himmel hell erleuchtet. In manchen Büros unserer Städte scheinen die Lichter nie auszugehen und zusammen mit riesigen Reklametafeln, Straßenlampen und dem Verkehr, der sich die ganze Nacht hindurch unermüdlich über das weitverzweigte Straßennetz wälzt, sorgen diese für eine Art Lichtsmog. Nach Aussage des englischen Umweltamtes gehört England zu den Ländern mit der größten Lichtverschmutzung in Europa. Das hat manch unerwartete Konsequenz für die lebende Natur, deren Geschöpfe in vielen Fällen auf einen regelmäßigen Wechsel von Hell und Dunkel als Taktgeber für ihre eigene biologische Uhr angewiesen sind. Die »falsche Dämmerung« des elektrischen Lichts stört Vögel in ihrem Verhalten, und Pflanzen können aus ihrem natürlichen Rhythmus von Blühen und Vergehen ausgehebelt werden.

Sternwarten müssen heute in so großer Entfernung wie irgend möglich von den Einzugsgebieten der Großstädte gebaut werden, damit die Astronomen eine Chance haben, die Sterne überhaupt zu sehen. Eine unserer britischen Sternwarten wurde zum Beispiel in Kielder in Northumberland errichtet, angeblich dem Ort mit der geringsten Lichtverschmutzung in ganz England.

Was aber bedeutet all das für unseren Nachtschlaf?

Das Gefühl des Müdewerdens am Abend hängt ab von einem Hormon namens Melatonin, das freigesetzt wird, sobald es dunkelt. Die Nacht über bleibt der Melatoninspiegel hoch, bei Tagesanbruch sinkt er wieder. Wenn es keine Dunkelheit gibt, wird die Melatoninausschüttung unterdrückt und der Schlafzyklus gestört. Nicht nur außerhalb unserer Häuser dringt unablässig Licht an unser Auge, auch in unseren vier Wänden gibt es mehr Lampen und elektrischen Klimbim, der Licht absondert, als je zuvor; einiges darunter wird so gut wie nie abgeschaltet. Auch dringt Licht von draußen zu uns, von Straßenlaternen zum Beispiel und von Autoscheinwerfern. Komplette Dunkelheit findet sich im Haus unter Umständen genauso wenig wie außerhalb.

Ohne Dunkelheit wird aber das schlaffördernde Melatonin nicht so ohne Weiteres ausgeschüttet. Wenn wir den regelmäßigen Hell-Dunkel-Wechsel unterbrechen, unterbrechen wir auch unseren inneren Schlaf-Wach-Zyklus. Schlaf braucht Dunkelheit.

Siehe auch Wie unsere Vorfahren schliefen, Seite 120

Alternative Therapien gegen Schlaflosigkeit

Bevor Sie zu den Erzeugnissen der Pharmaindustrie greifen, können Sie eines der vielen anderen Rezepte gegen Schlaflosigkeit ausprobieren. Alles, was den Schläfer entspannt, seinen Stress auffängt sowie seine Atmung und körperliche Fitness erhöht, ist dazu angetan, seiner Schlaflosigkeit entgegenzuwirken. Es mag die zugrunde liegenden Probleme nicht lösen, aber es kann die Symptome lindern. Und es gibt eine Fülle von Therapien und Strategien, die angeblich helfen sollen.

Yoga kann entspannen, verbessert Atmung und Haltung und macht den Ausübenden ruhig – alles beste Einschlafvoraussetzungen. Tai Chi bietet Gymnastik und legt Wert auf ruhiges kontrolliertes Atmen. Einfache Atem- und Meditationsübungen sollten ebenfalls förderlich sein.

Auch die Aromatherapie hat ihre Befürworter. Dahinter steht die Idee, dass die Aromen von ätherischen Ölen natürliche Heilungsprozesse in Gang setzen, jemanden auf andere Gedanken bringen und schöne Erinnerungen auslösen können, die die Stimmung beeinflussen und ein Gefühl des Wohlbefindens bewirken. Bei Schlaflosigkeit werden Lavendel, Rosen, Zypressen, Majoran, Kamille und Sandelholz empfohlen.

Pflanzliche Mittel und Kräuter können den Schlaflosen ebenfalls beruhigen, unter anderem Johanniskraut, Mohn, Kamille, Zitronenmelisse, Hopfen und Baldrian. Ginsengtee als Mittel gegen Schlaflosigkeit wird schon seit dem Ende des 18. Jahrhunderts propagiert.

Eine weitere Form der Therapie ist die Akupunktur. Sie basiert auf der Philosophie von einem natürlichen Gleichgewicht im Körper, ein Problem wie Schlaflosigkeit stellt demzufolge eine Störung des Gleichgewichts dar. Die Behandlung erfolgt durch das Setzen feiner Nadeln an bestimmten Punkten des Körpers, über die das Gleichgewicht und ein harmonischer Energiefluss wiederhergestellt werden sollen.

Hypnose und Selbsthypnose sollen bei Schlaflosigkeit ebenfalls wirksam sein. So ähnlich, wie sie Menschen dabei helfen, mit dem Rauchen aufzuhören, geht es auch hier darum, Leute dazu zu bringen, ihre Gewohnheiten zu ändern und ihre Denk- und Verhaltensmuster umzumodeln. Wenn das Schlafengehen mit einer belastenden, negativen Erfahrung assoziiert wird, kann die Hypnotherapie versuchen, eine entspanntere Einstellung und positivere Geisteshaltung zum Schlaf zu schaffen.

Reflexzonenmassage, bei der mittels Fußmassage Probleme an anderen Körperteilen gelöst werden sollen, gereicht dem Schlaflosen angeblich ebenfalls zum Vorteil. Ganz allgemein setzt man Körpermassagen ein, um einen schlaffreundlichen Entspannungszustand herbeizuführen. Auch die Osteopathie bietet Möglichkeiten, sie geht Rücken- und Muskelprobleme an, die den Schlaf negativ beeinflussen können.

Der ewige Schlaflose allerdings, der all dies schon erfolglos probiert hat, wird eine solche Liste mit finsterer Miene zur Kenntnis nehmen. Mit zunehmendem Auftreten von Schlaflosigkeit ist natürlich auch der Markt der Heilsversprechungen gewachsen.

Siehe auch Nestwärme: die elektrische Heizdecke, Seite 82

Mikroschlaf und Narkolepsie

Bei der Narkolepsie handelt es sich um ein seltsames Leiden, das den Betroffenen veranlasst, ohne Vorwarnung plötzlich einzuschlafen. Wenn Sie jemals einen Narkoleptiker kennengelernt haben (die Störung trifft ungefähr einen von 2000 Menschen), wissen Sie, wie unvermittelt und unkontrollierbar das geschehen kann. Es kann mitten im Satz passieren, dass der Kopf auf die Brust sinkt, die Augen sich schließen und der Betreffende in narkoleptischen Schlummer verfällt. Er hat keinerlei Möglichkeit, sich dieser plötzlichen Schlafattacke zu erwehren.

Es gibt für dieses Phänomen keine Heilung, obwohl die Betreffenden wahrscheinlich gut beraten sind, wenn sie im Laufe des Tages mehrere geplante Nickerchen einschieben, um sich gegen unfreiwillige Attacken zu wappnen. Auch handelt es sich nicht um etwas, das man bereits bei der Geburt erkennen würde, die meisten Narkoleptiker werden zwischen dem fünfzehnten und dem zwanzigsten Lebensjahr diagnostiziert. Es gibt auch Fälle, in denen sich diese Schlafstörung erst im Erwachsenenalter manifestiert.

Für die Betroffenen kann das Problem eine schwere Beeinträchtigung darstellen, die Berufstätigkeit oder auch die Ausführung alltäglicher Handlungen wie Autofahren schwierig bis unmöglich machen. Zudem muss es hart sein, eine Krankheit zu haben, die jeder andere als faszinierende Kuriosität betrachtet. Vor einigen Jahren gab es im britischen Fernsehen eine herzzerreißende Dokumentation über den täglichen Kampf von Narkoleptikern, unter anderem über deren heldenhaften Versuch, eine Konferenz abzuhalten, auf der die Leute reihenweise plötzlich und unvermittelt wegdämmerten. Nun hat es sich dabei zweifellos um einen mutigen Vorstoß gehandelt, der Öffentlichkeit intime Einblicke in eine höchst private kleine Welt zu gestatten – trotzdem endete einer der Filmausschnitte in einer Show über die lustigsten Fernsehaugenblicke des Jahres und wurde von den Zuschauern im Studio mit großem Gelächter quittiert. Natürlich wurde jede Menge Abbitte geleistet. Es will einem kaum eine andere unheilbare Krankheit einfallen, die sich als Sujet für einen Comedy-Sketch eignen würde.

Der Mikroschlaf ist eine andere Art von unfreiwilligem Schlummer. Er überfällt Menschen, die unter einem massiven Schlafdefizit leiden und deren Körper mit einem Mal beschließt, dass er nicht länger zu warten gedenkt. Diese plötzliche Schlafattacke kann zwischen Bruchteilen einer Sekunde und ein paar Minuten dauern, und derjenige, der davon heimgesucht wird, weiß womöglich gar nicht, wie ihm geschehen ist. So etwas kann extrem gefährlich sein, wenn es jemandem zustößt, der am Steuer eines Wagens sitzt. Wer eine weite, langweilige Strecke zurückzulegen hat, ist besonders anfällig für einen tranceähnlichen Halbschlaf, der für Sekunden in echten Schlaf umkippen kann.

Solche Augenblicke können ausreichen, einen schweren Unfall zu verursachen.

Automobilhersteller befassen sich seit Längerem mit Möglichkeiten, solche Mikroschlafepisoden rechtzeitig zu entdecken. Toyota hat Pläne für ein Unfallverhütungssystem angekündigt, das mit einer Kamera arbeitet, die hinter dem Lenkrad montiert wird und die Augen des Fahrers daraufhin überwacht, ob sie sich unbotmäßig lange schließen. Mercedes arbeitet an einem System, das Veränderungen im Fahrverhalten registrieren soll, die auf eine drohende Mikroschlafepisode und Müdigkeit hinweisen (wobei man ernüchternderweise feststellen musste, dass ein Auto auch mit schlafendem Fahrer in unverminderter Geschwindigkeit dahinbraust).

Diese Form von Spontanschlummer überfällt nicht nur Autofahrer, sie kann auch am Arbeitsplatz vorkommen. Jemand, der endlos vor einem Computerbildschirm hängt, wird womöglich von einer ganzen Serie von Mikroschlafepisoden heimgesucht: Der Kopf sinkt auf die Brust, glasige Augen starren ein paar Augenblicke leer vor sich hin. Der Betreffende wacht womöglich mit einem Ruck auf und begibt sich wieder an die Arbeit, ohne dass ihm klar ist, dass er kurz eingeschlafen war.

Wenn Menschen müde genug sind, ist ein solcher Mikroschlaf die automatische Reaktion darauf. Experimente mit Leuten, denen man vorsätzlich Schlaf entzogen hat, zeigen, dass man diese nicht daran hindern kann – und sie sich selbst auch nicht –, sich kleine Häppchen dieses verlorenen Schlafs zurückzuholen. Sie gleiten einfach plötzlich in nicht ansprechbare Weltferne.

Der Erholungsprozess namens Schlaf lässt sich nicht ewig verhindern. Wird ihm nicht in üblicher Weise in Form des normalen Nachtschlafs Raum gewährt, bemächtigt er sich des wachen Zustands. Mikroschlaf ist eine eigentümlich verschwommene Grenze, an der sich Schlafen und Wachen überlappen.

Siehe auch Warum Delphine im Schlaf nicht ertrinken, Seite 159

Magere Zeiten für den Schlaf

Obwohl ein Schlafdefizit und Übergewicht auf den ersten Blick wie zwei höchst ungleiche Bettgenossen wirken, haben Wissenschaftler begonnen, Zusammenhänge zwischen diesen beiden modernen Seuchen zu erkennen. Eine ganze Reihe von Studien hat eine Verbindung zwischen Schlafmangel und einem erhöhten Risiko für Übergewicht gezeigt: Warum aber sollten diese beiden Dinge zusammenhängen? Was könnten zu spätes Zubettgehen und zu frühes Aufstehen mit Gewichtszunahme zu tun haben? Wenn man einmal darüber nachdenkt, müsste man doch annehmen, dass Aufbleiben im Gegenteil mehr Kalorien verbraucht als Schlafen.

Ein Vergleich von Kindern aus zehn Städten in den Vereinigten Staaten hat 2007 ergeben, dass 12 Prozent der Achtjährigen, die zehn bis zwölf Stunden schliefen, übergewichtig waren, die Rate bei denen, die nur neun Stunden schliefen, jedoch 22 Prozent betrug. Die Langschläfer waren demnach eher normalgewichtig.

Dieser Trend ließ sich durch einer Langzeitstudie in Ohio bestätigen, in der 70 000 Frauen über einen Zeitraum von sechzehn Jahren beobachtet wurden. Frauen, die weniger als fünf Stunden pro Nacht schliefen, waren bereits bei Beginn der Studie eher übergewichtig, und im Laufe der Jahre legten sie stärker an Gewicht zu als Frauen, die länger schliefen. Von den Fünfstundenschläferinnen hatten 30 Prozent innerhalb dieser Zeitspanne im Schnitt 15 Kilo zugenommen.

Ein weiteres Forschungsprojekt des staatlichen Instituts für psychische Gesundheit in Amerika (des US National Institute of Mental Health) begleitete eine Gruppe von fünfhundert Erwachsenen über dreizehn Jahre und kam zu dem Ergebnis, dass diejenigen, die am wenigsten schliefen, am häufigsten an Gewicht zulegten.

Was könnten zu spätes Zubettgehen und zu frühes Aufstehen mit Gewichtszunahme zu tun haben? Wenn man einmal darüber nachdenkt, müsste man doch annehmen, dass Aufbleiben im Gegenteil mehr Kalorien verbraucht als Schlafen.

Es gibt zu diesen Befunden verschiedene Theorien: Man hat zum Beispiel angenommen, dass ein Mangel an Schlaf die Kehrseite eines Mangels an körperlicher Aktivität und damit Abbild einer weniger gesunden Lebensweise sein könnte. Kinder, die nicht ins Bett finden, sitzen möglicherweise die halbe Nacht vor ihren Computerspielen und sind tagsüber zu müde, sich körperlich zu betätigen. Eine andere Theorie besagt, dass ein Schlafdefizit hormonelle Veränderungen bewirke, die Einfluss auf den Appetit hätten: Das Körpersignal für das Sättigungsgefühl wird gestört, und das bewirkt, dass Leute, die nicht schlafen, eine Art Scheinhunger entwickeln, und weiter essen, wenn der Körper dies eigentlich nicht bräuchte.

Der ganzen Schlankheitsindustrie wird womöglich nicht recht wohl bei dem Gedanken sein, dass ein paar zusätzliche Stunden Schlaf eine kostengünstige Möglichkeit wären, um zu verhindern, dass man wie ein mitternächtlich aufgegangener Hefekloß aussieht.

Siehe auch Winterschlaf, Seite 144

Schlafapnoe

Zwanzig Jahre sind eine lange Zeit – stellen Sie sich all diese Jahre ohne einen einzigen richtig erholsamen Nachtschlaf vor. Keine echte Ruhe, Nacht für Nacht, Monat für Monat, Jahr für Jahr, Jahrzehnt für Jahrzehnt … es schlaucht schon, daran nur zu denken.

Philip Skeates aus Swindon hat all diese langen Jahre hindurch im Schnitt nur etwa vierzehn Minuten pro Nacht geschlafen – bis man bei ihm eine Schlafapnoe diagnostiziert hat. In Tests zeigte sich, dass er von dieser Schlafstörung – sie führt zu einem kurzen Verschluss der Atemwege – bis zu neunzig Mal pro Stunde geweckt wurde. (Noch ein Stück Statistik, das einem das Wasser in die Augen treibt.) In meisterhafter Untertreibung beschreibt er seinen Geisteszustand: »Ich war wirklich ziemlich miesepetrig.«

Nach der Diagnose konnte er eine Schlafmaske verwenden, die ihm zum ersten Mal seit seinen Jugendtagen sieben Stunden ungestörten Schlaf bescherte. Da man Schlafapnoe zunehmend häufiger diagnostiziert, wird der Anblick dieser an einen Luft in die Atemwege pumpenden Apparat angeschlossenen Masken zweifellos sehr viel vertrauter werden. Gegenwärtig sind 3,5 Prozent der Männer und 1,5 Prozent der Frauen davon betroffen.

»Apnoe« kommt aus dem Griechischen und bedeutet »ohne Luft« *(apnoia)*. Es handelt sich dabei um eine krankhafte Veränderung, bei der es durch eine vorübergehende Verschließung der Atemwege im Schlaf – oft mehrere Dutzend Mal pro Stunde – zu einer Reihe von kurzen Atemstillständen kommt. Eines der Hauptsymptome einer Schlafapnoe ist lautes Schnarchen, in schweren Fällen kommt es aber auch zu keuchendem Ringen nach

Luft, wenn der Schlafende versucht, wieder zu Atem zu kommen. Die Betroffenen leiden unter einem ruhelosen, wenig erholsamen Schlaf, und auch wenn sie sich häufig nicht an ihre nächtlichen Beschwerden erinnern, fühlen sie sich am Tag erschöpft und nicht ausgeruht. Extreme Tagesmüdigkeit ist neben allem, was in der Nacht passiert, oftmals ein nicht minder schwerwiegendes Symptom dieser Erkrankung.

Der klassische Schlafapnoepatient ist leicht übergewichtig und in den »besten Jahren«; Männer sind häufiger betroffen als Frauen. Dass die Störung immer öfter diagnostiziert wird, liegt sicher daran, dass sie eines jener Leiden ist, das die »Formveränderung« der Weltbevölkerung widerspiegelt. In den Vereinigten Staaten wird erwartet, dass der Markt für die Behandlung von Schlafapnoe und die dazugehörigen technischen Mittel in den kommenden vier Jahren auf vier Milliarden Dollar anwachsen wird.

Unbehandelt, kann die Schlafapnoe zu einem ernsthaften Problem werden. Außer dass es den Schlaf stört, wirkt sich das ständige Aussetzen und Wiedereinsetzen der Atmung ungünstig auf Blutdruck und Herzfrequenz aus. Menschen, die unter mittelschwerer bis schwerer Schlafapnoe leiden, haben drei- bis viermal so häufig einen Schlaganfall wie Menschen ohne dieses Problem. Schlimmer noch: Schlaganfallpatienten mit Schlafapnoe sterben früher als andere Patienten. Und damit sind die schlechten Nachrichten noch nicht zu Ende: Schlafapnoe erhöht das Risiko für einen Herzinfarkt um 30 Prozent und außerdem die Gefahr, in einen schweren Verkehrsunfall verwickelt zu werden.

Erkannt wird das Problem in der Regel entweder, wenn die Betroffenen zu ergründen versuchen, warum sie sich ständig so ausgelaugt und zerschlagen fühlen, oder wenn ihr Partner sich über das elende Geschnarche und Gepruste beklagt. Zur Diagnose einer Schlafapnoe gehören Untersuchungen wie das Überprüfen des Sauerstoffgehalts im Blut und die Beobachtung von Atmung, Herzschlag und Blutdruck im Verlauf des Schlafzyklus.

Ist eine Schlafapnoe festgestellt, so gelten fünf bis vierzehn Atempausen pro Stunde als leichte Fälle, um als schwer eingestuft zu werden, muss der arme Möchtegernschläfer mindestens dreißig Episoden pro Stunde erleiden. Das heißt, alle zwei Minuten wird seine Atmung vorübergehend unterbrochen.

Aber es gibt Mittel und Wege, eine Apnoe zu behandeln. Wie beim Schnarchen besteht die erste Abwehrstrategie darin, die Faktoren zu vermeiden, die die Verengung der Luftwege verstärken – der Genuss von Alkohol und Zigaretten, ein Leben ohne Sport. Abnehmen kann der direkteste Weg zur Eindämmung des Problems sein. Auch gibt es die erwähnten Atemmasken und Apparate, die durch einen Luftstrom die Atemwege offenhalten und so den Menschen Erleichterung verschaffen, die andernfalls eine furchtbar unruhige Nacht voller Luftnot und atemloskurzer Schlafphasen verbringen müssten. Man nennt das Verfahren Überdruckbeatmung (englisch *continuous positive airway pressure*, kurz CPAP), dabei wird über eine Maske, die Mund und Nase bedeckt, mit geringem Druck Luft in die Atemwege des Betroffenen gepumpt. Der Patient legt beim Zubettgehen die Maske an und schaltet den Apparat ein. Nach allem, was man hört, kann dies eine dramatische Verbesserung bedeuten. Lang verwehrter Schlaf ist plötzlich auf Knopfdruck zu haben.

In manchen Fällen operiert man die Betroffenen, vor allem dann, wenn die Nasenatmung blockiert oder die

Nasenscheidewand so verkrümmt ist, dass sie das Atmen erschwert.

Ohne sich in irgendeiner Weise lustig machen zu wollen hat der NHS noch eine andere offizielle Empfehlung für Apnoepatienten parat: Lernen Sie Didgeridoo spielen. Dieses australische Blasinstrument mit dem ulkigen Namen ist offenbar in besonderer Weise geeignet, die Atemmuskulatur zu kräftigen. Der NHS wartet mit Zahlen auf, die belegen, dass tagtägliches Üben über einen Zeitraum von vier Monaten hinweg zu einer signifikanten Verbesserung der Atemprobleme führen kann.

Aber denken Sie mal an den armen Partner des Betroffenen: Er ist schon durch dessen Schnarchen an den Rand des Wahnsinns getrieben worden, dann muss er neben jemandem schlafen, der eine Plastikmaske trägt, und jetzt will der andre auch noch vier Monate lang jeden Abend Didgeridoo spielen. Seit wann ist Schlafen derart kompliziert?

Siehe auch Schlaflose Städte, Seite 158

Jetlag

Alles, was Spaß macht, hat einen Haken. Das ist eines der ungeschriebenen Gesetze der Natur. So werden auch aufregende Fernreisen dem Reisenden irgendein Haar in der Suppe bescheren. Internationale Flughäfen mit ihren endlosen Warteschlangen und Ganglabyrinthen sollten als Strafe eigentlich reichen. Aber es gibt auch noch den Jetlag, ein mulmiges Gefühl von Aus-der-Welt-Sein, Zerschlagenheit und Desorientierung, das Flugreisende befällt, die zu schnell zu viele Zeitzonen passiert haben.

Jetlag ist das, was sich einstellt, wenn der Tag-Nacht-Rhythmus des Körpers, seine innere Uhr, durcheinandergerät. Die normale Steuerung von Schlafen und Wachen gerät aus dem Tritt, und der Körper weiß für den Moment nicht, ob er schlafen oder umherrennen soll.

Man nimmt an, dass es einfacher ist, dem Jetlag zu entgehen, wenn man von Osten nach Westen reist, als umgekehrt. Laut dieser Theorie passt sich der Körper leichter an einen langen Tag an – und den bekommen Sie, wenn Sie nach Westen reisen und die Zeit auf Ihrer Uhr zurückstellen müssen. Die innere Uhr Ihres Körpers verlängert einfach ihren Tag und stellt sich dadurch auf die neue Aufstehenszeit ein.

Gen Osten zu fliegen und die Uhr vorstellen zu müssen, ist hingegen eine ungleich härtere Aufgabe für die innere Uhr, da der Körper weiterhin versucht, Ihren ganz normalen Tagesablauf irgendwie unterzubringen. Schlafen wird zum Problem, und der Jetlag macht sich bemerkbar.

Was also lässt sich tun, um diese Unbill zu verringern?

Reisende können dem Problem entgegenwirken, indem sie sich vor Dehydrierung schützen, Alkohol, Schlafmangel und Stress vermeiden.

Sein Schlafmuster bereits ein paar Tage im Voraus anzupassen, wird ebenfalls empfohlen. Jemand, der gen Osten zu reisen beabsichtigt, sollte anfangen, früher zu Bett zu gehen, um der Zeitverschiebung bei seiner Ankunft etwas von ihren Härten zu nehmen. Sind Sitzungen abzuhalten, empfiehlt es sich überdies, diese nicht gerade in die Zeit zu legen, die Ihr Körper noch für mitten in der Nacht hält.

Wenn Sie an Ihrem Ziel ankommen, lautet der Rat, sich so rasch wie möglich ans Tageslicht zu begeben, denn dieses ist für Ihre innere Uhr ein machtvolles Signal, auf das hin sie versuchen wird, sich der neuen Umgebung so rasch wie möglich anzupassen. Auch die Essenszeiten sollten die Ihres Zielorts sein, damit Sie sich rasch seiner Routine angleichen.

Keiner dieser guten Vorschläge wird den Jetlag ganz und gar auffangen können und es überrascht daher nicht, dass es eine Fülle von Theorien und Produkten gibt, die allesamt behaupten, eine Lösung zu kennen. In den Vereinigten Staaten gehört zu den am meisten diskutierten Heilmitteln das Melatonin, jenes Hormon, das das Gefühl des Müdewerdens in uns auslöst. Der britische Gesundheitsdienst NHS erklärt jedoch, die Ergebnisse seien »nicht schlüssig«. Es gibt wohl Untersuchungen, die den Nutzen von Melatonin als Mittel gegen den Jetlag belegen, aber eben auch solche, die dagegensprechen.

Darüber hinaus sind jede Menge pflanzlicher und homöopathischer Mittel im Angebot, dazu Vorschläge wie der, man könne den Körper narren, indem man eine Sonnenbrille trage. Schließlich heißt es, man solle die Ernährung anpassen, um den Jetlag erträglicher zu machen. Der ehemalige US-Präsident Ronald Reagan gehörte zu denen, die vor Langstreckenflügen angeblich eine Diät aus Fasten und Schlemmen im Wechsel eingehalten haben. Diese Maßnahme wurde in Zusammenarbeit mit Angehörigen der amerikanischen Luftwaffe entwickelt, die häufig verschiedene Zeitzonen zu durchfliegen haben, und soll den Jetlag angeblich sehr erfolgreich eindämmen. An den zwei der Völlerei gewidmeten Tagen durften die Soldaten proteinreiche Kost in unbegrenzter Menge zu sich nehmen, an den beiden Fastentagen waren ihnen nur 800 Kalorien gestattet. Es heißt, dass sich nach diesen vier Tagen der Körperrhythmus sehr viel weniger durch die Zeitverschiebung hat stören lassen.

Eine neuere Studie der Harvard University spricht ebenfalls für die Idee, dass Fasten die beste Antwort ist.

Vor und während der Reise auf Essen zu verzichten führt angeblich dazu, dass der Körper sich rascher an seinen neuen Aufenthaltsort anpasst, Mahlzeiten bei Ankunft am Zielort helfen, die innere Uhr neu zu stellen.

Also: kein Essen, kein Alkohol, kein Stress und kein Kaffee. Mit einem Mal scheint das Zuhausebleiben extrem viel erstrebenswerter.

Siehe auch Wochenend-Jetlag, Seite 47

Restless-Legs-Syndrom

Hierbei handelt es sich um eine häufige Form von Schlaf-störung, die sowohl den Betroffenen als auch denjenigen, der mit ihm das Bett teilt, zur Weißglut bringen kann. Wie der Name schon sagt, ist ihr Hauptmerkmal, dass die daran Leidenden – vor allem nach einer gewissen Zeit der Untä-tigkeit – ihre Beine nicht ruhig halten können.

Sie verspüren in den Beinen eine Empfindung, die häu-fig als Kribbeln beschrieben wird oder als Gefühl, etwas krabbele einem über die Haut. Nur durch das wiederholte Bewegen, Massieren oder Aneinanderreiben beider Beine können sie sich Erleichterung verschaffen. Besonders läs-tig wird das Ganze dadurch, dass es sich meist einstellt, wenn die Betreffenden im Bett liegen und zu schlafen versuchen. Menschen mit einem Restless-Legs-Syndrom haben den unwiderstehlichen Drang, ihre Beine zu deh-nen, zu schütteln und auszustrecken, um dieses unerquick-liche Gefühl loszuwerden. Sobald sie aufhören, die Beine zu bewegen, kommt das kribbelnde, brennende Gefühl zurück und hindert sie daran, erholsamen Schlaf zu fin-den, sodass sie am anderen Morgen müde und zerschlagen aufwachen.

In der Regel sind ältere Menschen davon besonders betroffen, aber auch Frauen während der Schwangerschaft und junge Leute können das Restless-Legs-Syndrom entwickeln. Bei der Frage, wie viele Menschen daran leiden, schwanken die Schätzungen zwischen drei und 15 Prozent der Bevölkerung, wobei anzunehmen ist, dass es häufig nicht diagnostiziert beziehungsweise nicht gemeldet wird.

Es gibt eine Reihe von Überlegungen zu dessen Ursprung. Als mögliche Ursache wird Eisenmangel diskutiert, eine andere könnte eine Erkrankung der Nieren sein; auch glaubt man, dass verschiedene Arzneimittel, etwa manche Antidepressiva, dieses Syndrom als Nebenwirkung haben können. Beinahe jede fünfte Frau ist davon in irgendeiner Form während der Schwangerschaft betroffen. Und schließlich nimmt man an, dass es häufig auch einen genetischen Beitrag zur Entstehung dieses Syndroms gibt, denn viele Patienten berichten von ebenfalls betroffenen Familienangehörigen.

Siehe auch Schlafwandeln, Seite 271

Schnarchen

Bei unserer Aufzählung von Reisen in die nächtliche Hölle darf das Schnarchen nicht fehlen: Es ist die Schlaffolter par excellence für andere – der häufigste Grund dafür, dass Ehepaare getrennt schlafen, einer der größten Schlafstörer und nicht zuletzt oft einer der Schuldigen, wenn eine Romanze scheitert. Der Schriftsteller Anthony Burgess hat es treffend auf den Punkt gebracht: »Lache, und die Welt lacht mit dir. Schnarche, und du schläfst allein.«

Schnarchen gehört außerdem zu den vier häufigsten Schlafproblemen und betrifft immerhin vier von zehn

Männern und drei von zehn Frauen. Auch Tiere leiden darunter. In der Gegend um das schottische Aberdeen musste ein zwölf Jahre altes Pferd namens Rocky operiert werden, um einem Schnarchen abzuhelfen, das dem Vernehmen nach an ein Nebelhorn herankam. Man konnte es noch zwei Weiden weiter hören – und die Weiden sind groß in Aberdeenshire …

Es kann entsetzlich laut sein. Der Rekordhalter – ein zweifelhaftes Vergnügen, diesen Pokal zu gewinnen – ist Kare Walkert aus Kumla in Schweden, der es auf dreiundneunzig Dezibel brachte. Das ist so, als versuchten Sie, neben einem Rasenmäher Ruhe zu finden.

Schnarchen ist überdies eines der Leiden mit extrem hohem Peinlichkeitsfaktor. In einem Zug mit offenem Mund schnarchend aufzuwachen mag schlimm genug sein, was aber soll man zu der öffentlichen Erniedrigung sagen, die demjenigen widerfuhr, der bei einem Snooker-Halbfinalspiel seines Platzes verwiesen wurde, weil er eingeschlafen war und die Welt mit seinem Schnarchen beglückt hatte? Es ist von fragwürdiger Faszination, jemandem in einer derart lächerlichen Haltung zu sehen: seltsame Grimassen ziehend und dabei gleichzeitig so erschröckliche Geräusche hervorbringend. YouTube, die große Freakshow der digitalen Welt, quillt über von Videos über irgendwelche Leute, die auf Teufel komm raus vor sich hin schnarchen. Wer zeichnet diese Menschen auf, und wem macht es Spaß, solche Schnarchpornos anzugucken?

Schnarchen kommt durch die Vibration der weichen Gaumenteile und der Stimmbänder zustande und hat oftmals etwas mit einer Verengung oder Blockade der Atemwege zu tun. Es ist lautes Atmen, Nase, Mund und Kehle werden zum Resonanzraum. Immer öfter gilt es wie gesagt als Hinweis auf eine ernsthaftere Erkrankung: die Schlafapnoe.

Eine Reihe von Faktoren fördert das Schnarchen. Alkohol steht auf der Liste ziemlich weit oben, und die meisten Menschen können diese spezielle Begleiterscheinung des nächtlichen Schlummers auf ihr abendliches Bier schieben. Verstärkt wird das Schnarchen durch alles, was die Atmung reizt oder beeinträchtigt, also durch Rauchen, durch Allergien und durch manche Arzneimittel. Ein weiterer Hauptschuldiger ist Übergewicht.

Der Rekordhalter – ein zweifelhaftes Vergnügen, diesen Pokal zu gewinnen – ist Kare Walkert aus Kumla in Schweden, der es auf dreiundneunzig Dezibel brachte. Das ist so, als versuchten Sie, neben einem Rasenmäher Ruhe zu finden.

Zu den Tipps, wie sich Schnarchen vermeiden lässt – abgesehen davon, das Trinken aufzugeben und abzunehmen –, gehört unter anderem der Rat, auf der Seite zu schlafen statt auf dem Rücken. Eine Möglichkeit, Leute dazu zu bekommen, auf der Seite liegen zu bleiben, ist der berühmte Tennisball am Pyjamarücken, der den Schlafenden stört, wenn er sich auf den Rücken rollen will. Klingt seltsam, aber es gibt viele Berichte, denen zufolge es funktioniert. Man kann mancherorts sogar »Antischnarchhemden« erstehen, bei denen eine ungemütlich Verdickung in den Rückenteil bereits eingearbeitet ist.

Es gibt auch Antischnarchkissen, die den Kopf in einer Position halten sollen, bei der die Atemwege frei bleiben. Das Kopfteil des Bettes hochzustellen, kann die Atemwegsverengungen ebenfalls verhindern helfen, ebenso sollen Nasenpflaster angeblich förderlich sein. »Mundschnarcher« könnten es theoretisch auch mit Pflastern versuchen, die den Mund geschlossen halten, sodass sie zur Nasenatmung gezwungen sind – für eine erste Liebesnacht aber sicher nicht der Bringer.

Floskeln wie »leicht anwendbar und nicht störend« sind ein sicheres Zeichen dafür, dass das betreffende Teil scheußlich aussehen wird. Es gibt alle möglichen Gimmicks und Geräte, die sich um den Kopf des Schnarchers schlingen oder sich ihm in den Rachen stopfen lassen. Der Schnarcher wird mit deren Hilfe vielleicht niemanden mehr stören, aber wenn er all diese Ausrüstungsgegenstände angelegt hat, kann es gut sein, dass ohnehin niemand mehr neben ihm liegt.

Sie können auch ein Gerät erstehen, das Sie um das Handgelenk gebunden tragen, und das Ihnen einen leichten elektrischen Schlag versetzt, wann immer es Ihr Schnarchen registriert – klingt eigentlich eher wie ein Trainingsgerät, dass Ihrem Hund die Lust am Streunen nehmen soll. Was würde passieren, wenn zwei Leute zusammenkommen, die beide schnarchen und beide so ein Teil tragen? Können Sie sich das Gezänk ausmalen, wenn es darum geht, wer den Impuls ausgelöst hat?

Körperliches Training wird als einfache und wirksame Antischnarchtaktik empfohlen. Es trägt dazu bei, wenn Sie abnehmen, und generell ist alles, was die Atemwege öffnet und frei macht, gut gegen das Schnarchen. Auch Gesangsübungen haben sich als überraschend probates Mittel erwiesen, die Hals- und Kehlmuskeln zu stärken und so eine Verengung weniger wahrscheinlich zu machen. In einer Klinik in Exeter hat man Studien durchgeführt, um herauszufinden, ob sich dieses auch für andere Menschen mit Schlaf- und Atemproblemen eignet.

Leider ist dem Schnarchen nur selten die Achtung zuteilgeworden, die es verdient. Hin und wieder wurden Ortschaften ähnlich benannt: Im deutschen Oberfranken gibt es einen Ort namens Schnarchenreuth, im englischen Norfolk eine Ortschaft mit dem höchst unterhaltsamen Namen Great Snoring (zu Deutsch »Groß-Schnarchen«). Als der Lehnsherr dieser Gemeinde, Ralph Shelton, selbige seinerzeit verkaufte, kommentierte er dies mit dem unsterblichen Spruch: »I can sleep without Snoring«.

Siehe auch Schlafapnoe, Seite 214

Frisch gebackene Eltern:
An ihren Augen sollt ihr sie erkennen

Es gibt den alten Witz, demzufolge Babys sich in den ersten Lebenswochen nach folgendem Schema an regelmäßige Schlafenszeiten gewöhnen: eine Stunde Schlaf, dreiundzwanzig Stunden wildes Gebrüll.

Schlafmangel ist einer der größten Schocks, der Eltern widerfährt, die gerade das erste Kind bekommen haben. Sie werden das Gefühl nicht los, eine Fliegeralarmsirene auf die Welt gebracht zu haben. Nicht genug damit, dass Babys nach Ihrer Aufmerksamkeit gerne dann verlangen, wenn Sie am schlafhungrigsten sind, nein, sie können das obendrein auch stundenlang durchhalten. Nacht für Nacht hindert Ihr anbetungswürdiges Baby Sie am Schlafen.

Mit dunklen Ringen unter den Augen und völlig zerschlagen werden Sie feststellen, dass die Tage zu einem schlaflos-verschwommenen Film werden. Das Ganze kann sich anfühlen wie ein endloser Härtetest. Die Geburtsvorbereitungskurse hätten Ihnen beibringen sollen, wie man ohne Schlaf lebt statt wie und wann man die Hebamme zu rufen hat. Es mag Tonnen an abwaschbaren Büchern geben, die Ihnen alle möglichen Ratschläge geben über Fütterungszeiten, das Anerziehen von Schlafrhythmen und das Unterbinden des kindlichen Verlangens, die Eltern beim Einschlafen am Bett sitzen zu haben … aber wenn Sie mitten in der Nacht ein schreiendes Baby auf dem Arm halten, ist Ihnen all das herzlich egal.

Sobald das Kind auf die Welt kommt, ist das alte Vorkindleben auf immer dahin. Schlafen wird nie wieder sein, was es einmal war. Die ersten paar Monate im Leben eines Babys sind eine herbe Initiationsphase für die Eltern: Das Baby schläft, wann es will, während Mama und Papa noch immer treu und brav daran glauben, dass sie ihre lieb gewordene Alltagsroutine wieder aufnehmen können. Babys mögen vielleicht sechzehn Stunden am Tag schlafen, aber das müssen nicht dieselben sechzehn Stunden sein, in denen andere im Haus gern Ruhe hätten. Das Baby kriegt die Eltern dran, diktiert ihnen, wo es langgeht und bringt ihnen bei, dass sie ab jetzt den eigensinnigen Forderungen ihres Nachwuchses nachzukommen haben.

Was Eltern wirklich schafft, ist die Tatsache, dass sie nach wie vor das eine oder andere in der Welt draußen zu erledigen haben – zur Arbeit gehen zum Beispiel. Alle arbeitenden Eltern werden jenes scheußliche Gefühl kennen, dass der Morgen zu grauen beginnt, ohne dass sie die Augen auch nur ein bisschen zugemacht haben. Der Tag ist dazu verdammt, einer von jenen Zombietagen zu werden.

Das Ganze ist auch für die Beziehung zwischen den Partnern nicht ganz einfach. Es kann bedeuten, zeitweilig getrennt zu schlafen, damit immer einer wach genug ist, um zur Arbeit zu gehen oder sich abzuwechseln, wenn das Baby schreit. Schlafentzug ist nicht der beste Stimmungsmacher.

Anstrengungen, ein Baby zu unchristlicher Stunde zu beruhigen, kann einem manch eine höchst surreale Erfahrung einbringen. Eine meiner Töchter entwickelte eine seltsame Faszination für nächtliche Baseballübertragungen im Fernsehen. Vielleicht war es das grüne Feld oder die Markierungen darauf, aber sie starrte Nacht für Nacht gebannt hin und heulte bitterlich, wenn ich es abschalten wollte. Ich kenne nicht einmal die Baseballregeln, aber in jenem Sommer wurde ich der größte Fan dieser Sportart.

Kleine Kinder zum Schlafen zu bringen kann zu einem derartigen Riesenthema werden, dass sich darum herum alle möglichen Rituale entwickeln. Das Spielzeug, das dem Kind beim Einschlafen hilft, wird zum wichtigsten Gegenstand im ganzen Haus. Teddy Tim oder Emma Ente zu verbummeln ist das Schlimmste, was die Familie sich vorstellen kann. Vielleicht legt sie sich heimlich einen Ersatz zu. Und dann vielleicht noch einen – für den Fall, dass der Ersatz verloren geht.

Oft scheint ein ganz bestimmtes Gutenachtbuch oder Wiegenlied besser zu wirken als andere und wird dann zum Gegenstand eines mitternächtlichen Psychospiels, bei dem Sie vor dem unnachsichtigen Urteil einer kindlichen Jury »Die Blümelein, sie schlafen« oder »Ein Jäger längs dem Weiher ging« intonieren. Machen Sie etwas falsch, ist die Strafe gnadenlos. Kein Künstler ist je so dankbar, wenn sein Publikum die Augen zumacht.

Siehe auch Verschlafen!, Seite 86

Schlaftraining: Vorsicht, Quacksalber!

Stellen Sie sich die Szene bildlich vor. Ich liege auf dem Fußboden, es ist Mitternacht, alle Lichter sind aus. Ich habe in den vergangenen vierundzwanzig Stunden ungefähr vier Stunden geschlafen, aber ich bin hellwach und singe ein Wiegenlied. Ein Arm reicht gekrümmt durch die Gitterstäbe eines Kinderbettchens, damit die eine Tochter meine Hand halten kann. Der zweite Arm ist in die entgegengesetzte Richtung angewinkelt, sodass auch die andere Tochter eine Hand von mir festhalten kann. Wenn ich mich auch nur einen Zentimeter in die eine oder andere Richtung vom Fleck rühre, brechen beide in wütendes Gebrüll aus, so laut und durchdringend, dass man es bis Kanada hört. Ich bin nicht ganz sicher, dass es das ist, was der Schlaftrainingsratgeber beabsichtigt hat. Vielleicht sind wir auch einfach auf Seite 73 dieses ärgerlichen, selbstherrlichen, arroganten Buches voll mit all dem Müll darüber, wie einfach und mühelos Sie Ihr Kind binnen weniger Tage zu einem glücklichen Alleinschläfer erziehen können, entnervt ausgestiegen.

Am Anfang klingt es immer wie eine so gute Idee. Mag sein, dass es schwer ist, und mag sein, dass es bedeutet, ein paar Nächte lang den Hartherzigen spielen zu müssen, bis Ihr Kleines sich angewöhnt hat, ohne Begleitung allein in seinem Bett einzuschlafen, aber Schlaftraining verspricht eine Möglichkeit, Regeln aufzustellen und Verhaltensweisen zu trainieren, die jedem in der Familie zu einer erholsamen Nacht verhelfen werden. Warum nur wird so was grundsätzlich von irgendwelchen Experten mit schneeweißem Gebiss propagiert, bei denen man sich des heimlichen Verdachts nicht erwehren kann, dass sie ihre sämtlichen Qualifikationen im Internet erworben haben?

Die Regeln des Schlaftrainings verlangen – wie all diese ausgeklügelten Diäten, die niemals wirklich etwas bewirken – absolute Aufmerksamkeit und die Berücksichtigung jedes Details. Sie kommen in jeder nur denkbaren Form daher, legen genau fest, wie lange man ein Kind pro Nacht schreien lassen darf oder muss, und was die von Schuldgefühlen zerfressenen Eltern zu sagen haben, wenn sie das Kinderzimmer, begleitet von einer Kakophonie aus herzzerreißendem Gejammer, verlassen. Aber genau wie die blöden Diäten gehen auch diese Ratschläge alle denselben Weg des Scheiterns.

Die Eltern, aufgeregt und von scheußlichen Gefühlen gepeinigt, finden sich grundsätzlich vor der Kinderzimmertür wieder, wo sie einander vorwurfsvoll anblicken und dann schuldbewusst durch den Türspalt ins Dunkle linsen, wo ihr Sprössling eigentlich schlafen sollte. Schlaftraining sollte sich darin erschöpfen, dass man das Kind lehrt, allein zu bleiben. Stattdessen züchtet es unter den Eltern, die insgeheim beginnen, dem jeweils anderen die Verantwortung zuzuschieben, Verbitterung, Groll und Schuldzuweisungen. Wer hatte denn eigentlich die Idee? Wessen kontrollversessene Freundin hat denn dieses Schlaftraining nach diesem Dr. Schlaf-Faschist mit der falschen Bräune und den falschen Qualifikationszeugnissen aus Kalifornien empfohlen? Unterdessen heult das Kind (heulen die Kinder), dass die Wände wackeln. Eine völlig neue Ebene des Zorns und der Lautstärke scheint erreicht. Internationale Überwachungsstationen werden diesen Vulkan des Unwohlseins auf ihren Geräten registrieren. Ob ein Kind wohl vor Wut explodieren kann?

Selbstverständlich wäre es die natürlichste Sache der Welt, hinzugehen und das Kind zu trösten, wenn es schreit. Aber Dr. Schlaf-Faschist schließt das aus. So etwas sei, als wollten Sie dem Alkoholiker eine Flasche Whiskey oder einem Spielsüchtigen Ihre Kreditkarte samt Geheimzahl geben. Das heulende Kind muss um jeden Preis allein gelassen werden. Es ist mit derselben Vorsicht zu behandeln, die Sie walten lassen würden, hätten Sie es dort im Kinderzimmer mit Brennstäben aus einem Kernkraftwerk zu tun: nicht eintreten, nicht anfassen, von der Tür zurücktreten.

Schlaftraining ist ähnlich natürlich wie um drei Uhr morgens den Wocheneinkauf zu machen – eine moderne Erfindung zur Lösung eines Problems, das es nie wirklich gegeben hat.

Das Geschrei hat nunmehr eine Lautstärke erreicht, die Bilder von den Wänden fallen lässt. Das arme Kind ist komplett von der Rolle, weil seine Eltern, die es da draußen vor der Tür einander anzicken hört, nicht wie gewohnt kommen. Was für ein gemeines Psychospiel ziehen die da ab? Warum lungern die da im Dunkeln herum, statt wie sonst mit leichter Weinfahne und etwas von Arbeit murmelnd hereinzukommen, um Geschichten zu lesen?

Überwältigt schließlich von der Schuld, das weinende Kind nicht getröstet zu haben, dabei gleichzeitig von dem Gefühl gepeinigt, komplett versagt und den Schlaferziehungsplan schon am ersten Abend verraten zu haben, stürmen die Eltern irgendwann ins Kinderzimmer. Es ist wie das Ende einer Geiselnahme, die Eltern halten ihren tobenden Nachwuchs im Arm, der allem Anschein nach kurz davor ist, vor bebendem Zorn in Flammen aufzugehen. Und all das im Namen des Schlafs. Es wird eine weitere schlimme Nacht werden. Es wird ein weiterer müder Morgen. Es wird sich wieder anfühlen, als habe jemand die ganze Nacht hindurch Ihre Augen mit Sandpapier malträtiert.

Also sitze ich nachts wieder da und halte Hände, damit meine Kinder einschlafen. Ausgestreckt auf dem Fußboden wie ein von Schlafmangel gezeichneter Kampfsportler, warte ich verzweifelt, dass sich ihre Lider endlich senken und weiß, dass die geringste Andeutung einer Bewegung meinerseits ein Gebrüll auslösen wird, das lauter tönt als eine Alarmsirene in einer brennenden Betonburg.

Schlaftraining ist eine todsichere Möglichkeit um zu erreichen, dass sich bei einer völlig natürlichen Angelegenheit am Ende jeder schlecht fühlt. Niemand braucht Training, um ins Bett zu gehen. Junge Lebewesen haben beim Einschlafen gerne ihre Eltern um sich. Das gibt ihnen ein Gefühl von Sicherheit. Deshalb erzählen Eltern ihren Kindern seit 5000 Jahren Gutenachtgeschichten und singen Wiegenlieder. Schlaftraining ist ähnlich natürlich wie um drei Uhr morgens den Wocheneinkauf zu machen – eine moderne Erfindung zur Lösung eines Problems, das es nie wirklich gegeben hat. Brauchen Tiere Bücher über Schlaftraining? Haben Menschen in den vergangenen zig Jahrtausenden einen Weißkittel gebraucht, der ihnen gesagt hat, wie sie ihre Kinder dazu bringen, einzuschlafen?

Eltern von Kleinkindern sein, ist eine harte Zeit für jedes Schläferleben. Beweis dafür sind die dunklen Ringe unter den Augen junger Eltern, die nicht genug über dieses so unfehlbar wirksame Etwas zum Schlafvertreiben staunen können, das sie da auf die Welt gebracht haben. Wie kann sich etwas so Kleines und bei Tage so Süßes bei Nacht in ein alles bezwingendes Monster verwandeln, das dem Schlaf mit einer Aggressivität und Zielsicherheit an den Kragen geht, die nahezu übernatürlich scheint? Wie kriegen diese Krümel es hin, zu warten, bis Sie gerade eingeschlafen sind, um die nächste Salve loszulassen, jede Hoffnung auf Ruhe just in dem Augenblick zu ersticken, in dem der Schlaf in Reichweite zu sein scheint?

Den Eltern den Schlaf zu versagen, ist die Strategie, mit der Babys das Regiment übernehmen; so machen sie den nach Schlaf lechzenden Eltern unmissverständlich klar, dass ab sofort alles, was einst wichtig schien, einzig und allein in ihren zornigen kleinen Händen liegt. Es gibt kein Training, mit dem sich dem entgehen ließe.

Siehe auch Zusammen schlafen, Seite 103.

Gibt es einen schlimmeren Ort, um aufzuwachen?

Ich war zu Bett gegangen. Meine Frau rief meinen Namen. Ich stöhnte im Schlaf. Meine Frau rief wieder und sagte: »Wach auf, du träumst!«, und ich träumte wirklich, und als ich aufwachte, hörte ich ein leichtes Krachen. Ich achtete nicht weiter darauf, bis ich merkte, dass die Maschinen stoppten. Als die Maschinen stillstanden, sagte ich: »Das ist etwas Ernstes. Irgendetwas stimmt nicht. Wir gehen besser an Deck.« Ich warf mir an Kleidern über, was ich gerade parat hatte, meine Frau schlüpfte in ihren Kimono, und wir gingen aufs Oberdeck und spazierten dort auf und ab. Es waren nicht viele Leute dort. Hier hingen die Rettungsboote. Wir gingen hinunter auf das nächste Deck, und der Kapitän kam herauf. Ich nehme an, er kam von der Besichtigung des Schadens. Er machte ein sehr ernstes und bedenkliches Gesicht. Da sagte ich zu meiner Frau: »Das ist eine sehr kritische Angelegenheit, glaube ich.«

Das war der Zeugenbericht von Charles Stengel, einem Passagier der ersten Klasse auf der *Titanic*, die am 15. April 1912 nach der Kollision mit einem Eisberg im Atlantik sank. Mr. Stengel und seine Frau Annie May überlebten die Katastrophe.

Siehe auch Warum mögen Kinder gruselige Gutenachtgeschichten?, Seite 71

Geheimnisvolle Reise

~~~~~~

Wozu ist Schlaf gut?

Es ist eine so grundlegende Frage, trotzdem gibt es keine einfache Antwort. Andere lebensnotwendige Bedürfnisse erklären sich sehr viel eher aus sich selbst heraus. Warum essen wir? Um uns einen Energievorrat anzulegen. Warum atmen wir? Um den Sauerstoff aufzunehmen, den wir zum Leben brauchen. Warum verbringen wir ein Drittel unseres Lebens schlafend? So genau lässt sich das nicht sagen.

Viele Mutmaßungen darüber lassen sich abheften unter »mäßig überzeugend«. Ist Schlaf ein Mittel, Überleben zu sichern, indem er Lebewesen herunterschalten und nächtlichen Gefahren aus dem Weg gehen lässt? Wäre dem so, hätte sich die schlaue alte Mutter Natur doch sicher eine bessere Taktik einfallen lassen, als ihre Geschöpfe für Stunden ohne Bewusstsein und verwundbar wie ein Baby jedem sich anschleichenden Räuber schutzlos auszuliefern.

Manche Leute glauben, dass Schlafen etwas mit Energiesparen zu tun haben könnte, wie bei einer gescheit eingestellten Zentralheizung, die sich nachts von allein abschaltet. Diese Theorie ist allerdings auch wieder verworfen worden, denn wir sparen auf diese Weise nur sehr wenig Energie ein. Es ist ja nicht so, dass Körper und Gehirn während des Schlafs aufhörten zu funktionieren, sondern sie verhalten sich nur anders.

Neue Forschungen haben eine andere Erklärung für die Notwendigkeit des Schlafs untersucht. Sie hat damit zu tun, wie wir unsere Erinnerungen speichern, wie wir lernen, wie wir das Bewusstsein unserer Selbst entwickeln, wie unser Körper sich regeneriert, wie Kinder groß werden. Der Schlaf ist die Zeit, in der der Körper sich auf seinen natürlichen Rhythmus besinnt. Wenn das alles einigermaßen vage klingt, dann deshalb, weil die Forschung hier erst die alleräußersten Zipfel des Verstehens zu fassen zu bekommt.

Ein sehr viel klareres Bild ergibt sich, wenn wir die Frage auf den Kopf stellen. Wir wissen nicht, was Schlaf ist, aber wir wissen, was geschieht, wenn wir nicht genug schlafen. Menschen werden krank und emotional ausgelaugt, sie bekommen Halluzinationen, und ihr Immunsystem beginnt zu bröckeln. Ratten, denen man komplett den Schlaf entzieht, sterben. Woran sterben sie? Nun, auch hier haben wir wieder mehr Fragen als Antworten.

Wir wissen auch, dass wir einen Preis zu zahlen haben, wenn wir unser Schlafmuster durcheinanderbringen. Wir verstehen das Wesen unserer inneren Uhr und deren zirkadianen Rhythmus vielleicht nicht genau, aber wir wissen, dass wir sie viel zu häufig missachten, und fühlen uns dann, als wären wir Versuchskaninchen in einem schrecklichen chemischen Experiment gewesen. Nachtschichtarbeitende werden zustimmend mit ihren müden Häuptern nicken.

Wir brauchen also zweifelsfrei regelmäßigen Schlaf. Selbst wenn wir nicht wissen, wozu, so wissen wir doch, dass wir ohne nicht auskommen. Inzwischen werden Verknüpfungen zwischen Schlaf und dem Festigen von Erfahrungen und Erinnerungen emsig erforscht. Die Wissenschaft befasst sich auch mit der Frage, inwieweit unterschiedliche

Schlafstadien unterschiedlichen Funktionen dienen, so ähnlich wie wir, um uns wohlzufühlen, verschiedene Arten von Lebensmitteln benötigen. Diese Forschung steht allerdings noch relativ am Anfang. Einen wichtigen Untersuchungsgegenstand bildet der REM-Schlaf, der seiner Verbindung zum Gedächtnis wegen besonders interessant ist. Menschliche Wesen bevölkern unseren Planeten seit ein paar Hunderttausend Jahren, der REM-Schlaf aber wurde erst 1953 offiziell beschrieben. Vielleicht hatten die Menschen ihn auch schon vorher entdeckt, ihm aber noch keinen Namen gegeben – erst recht keine Rockband danach benannt.

Die Wissenschaft befasst sich auch mit der Frage, inwieweit unterschiedliche Schlafstadien unterschiedlichen Funktionen dienen, so ähnlich wie wir, um uns wohlzufühlen, verschiedene Arten von Lebensmitteln benötigen.

Nahezu im selben Augenblick, in dem der REM-Schlaf sich als vielversprechender Ausgangspunkt für Studien zur Bedeutung von Schlaf insgesamt anbot, tauchten allerdings auch prompt neue Fragezeichen auf. Ein Mann, der eine Hirnverletzung erlitten und seither die Fähigkeit zum REM-Schlaf verloren hatte, schien keinerlei Gedächtnisprobleme zu haben. Bei vielen Menschen unterdrücken Antidepressiva den REM-Schlaf, trotzdem scheint das keine Folgen für das Erinnerungsvermögen der Betroffenen zu haben.

Wissenschaftler werden fortfahren mit ihren Versuchen, herauszufinden, was Schlaf bewirkt, und dazu immer ausgeklügeltere Geräte auf den Schädeln müder Studenten befestigen. Ihre Befunde sind vermutlich verlässlicher als die Ergebnisse jener Schlafexperimente, die man in den dreißiger Jahren unter den Gefängnisinsassen Kaliforniens durchgeführt hat. Dort wurde der Einfluss von Kaffee auf den Schlaf der Gefangenen untersucht. Die Ergebnisse waren ziemlich widersprüchlich – wobei sich einem unwillkürlich der Gedanke aufdrängt, dass dieser eingekerkerte Haufen von Mördern, Räubern und Entführern womöglich andere Sorgen hatten, die sie nachts wach hielten; eine Tasse Kaffee wird da das geringste Übel gewesen sein.

Über das Mysterium Schlaf nachzugrübeln ist sicher nichts Neues. Wissenschaftler, Philosophen und Dichter spekulieren seit Jahrhunderten darüber. Die Tatsache, dass so viele ihrer Überlegungen sich im Nachhinein als mehr oder minder lächerlich erwiesen haben, sollte uns Warnung sein, dass unsere eigenen Theorien künftigen Generationen nicht minder abstrus vorkommen könnten.

Im elisabethanischen England erlebte das wissenschaftliche Interesse am Schlaf eine seiner Blütezeiten. Der Arzt Thomas Cogan erwähnte in seinem Buch *Haven of Health* aus dem Jahr 1584 die weitverbreitete Ansicht, dass Schlaf eine Art von Wärmefreisetzung des ruhenden Körpers darstelle, bei der die Dämpfe vom Magen aus gen Himmel steigen würden. Als Beweis führte er die schlichte Tatsache an, dass Menschen besonders leicht einschlummern, wenn sie gegessen und getrunken haben. Den Menschen des Elisabethanischen Zeitalters galt der Schlaf meist als Verwandter des Todes, als Abbild unserer Sterblichkeit in unserem täglichen Leben, als Vorgeschmack auf den ewigen Schlaf. Shakespeare kam wieder und wieder auf dieses Thema zurück.

Etwas optimistischer verstanden manche Schriftsteller dieser Zeit den Schlaf auch als großzügige Gabe der Natur, ein Geschenk, das Armen und Reichen gleichermaßen zuteilwird. Diese Sichtweise war auch andernorts verbreitet. Der Spanier Miguel Cervantes bezeichnete Schlaf als »den Mantel, der alle menschlichen Sorgen zudeckt, das

Essen, das den Hunger stillt, das Wasser, das den Durst vertreibt, das Feuer, das die Kälte erwärmt, die Kälte, die die Hitze mildert«. Ein geheimnisvolles und facettenreiches Geschenk also.

Das Empfinden, nicht recht zu wissen, wozu Schlaf gut ist, hat eine lange Tradition. Im Jahre 350 v. Chr. stellte Aristoteles in seinem Aufsatz *Schlaf und Traum* einige tief-schürfende Überlegungen an, die heute noch genauso modern sind wie damals. Schlaf nimmt das ganze Wesen in Beschlag, all seine Sinne – es ist kein teilweises Abschalten, nicht so, dass Körper und Geist sich unabhängig voneinander Ruhe gönnten. Der Zustand des Schlafens ist genauso absolut wie der des Wachseins. Aristoteles zufolge sind Schlafen und Wachen untrennbar miteinander verbunden. Ohne Wachen kein Schlafen, ohne Schlafen kein Wachen: Wir treten nicht aus unserem Leben heraus, um zu schlafen, sondern Schlaf ist ein genauso natürlicher und unentbehr-licher Teil unseres Lebens wie das Wachsein.

Schlafen und Wachen sind unzertrennliche Hälften, die beiden Seiten des Experiments Leben. Nach dem Sinn von Schlaf zu fragen, wäre demnach dasselbe, wie nach dem Sinn unseres Wachseins zu fragen. Diskutieren wir das. Wann anders …

Siehe auch Was geschieht mit uns, wenn wir einschlafen?, Seite 113

Was ist ein Nachtmahr?

Das Wort Mahr beschreibt einen bösen – weiblichen – Geist, der, so will es der Aberglaube, Wesen anfällt und ihnen schlimme Träume, Atemnot und Angstzustände verursacht. Der Begriff existiert abgewandelt in mehreren Sprachen, seine Herkunft ist nicht abschließend geklärt. Daneben gibt es noch männliche Wesen – Incubi –, die sich der Legende nach dem Schlafenden auf die Brust setzen und ihm ebenfalls Panik und Atemnot verursachen. Das Wort Incubus kommt aus dem Lateinischen *(incubere)* und bedeutet so viel wie »auf etwas liegen« oder auch »brüten«. Früher hat man angenommen, dass diese Dämonen sich gerne mit schlafenden Menschenfrauen paarten und von deren Lebensenergie lebten. Im Deutschen ist für Nachtmahre und Incubi auch der Begriff Nachtalben gebräuchlich, von denen sich der Begriff Albtraum herleitet – jene Traumvision von Ausgeliefertsein und Machtlosigkeit, oft verbunden mit dem Empfinden, ersticken zu müssen, und mit dem Gefühl von sexueller Bedrohung oder dem bösartigen Wirken übernatürlicher Kräfte.

Traumland

Träume können surreal, tröstend oder auch sinnlich ausfallen. Manchmal strotzen sie vor Symbolik, dann wieder sind sie von bizarrer Zufälligkeit. Aber Träume sind Ausgeburten unseres Gehirns, sie sind einzig und allein unsere Schöpfung – niemand sonst wird sie je zu sehen bekommen. In seinem Roman *Herz der Finsternis* schreibt Joseph Conrad die treffenden Worte: »Wir leben wie wir träumen – allein.« Wir sind mit unseren Träumen ganz und gar auf uns selbst gestellt. Sie sind unsere innere Welt, die der äußeren Wirklichkeit entgegengestellt wird. Sie entstehen spontan, etwa vier- bis sechsmal pro Nacht und wir sind ihnen ohne Erklärungshilfe oder Kontrolle auf Gedeih und Verderb ausgeliefert. Haben wir dieses Traumland einmal erschaffen, sind wir seine Gefangenen; wir können nicht davonlaufen vor den Träumen, die wir kreiert haben. Und am anderen Morgen erinnern wir uns, wenn es hoch kommt, noch an jeden zwanzigsten.

Wenn wir aus einem atmosphärisch besonders dichten Traum erwachen, kann die Stimmung daraus bis in den nächsten Tag anhalten. Es kann sich anfühlen, als müsse das etwas zu bedeuten haben. Wenn in einem Traum etwas Spektakuläres geschieht, an dem uns bekannte, reale Personen oder Ereignisse beteiligt sind, fällt es schwer, nicht zu glauben, dass es sich um irgendeine Art von Botschaft handeln könnte. Woher aber kommen unsere Träume? Was lässt uns diese Psychofilme und Dramen erfinden? Es ist, als betrachteten wir ein sehr lebendiges, sehr konfuses experimentelles Theaterstück. Wenn es eine Botschaft gibt, dann welche?

Seit Menschen träumen, haben sie versucht herauszubekommen, was ihre Träume bedeuten. Vor 5000 Jahren hielten sumerische Schriftgelehrte Träume fest. Die alten Ägypter entwarfen ein komplexes System der Traumdeutung. Die Griechen waren sich nicht ganz einig, ob Träume göttliche Botschaften vermitteln oder ob sie nur ein wildes Durcheinander an Abbildern von etwas sind, das während des Tages auf den Menschen eingewirkt hatte. Diese Traumskeptiker führten das Argument ins Feld, dass auch Hunde träumten und diese wohl kaum mit göttlichen Visionen zu rechnen hätten.

Ein faszinierender Befund zum Thema Träume ist der Umstand, dass Menschen auf der ganzen Welt, in den unterschiedlichsten Kulturen, dieselbe Art von Träumen haben. Eine Studie aus den sechziger Jahren listete Zehntausende von Träumen auf und kam zu dem Ergebnis, dass wir alle, wo oder wie auch immer wir Menschen leben, Träume haben, die derselben Grundregie gehorchen. Träume spielen sich vielleicht vor unterschiedlichem kulturellem Hintergrund ab – Sie werden zum Beispiel nicht träumen, dass Sie zu spät zu einer Prüfung erscheinen, wenn Sie nie zur Schule gegangen sind –, aber es gibt universale Themen, etwa dass einem die Zähne ausfallen, man nackt in der Öffentlichkeit auftaucht, eine Rede halten soll und den Text vergessen hat, etwas sucht und nicht findet, einen Freund oder Verwandten trifft, der längst gestorben ist, sich wieder am Ort seiner Kindheit befindet oder eine wichtige Verabredung nicht einhält. Was immer das über die menschliche Natur aussagen mag: Das häufigste Thema in unseren Träumen ist Angst. Angst, gejagt zu werden, nicht entkommen oder davonlaufen zu können, zu etwas Wichtigem zu spät zu kommen oder es ganz zu verpassen, sich in der Öffentlichkeit zum Narren machen ... all diese Szenarien kommen uns auf Anhieb vertraut vor. Nur ein Zehntel aller Träume ist sexuellen Inhalts – und die haben vor allem Teenager. Noch ein Beispiel von sinnloser Verschwendung an die Jugend.

Das Psychologische Institut der University of California in Santa Cruz verfügt über eine »Traumbank« von mehr als 16 000 Traumbeschreibungen. Wenn Sie aus dieser Sammlung von Erfahrungen aller möglichen Menschen wahllos einige herausgreifen, ist das Verblüffendste daran, wie ungemein ähnlich sie sich sind. Da gibt es Träume von der falschen Kleidung zur falschen Gelegenheit, Träume von bedrohlichen Fremden, Erinnerungen an ein früheres Heim, jede Menge Träume von Freunden und Verwandten und von vertrauten Orten, die sich auf unerklärliche Weise verändert haben. Auch wenn es alle möglichen individuellen Details gibt, steht daneben immer ein seltsames Gefühl gemeinsamer Erfahrung.

Ein weiterer verbindender Punkt ist, dass wir alle in unseren Träumen selbst vorkommen. Sie mögen verwirrend, konfus und inkohärent sein, aber in der Regel sind wir darin der Hauptakteur, der versucht, das Ganze irgendwie mit Sinn zu erfüllen. Und was Träume in vielen Fällen so seltsam macht, ist die Art und Weise, wie Zeit darin verzerrt wird, und Szenen sich einer vorhersehbaren Abfolge entziehen. Wie lange dauert ein Traum? Träume, in denen es kreuz und quer durch unser Leben und unsere Erinnerungen geht, spielen außerhalb der Zeit.

Manche Leute haben auch immer wieder dieselben Träume. Dabei muss es sich nicht unbedingt um wiederkehrende Träume im klassischen Sinne handeln, in denen jedes Mal exakt dasselbe geschieht; genausogut kann es sein, dass dieselben Themen wieder und wieder neu aufgerollt werden. Damit soll nicht gesagt sein, dass Träume nicht durch besondere Ereignisse gespeist werden könnten. Aufregende Erlebnisse werden im Traum häufig noch einmal durchgespielt. Ja Angstträume sind ein charakteristisches Kriterium von posttraumatischem Stress. Typisch für diesen Zustand sind extrem lebhafte, häufig beängstigende Träume, in denen der Leidende das belastende Ereignis stets aufs Neue durchlebt. Vietnamveteranen können Monat für Monat, Jahr für Jahr den gleichen Schreckensmoment durchleben. Im Großen und Ganzen aber sind derart entsetzliche, durch reale Ereignisse ausgelöste Träume wohl die Ausnahme. Wissenschaftler waren jedenfalls wenig erfolgreich, wenn sie versucht haben, das, was wir in Träumen sehen, von außen zu beeinflussen (zum Beispiel jemandem Wasser zu verweigern, um zu sehen, ob dies Träume von Durst oder vom Trinken heraufbeschwört, oder Versuchspersonen vor dem Schlafengehen Gewalt- oder Erotikfilme zu zeigen). Bei einem Experiment hielt man den Probanden die Augen mit Pflaster offen und zeigte ihnen Bilder und Gegenstände – wieder tauchte nichts davon in ihren

Träumen auf. Es sieht so aus, als gehörten Träume zu einer anderen Welt. Eine direkte Verknüpfung zwischen der Außenwelt und unserer inneren Traumwelt gibt es nicht.

Ein Traum mag ein scheues Wesen sein, das sich nicht leicht einfangen lässt, doch seit der Entdeckung des REM-Schlafs im Jahre 1953 ist es immerhin möglich zu bestimmen, wo er sich wahrscheinlich abspielt. Eine recht attraktive Theorie besagt, dass Träume so etwas wie die Backgroundmusik unseres Langzeitgedächtnisses sind, die zwar immer im Hintergrund läuft, doch solange wir wach sind, übertönt wird und erst in der Stille des Schlafs hörbar ist. Es ist sozusagen eine Erweiterung der Vorstellung, dass Träume einen verstohlenen Blick in unser heimliches Innenleben gewähren und unsere verborgenen Emotionen aufdecken.

Wie der Psychiater und Traumdeuter Carl Gustav Jung bemerkte: »Wer nach außen schaut, träumt, wer nach innen schaut, erwacht.«

Siehe auch Bekommt man von Käse Albträume?, Seite 149

REM-Schlaf

In den fünfziger Jahren gelang Wissenschaftlern der University of Chicago wie gesagt einer der ganz großen Durchbrüche in der Schlafforschung; sie entdeckten ein eigenes Schlafstadium, das durch »rasche, zuckende Augenbewegungen« gekennzeichnet war. Was immer diese Bewegungen der Augen des Schlafenden verursachte, schien offenbar mit einer erhöhten Hirnaktivität zusammenzuhängen; das Gehirn wirkte genauso aktiv wie im Wachzustand. Ein anderes Puzzleteilchen war die Entdeckung, dass jeder, den man aus diesem Stadium aufweckte, mit sehr viel höherer Wahrscheinlichkeit berichten konnte, dass er geträumt habe. Zwischen diesem Schlafstadium und dem Träumen schien demnach eine enge Beziehung zu bestehen.

Die Entdeckung des REM-Schlafs veränderte die Art und Weise, wie Wissenschaftler an die Untersuchung des Schlafs herangingen. Sie zeigte schlüssig, dass Schlaf nicht einfach ein passives Stadium des nicht Wachseins darstellt, sondern vielmehr einen komplexen, unabhängigen und veränderlichen Erfahrungsbereich. Auch machte sie die Notwendigkeit deutlich, Schlaf als physiologischen Vorgang zu betrachten. Jahrhunderte hindurch war Schlaf die Domäne von Philosophen, Schriftstellern und Psychologen gewesen, nun aber verfügte die Wissenschaft über Belege dafür, dass Schlaf und Träume auch als physiologisches Phänomen zu untersuchen sind.

Doch Schlaf ist und bleibt ein Mysterium. Je mehr man darüber herausfindet, desto mehr Fragen stellen sich. Kaum war die Existenz des REM-Schlafs belegt, stellte sich heraus, dass jungen Menschen über sehr viel intensivere REM-Schlafepisoden verfügten als alte. Hieß das, den Alten gehen buchstäblich die Träume aus?

Neugeborene können sechzehn Stunden am Tag schlafen, etwa die Hälfte dieser Zeit verbringen sie im REM-Schlaf. Wenn Sie einem sehr kleinen Kind in die Wiege schauen, sehen Sie dort jemanden, der ungefähr das Pensum eines vollen Arbeitstags im REM-Schlaf absolviert. Bei Erwachsenen macht der REM-Schlaf unter Umständen nur noch ein Viertel oder ein Fünftel des Schlafs aus, bei jemandem mit Schlafmangel ist es womöglich noch weniger. Das bedeutet, ein Kind kann täglich vier- bis fünfmal so lange in diesem Traumschlaf verweilen wie seine Eltern.

An einem Neugeborenen ist noch etwas fast Anderwelt-liches, so, als sei es noch nicht ganz im Hier und Jetzt ange-kommen, als sei es noch genauso sehr Teil der Welt, die es verlassen hat, wie der, in die es nun geraten ist. Vielleicht hat die ganze lange Zeit im REM-Schlaf, die Neugeborene mit Träumen füllen, etwas damit zu tun, dass diese so selt-sam entrückt wirken können, so, als dächten sie darüber nach, doch lieber zu irgendeinem anderen Planeten zurück-zukehren. Sie sind schwach und hängen in allem von ihren Eltern ab, aber ihre Gedanken weilen noch immer in ihrer eigenen Traumwelt. Man nimmt an, dass Babys im Mut-terleib sogar noch einen größeren Teil ihrer Zeit im REM-Schlaf verbringen. Was für Erfahrungen Ungeborene oder Neugeborene in ihren Träumen wohl machen?

zzzzzzzzzzzzzzzzzzzzzzzzzzzzzzzzzzzzzzzzzzzzzzzzzzzzzzzzzzzzzz

Es gibt noch andere vage Verknüpfungen zwischen der inneren Welt unseres Geistes und dem REM-Schlaf. Men-schen, die an Depressionen leiden, erreichen das REM-Schlaf-Stadium sehr viel rascher als der Durchschnitts-schläfer, und viele Antidepressiva sind extra so ausgelegt, den REM-Schlaf zu verzögern oder zu unterdrücken. Die-ses Eingreifen in den REM-Schlaf ist eine Möglichkeit, Stimmung und Gefühle eines Patienten unmittelbar zu beeinflussen.

Was sollen wir aus alledem machen? Ein Neugeborenes scheint Unmengen von diesem Schlaf zu brauchen, wenn es in die fremde Außenwelt gelangt, wohingegen der depressive Erwachsene Medikamente nimmt, um ihn zu unterbinden, und ebendies scheint sein Wohlbefinden zu verbessern. Die Art und Weise, wie wir schlafen, ist eindeutig verflochten mit unserer Stimmung, unserer Persönlichkeit und der Art und Weise, wie wir die Welt um uns herum wahrnehmen.

Siehe auch Was geschieht mit uns, wenn wir einschlafen?, Seite 113

Freud und Jung

Die Bedeutung von Träumen zu erschließen ist ein uraltes Verlangen. Seit Urzeiten haben Menschen Träume als verschlüsselte Botschaften betrachtet, als etwas Übernatürliches, das von außen in die Menschenwelt getragen wird. Und genauso lange stehen dieser Überlegung skeptische Rationalisten gegenüber, die Träume in einem sehr viel prosaischeren Licht sehen, sie als etwas rein Funktionales

betrachten, das sich während des Schlafs eben nun einmal ereignet – so etwas wie Schnarchen, nur ein bisschen interessanter. Diese Leute waren der Ansicht, Träume ergäben sich aus der Alltagswelt und ihren Ereignissen, seien verzerrte Projektionen von Erfahrungen unserer Wachstunden, nicht etwa Visionen aus einer anderen Dimension.

Dann kam Sigmund Freud des Weges. Seine psychologische Deutung von Träumen, verfasst am Ende des 19. Jahrhunderts, schuf eine völlig neue Sicht auf deren Ursprung. Er betrachtete Träume als Spiegelungen der Kämpfe und Dramen im innersten Selbst eines Menschen, in denen es auch um Wahrheiten geht, die der Wachende sich nicht eingestehen mag oder kann. Träume, so Freud, sind nicht wahllos oder bizarr, sondern sie sind symbolhafte und sehr individuelle Verarbeitungen unserer Erfahrungen und Ängste. Für ihn war ein Traum keine Vision, die von einer äußeren Macht gesandt wurde, sondern ein Ausdruck des Innenlebens.

Freud war der Ansicht, dass insbesondere die sexuellen Ängste und Frustrationen, über die am Tag nicht gesprochen werde, in der Bilderwelt der Träume ihren Niederschlag fänden. Die Deutung der Traumsymbolik sei daher der Weg des Schlafenden, sein sexuelles Ich zu erkunden. Die unterdrückten Emotionen und Gefühle, die die wache Person sich nicht eingestehen wolle, werde in Träumen von der Leine gelassen und mit verborgener Bedeutung gefüllt. Unter der Oberfläche der Traumhandlung lauerten tiefere, »latente« Botschaften. Träume seien das Werk des Unbewussten, ein intimer Austausch zwischen den dunkelsten Winkeln des Geistes. Der Traum biete einen Ort, an dem Wünsche versuchsweise erfüllt werden könnten, wo Dinge stattfänden, die einer respektablen Existenz im Wachzustand nicht möglich wären.

Freud war der Ansicht, dass die Bedeutung von Träumen auf verschiedene Weise transportiert werde. Statt Befürchtungen direkt anzugehen, bediene sich der Träumende unter Umständen alternativer Bilder, die das Thema unverfänglicher gestalteten. Freud wurde berühmt mit seiner Interpretation, dass Träume von hoch aufragenden, spitz zulaufenden Gegenständen und verschiedenen Arten von Höhlen sowie von gewissen Obstsorten das sexuelle Begehren des Träumenden ausdrückten. Auch projiziere der Träumende in seinen Träumen unter Umständen seine eigenen unterschwellig vorhandenen Gefühle auf eine andere Person, die er dann das Verhalten (möglicherweise ein nicht besonders nettes Verhalten) ausführen lasse, das er in seinem Innersten möglicherweise für sich selbst in Erwägung gezogen habe. So verkörpere beispielsweise der gewalttätige Irre im Traum vielleicht die unterdrückten Aggressionen des Träumenden.

Freud erklärte auch, dass eine einzelne Handlung oder ein bestimmter Gegenstand aus einem Traum mehr als nur eine Bedeutung haben könne. Träume entsprängen einem reichhaltigen Erfahrungsschatz und seien nichts Simples oder Eindimensionales.

In dem Jahrhundert seit der Veröffentlichung seiner ersten Werke zur Traumdeutung ist Freuds Interpretation von vielen Seiten angegriffen worden. Es lässt sich jedoch nicht leugnen, dass er in Bezug auf die Art und Weise, wie Träume heute gesehen werden, die Landschaft verändert hat. Salvador Dalis Traumlandschaften mit ihren zerfließenden Uhren und Luis Buñuels surrealistische Filme beackern einen Boden, den Freud bereitet hat.

Anfänglich trat der Schweizer Psychiater Carl Gustav Jung in Freuds Fußstapfen (später allerdings wieder heraus) und entwickelte die Vorstellung weiter, dass Bilder und Handlungen, die in Träumen vorkommen, Repräsentationen zugrunde liegender übergreifender Ideen seien. Er beschrieb den Traum als kleine verborgene Tür zu den innersten und geheimsten Nischen der Seele.

Während Freud nach innen schaute, in die innere Welt des Individuums, blickte Jung auch nach außen, auf das an und in unseren Träumen, was uns mit anderen verbindet. Er entwickelte die Vorstellung von einem »kollektiven Unbewussten«, einem gemeinsamen Erfahrungs- und Verstehenspool zwischen Menschen aller Art, etwas, das zu unser alle Erbe gehört, und das sich in unseren Träumen Bahn bricht. Er stellte einen Zusammenhang zwischen den Mythen und Volksmärchen unterschiedlicher Kulturen her, in denen sich ebenfalls gemeinsame Muster und Symbole zeigen.

Bewohnt werden diese gemeinsam erlebbaren Traumlandschaften, wie Jung glaubte, von archetypischen Charakteren, die in unterschiedlicher Verkleidung auftreten können, aber Träumenden aller Kulturen und Epochen bekannt sind. Dazu gehören unter anderem die Mutter, der Vater, das Kind und der Held. Diese Gestalten können jedoch auf unterschiedlichste Weise wiedergegeben werden. Wenn jemand vom Archetypus Mutter träumt, so muss in diesem Traum nicht notwendigerweise die Mutter des Träumenden auftauchen. Vielmehr können durch diesen Archetyp ganz andere Assoziationen und Emotionen bedient werden, zum Beispiel die Rückkehr an einen Ort der Kindheit oder Trennungsängste.

Das Individuum kann in diesem Traumszenario ein anderes Gesicht haben. Dabei kann es sozusagen eine öffentliche Besetzung, die sogenannte »Persona«, geben, die den Träumenden in seinen eigenen Träumen darstellt. Auch kann es einen dunkleren, ungehemmten »Schatten« geben, der Charakterzüge repräsentiert, die normalerweise unterdrückt oder gefürchtet werden. Jung glaubte auch, dass beide, Männer und Frauen, männliche und weibliche Züge in sich tragen und dass wir in Träumen auch entweder nur durch unsere männlichen oder nur durch unsere weiblichen Qualitäten repräsentiert sein können.

Jung legte seinem Denken keine Fesseln an, was Träume anbelangte; er orientierte sich an den Naturwissenschaften ebenso wie an Kultur- und Religionswissenschaften, der Mythologie und den Künsten. Aber er war überzeugt davon, dass Träume kein Durchspielen frustrierter Begehren in irgendeiner Codesprache sind, sondern ein wirklichkeitsgetreues, loyales Abbild des Träumenden – eine kleine Momentaufnahme seiner Seele. Der Traum, so Jung, zeigt die innere Wahrheit und Realität des Patienten wie sie wirklich ist, nicht, was der Deutende daraus macht, und auch nicht, was er selbst gerne hätte, sondern das, was wirklich ist.

Siehe auch Surrealismus und Träume, Seite 257

Wiederkehrende Träume

Da kommt jemand; eine unsichtbare drohende Gestalt nähert sich. Sie hören ihre Schritte, Sie hören sie näherkommen, aber als Sie versuchen wegzulaufen, stolpern Sie und müssen sich mühsam wieder aufrappeln. Die Schritte kommen näher, Sie können den Atem der Gestalt hören. Aber Ihre Beine gehorchen Ihnen nicht ... alle Kraft ist aus Ihnen gewichen, ausgerechnet jetzt, da Sie sie am meisten brauchen. Wenn Sie es nicht auf der Stelle schaffen loszurennen, wird sie Sie packen ...

Wiederkehrende Träume sind ein weitverbreitetes Phänomen. Meist fallen sie eher unangenehm als erheiternd aus, sollten aber nicht mit posttraumatischen Angstträumen verwechselt werden, bei denen Menschen im Schlaf eine schreckliche Situation nacherleben, die ihnen im wirklichen Leben zugestoßen ist, wie man es von den Schreckensträumen der mit einer Kriegsneurose geschlagenen Überlebenden des Ersten Weltkriegs kennt. Ein wiederkehrender Traum kann mit etwas zu tun haben, das dem Schlafenden in der Wirklichkeit nie passiert ist, aber in mehr oder weniger gleicher Form immer wieder in seinen Träumen abläuft. Es kann etwas Vages, nicht recht Greifbares sein, zum Beispiel, dass der Betreffende auf der Flucht vor einer unsichtbaren Gestalt durch einen Wald rennt; oder auch eine komplexere Abfolge von Ereignissen mit mehr Handlung und mehreren beteiligten Personen, die endlos wiederholt wird.

Sie kennen die Panik, wenn Sie aus einem jener Das-Monster-hat-mich-im-Keller-gefunden-Träume erwachen, und es ist nicht schwer, eine Verknüpfung zwischen diesen Träumen und den durch sie symbolisierten Ängsten in unserem Leben herzustellen. Nur dass diese Träume ihre Botschaft eben immer in der melodramatischsten, oft auch gewalttätigsten Form herüberbringen, die sich denken lässt.

Wiederkehrende Träume verfolgen uns nicht notwendigerweise ein ganzes Leben lang. Manchmal begleiten sie uns nur bestimmte Lebensphasen hindurch. Jugendliche können sehr lebhafte und beängstigende Träume haben, die sich eine Zeit lang immer wiederholen, dann aber, wenn sie älter werden, aufhören oder nur noch in besonders angstbeladenen Phasen ihres Erwachsenendaseins auftreten. Eine australische Studie kam zu dem Schluss, dass Studenten, die sich auf eine Prüfung vorbereiteten, häufig wiederkehrende Träume haben. Mit nachlassendem Stress lässt auch die Wahrscheinlichkeit für das Auftreten dieser Träume nach. Der große böse Wolf, der uns seit unseren Kindertagen ängstigt, verzieht sich wieder in den Wald.

Warum geißeln wir uns selbst mit derlei krausen Szenarien? Handelt es sich um urzeitliche Schrecken, die immer noch in den hinteren Winkeln unseres vermeintlich so modernen Geistes lauern? Wonach suchen wir in diesen finsteren Geschichten?

Psychiater haben zwei Erklärungen für diese Sorte von sich wiederholenden, die eigene Seele ängstigenden Träumen: Sie sehen sie entweder als unbewussten Versuch, einen ungelösten emotionalen Konflikt, irgendeine nicht verarbeitete Angelegenheit aus der Vergangenheit, die uns noch immer ängstigt, zu lösen; oder aber als trostbringende Möglichkeit, einer alten Angst entgegenzutreten und dadurch Kontrolle über sie zu gewinnen. Ein bisschen so, wie Kinder sich gerne die Märchen wieder vornehmen, die sie am meisten geängstigt haben. Wenn wir mit einer neuen, unvertrauten Gefahr aus der Außenwelt konfrontiert werden, flüchten wir uns in alte Albträume, um zu sehen, wie wir Gefahren früher bewältigt haben.

Das Seltsame an solchen immer wiederkehrenden Träumen ist, dass sie, obwohl wir uns außerstande sehen, sie zu steuern, von niemand anderem als von uns selbst gemacht wurden: Sie sind unser ureigenes Werk. Bekommt also jeder von uns die wiederkehrenden Träume, die er verdient? Ist das wirklich, hinter aller Fassade des Erwachsenseins, die Art und Weise, wie wir selbst uns sehen – als Kind, eingeschlossen in ein Zimmer, oder als jemand, der immer kurz davor ist, von der Leiter zu fallen?

Hier fünf typische immer wiederkehrende Traummotive:

Verfolgt werden

Sie schauen über die Schulter, hören Schritte, die Sie verfolgen, Ihre Knie werden weich, Sie werden von einem gefährlichen Tier gejagt, eine Hand greift um das sich langsam öffnende Türblatt … ja, wir kennen das alle. Es ist nicht immer klar, wer oder was uns verfolgt, aber es ist etwas, das uns mit Angst erfüllt. Es ist fast so, als wären diese namenlose Gestalten aus all unseren emotionalen und physischen Schrecknissen destilliert worden. Alles, was uns je geängstigt hat, rückt näher und näher, und wir versuchen verzweifelt zu entkommen.

Fallen

Eine Klippe, eine Brücke, eine Leiter, ein hoch gelegenes Sims an einem Gebäude – all das sind klassische Traumszenarien für einen plötzlichen Sturz. Sie verlieren den Halt, sausen, vor Schreck gelähmt, abwärts, und genau in dem Augenblick, in dem Sie im Begriff sind, auf dem Boden aufzuschlagen, wachen Sie auf.

Fliegen

Das ist ein sehr viel aufbauenderer Traum. Der Eindruck, fliegen zu können, verleiht Ihnen das Gefühl, mächtig zu sein, und alle Fäden in der Hand zu haben. Niemand fragt jemals mitten im Traum, wie es kommt, dass es so leicht ist, durch die Luft zu fliegen; es macht einfach viel zu viel Spaß, als dass man damit aufzuhören wollte. Sie breiten die Flügel aus, sind im wahrsten Sinne des Wortes flügge geworden. Träume von Flügen in Flugzeugen, die im Begriff sind abzustürzen und in denen jeder um Sie herum vor Panik laut schreit, sind freilich nicht ganz so erhebend.

Prüfungen

Den Bogen mit den Prüfungsfragen zu erhalten und festzustellen, dass keine davon beantwortbar ist, den Prüfungsraum nicht finden zu können, in der Schule ein Referat anzufangen und dann vergessen zu haben, was man sagen wollte, ein Furcht einflößender Lehrer – all das sind beängstigende Szenarien, die uns in pubertären Stress zurückwerfen. Derlei unerquickliche Träume haben mit der Furcht davor zu tun, auf dem Prüfstand zu stehen und fremdem Urteil unterworfen zu sein. Sie offenbaren unsere tief verwurzelten Ängste davor, unvorbereitet oder nicht gut genug zu sein.

Gefangen

Sie meinen vielleicht zu ersticken, träumen vom Ertrinken oder von einem verschlossenen Raum, aus dem Sie nicht fliehen können. Oder sie erleben das grauenhafte Gefühl, weglaufen zu wollen, aber wie gelähmt zu sein. Oder Sie träumen, von Ihren Liebsten getrennt, zurückgelassen zu werden, vielleicht auch außerstande zu sein, sich vor einer drohenden Gefahr zu schützen. All diese Träume sind von entsetzlichen Gefühlen der Verletzlichkeit und Einsamkeit begleitet.

Siehe auch Tödlicher Schlafmangel, Seite 185

Schlummernde Helden

Wenn so viele verschiedene Individuen in verschiedenen Kulturen dieselbe Art von Träumen haben, kann es eigentlich nicht überraschen, dass so viele Länder und Ethnien dieselben Arten von Märchen kennen. Auch haben diese Märchen immer wiederkehrende Themen, genau wie die immer wiederkehrenden Träume der Schlafenden: Sie mögen unterschiedliche Gestalt annehmen, erzählen aber im Wesentlichen dieselbe Geschichte.

Unter diesen klassischen Märchenerzählungen gibt es die Geschichte des Helden, der irgendwo im Verborgenen schläft, aber im Augenblick der Gefahr, dann, wenn er am meisten gebraucht wird, wieder auf der Bildfläche erscheint. Es gibt viele Versionen dieses Volksmärchens um schlafende Helden, Könige und Prinzen. Im typischen Fall stolpert ein Bauer oder ein neugieriges Kind über den Eingang zu einer

Höhle oder einen Geheimgang in einen Berg und findet dort den schlummernden König in schimmernder Rüstung. Vielleicht wacht der Held kurz auf und fragt, ob er gerade gebraucht wird, und wenn es den Anschein hat, dass keine unmittelbare Gefahr besteht, fällt er wieder in seinen langen, efeuumrankten Schlaf. Wenn das nächste Mal jemand nach dem Eingang sucht, ist dieser verschwunden.

Diese Vorstellung hat etwas bezaubernd Romantisches. Der Held ist nicht tot, sondern wartet im Zauberschlaf auf seine Stunde, bereit, zurückzukehren und seinem Volk zur Seite zu stehen, wenn es ihn am dringendsten braucht. Die bekannteste Version dieses Märchens ist die Sage von König Artus, dem Archetypus des an einem verborgenen Ort ruhenden Helden, ein Mythos, der uns heute als seltsame Mischung aus alten keltischen Motiven, mittelalterlichen Ritterepen, New-Age-Tea-Shops und der Bilderwelt viktorianischer Präraffaeliten erscheint. Nach seiner letzten Schlacht wurde der Ritterkönig nach Avalon geleitet, wo er, so will es die Überlieferung, nicht gestorben ist, sondern vielmehr in immerwährendem Schlummer ruht und auf den Tag wartet, an dem er gerufen wird, sich erneut zu erheben.

Der schlafende Held ist für uns da, wie Eltern, die wir glauben verloren zu haben. Er ist bereit, uns gerade dann zu Hilfe zu eilen, wenn wir alle Hoffnung haben fahren lassen. Artus und seine Ritterschar sind noch immer irgendwo da draußen, schlummern in irgendeinem Berg und warten geduldig, während die Jahrhunderte ins Land ziehen.

Es ist ein seltsam fesselnder Mythos, der endlos oft neu aufgelegt worden ist. Die Dichter des Mittelalters verliehen ihm strahlenden spirituellen Glanz, das viktorianische England erging sich in der Melancholie verlorener Unschuld und gefallener Größe, und im 20. Jahrhundert knüpfte man daran Vorstellungen von der Identität einer Nation. In den Vereinigten Staaten wurde Camelot zum Sinnbild für die todgeweihte goldene Präsidentschaft John F. Kennedys.

Mythen wohnt ein machtvolles Element inne, ihr eigenes Überleben zu sichern; sie springen auf jedes vorbeifahrende Gefährt auf und erfinden sich im Lichte des jeweiligen Zeitalters neu. Doch an der Inschrift, die über dem Eingang der Höhle geschrieben stehen soll, in der Artus so tief schläft, ist etwas unaussprechlich Bewegendes. Irgendwo da draußen, zwischen Autobahnen, wild wuchernden Städten und überdimensionierten Einkaufszentren gibt es einen verborgenen Zugang zum Heroischen. »Hier ruht Artus, der einstige und zukünftige König.«

Siehe auch Und wenn sie nicht gestorben sind ..., Seite 60

Surrealismus und Träume

Als Sigmund Freud die Tür zum Traumreich aufstieß, ebnete er auch einer höchst eigentümlichen Art von Kunst den Weg. Freud sah Träume als Ort, an dem unterdrückte primitive Instinkte von Sex und Gewalt fröhliche Urständ feierten. Das war die perfekte Vorgabe für Maler, Dichter und Filmemacher, die sich gegen die bourgeoise Welt mit ihrem engen Korsett auflehnten und eine neue, moderne Gefühlswelt schaffen wollten.

Die Surrealisten liehen sich das Vokabular der Träume, die Entrückungen, die Zeitverzerrungen und das seltsam Symbolhafte von Ereignissen. André Breton, der 1924 das Manifest des Surrealismus verfasste und im Laufe seines Medizinstudiums in jungen Jahren in der Psychiatrie gearbeitet hatte, erklärte, diese Künstler trügen in ihrer Radikalität der »Allmacht des Traums« Rechnung.

Wie aber schaffen Sie eine Kunst, die Ihnen das Gefühl gibt, sich mitten in einem Traum zu befinden? Wie steht es mit einer pelzbesetzten Teetasse auf einer ebenfalls mit Pelz besetzten Untertasse? So etwas hat die Künstlerin Meret Oppenheim geschaffen. Oder vielleicht ein Paar hochhackige Pumps, wie ein bratfertiges Hähnchen dressiert? Victor Brauner schuf einen Tisch, der mit Kopf und Schwanz eines ausgestopften Fuchses versehen war, André Breton experimentierte mit Ideen wie dem »automatischen Schreiben«, bei dem die Worte mit so wenig bewusster Kontrolle wie irgend möglich – so wie Ereignisse in einem Traum ablaufen – aufs Papier gebracht wurden.

Der Maler Salvador Dali nahm sich der Freud'schen Traumvorstellungen an und verwendete sie als Vorgabe für seine eigenen inneren Landschaften. Seine *Beständigkeit der Erinnerung* aus dem Jahr 1931 zeigt verformte Uhren vor dem Hintergrund einer seltsamen, befremdlichen Landschaft, das Ganze auf die Leinwand gebannte, in Kunst gegossene Traumsprache. Das alles war nicht nur ein Kunststil, es war ein Lebensstil. Als Dali im Jahre 1936 an der Internationalen Surrealisten-Ausstellung in London teilnahm, hielt er seinen Vortrag in einem Tiefseetaucheranzug. Akuter Luftmangel drohte seiner Rede allerdings ein vorzeitiges und weitaus endgültigeres Ende zu bescheren, als er geplant hatte, weshalb ihm der Helm flugs von einem schraubenschlüsselschwingenden Surrealisten-Kollegen abgenommen wurde. Dali hatte ungeheures Glück. Nicht immer lungert in der Nähe ein surrealistischer Dichter mit dem richtigen Werkzeug herum.

Dali arbeitete mit dem spanischen Filmemacher Luis Buñuel zusammen, der in seinen Werken Traumsequenzen als Möglichkeit betrachtete, die geheimen sexuellen und gewaltbereiten Begierden darzustellen, die unter der Oberfläche eines achtbaren Mittelklassedaseins lauern können. Seine Filme, angefangen von *Ein andalusischer Hund* aus dem Jahr 1928 bis hin zu *Belle de Jour – Schöne des Tages* von 1967, sind ein verstörendes Konglomerat aus frustrierter Sexualität und bizarren Ritualen, verwoben zu dem Gefühl, das nichts richtig zusammenpasst. Der Traum war die perfekte Möglichkeit, der Störung einer etablierten Ordnung und einer von Konventionen aufrechterhaltenen Moral Form zu verleihen.

Was blieb als künstlerisches Erbe der Surrealisten und ihrer Affinität zum Traum? Der schwarze Humor von Samuel Becketts leeren Landschaften? Oder die psychedelischen Werke der Popkünstler aus den Sechzigern?

Wie finden Sie stattdessen dieses Drehbuch? Ein Schwein fliegt mit seinem Flugzeug nach Afrika, um einen seltenen Vogel ausfindig zu machen – eine Geschichte, in der sich dreiköpfige Figuren vor einem Hintergrund tummeln, der dem in Dalis Gemälden verflixt ähnlich sieht. Es handelt sich um den unsterblichen Schweinchen-Dick-Trickfilm *Porky in Wackyland*, produziert im Jahre 1938 von den radikal-surrealistischen Machern der *Looney Tunes*. Nach dem Zweiten Weltkrieg wurde eine Farbversion dieses Zeichentrickfilms gedreht, die Leitung hatte ein anderer großer Künstler, Friz Freleng, der später zu den Erfindern des surrealsten Helden aller Zeiten, Bugs Bunny, gehören sollte.

Wenn Sie den Kreis schließen wollen, wie wäre es dann mit Bugs Bunnys Auftritt in *The Big Snooze?* In diesem Klassiker aus dem Jahr 1946 will Elmar Fudd aus dem Cartoon hinausmarschieren. Als er einschläft, erscheint ihm Bugs Bunny im Traum und mahnt ihn zurück an seine Arbeit als Prügelknabe. Das ist sogar für einen Zeichentrickfilm verdreht, verschiedene Wirklichkeitsebenen, Bezüge zur Traumdeutung und jede Menge Gags über Schlaftabletten (die ursprünglich der Zensur zum Opfer fielen).

Siehe auch Morpheus als Filmstar: die besten Filme zum Thema Schlaf, Seite 38

Traumdichtung

Nichts ist quälender als ein Traum, an den Sie sich nicht recht erinnern können. Er war noch da, als Sie aufgewacht sind, ein Hauch einer Wahrnehmung. Jene umwerfende erste Zeile für den Roman ist da eben für den Bruchteil einer Sekunde aufgeblitzt und wieder verschwunden.

Wie um zu zeigen, dass Poesie auf der Leinwand möglich ist, fängt der Film *Hook* (1991) dieses Gefühl, sich in einem Übergangsstadium zu befinden, in wunderbarer Weise ein, wenn Glöckchen Peter Pan verspricht, in einem Land zwischen Wachen und Schlafen auf ihn zu warten. Oder, wie Samuel Taylor Coleridge es ausdrückt: Die verlorenen Worte eines geträumten und wieder vergessenen Gedichts »verflüchtigen sich wie die Bilder auf der Oberfläche eines Stroms, in den ein Stein geworfen wurde«.

Coleridge ist der Autor des Traumgedichts *Kubla Khan*, das ihm, so berichtete er, im Jahre 1797 im Schlaf zuflog. Der Dichter hatte in einem Buch gelesen, in dem die Zeilen vorkamen »Hier ließ Khan Kubla einen Palast errichten«, und war dabei mit ein bisschen medikamentöser Hilfe (aller Wahrscheinlichkeit nach Opium) in einen dreistündigen Tiefschlaf gesunken. Während dieser Zeit, so berichtet er, sei das Gedicht vor ihm »erstanden«, eine »Komposition« aus zwei- oder dreihundert Zeilen, die ihm ohne jegliches »Empfinden oder Bewusstsein von Anstrengung« zugefallen sei.

Als er aufwachte, machte er sich sofort daran, sein Gedicht aufzuschreiben, versuchte, noch immer in einem von traumgespeister Konzentration getriebenen Zustand, so viel wie möglich davon festzuhalten. Aber dann klopfte es an der Tür. Es war, schrieb Coleridge, »jemand aus Porlock, der geschäftlich unterwegs war«. Als der Dichter sich wieder an seine Arbeit setzte, war die Erinnerung an die Traumdichtung verflogen.

Das verbliebene Gedicht, ein exotisches und unvollständiges Fragment, ein Viertel der Länge, die er für die Traumversion angegeben hatte, wurde von Coleridge als »psychologische Kuriosität« bezeichnet. Manch einer hat geargwöhnt, dass diese Geschichte ein Kunstwerk um der Kunst willen, ein Rahmen für ein wunderbares unvollendetes Werk über Natur und Kunst sei. Aber davon einmal abgesehen: Stellen Sie sich vor, wie ihnen das Buch aus der Hand gleitet, Ihre Augen schwer werden, der Wohlklang der Worte Ihr Denken erfüllt ... Hier der Anfang:

In Xanadu schuf Kubla Khan
Ein Lustschloß, stolz und kuppelschwer:
Wo Alph, der Fluß des Heiles, rann
Durch Höhlen, die kein Mensch ermessen kann,
In sonnenloses Meer.

So ward zehn Meilen Ackergrund
Mit Turm und Wall umfriedet rund:
Dort glänzten Gärten von der Bäche Schein,
dort blühte weihrauchträchtig mancher Baum;
Dort schloß der Forst, uralt wie ein Gestein,
die Falten um manch sonnengrünen Raum.

Siehe auch Sex, Drogen und zu viel davon, Seite 191

Träume aus den Dreißigern

Im Jahre 1937 wurde von einer Gruppe Anthropologen, Schriftstellern, Filmschaffenden und Künstlern ein revolutionäres sozialhistorisches Experiment unternommen. Die Beteiligten hatten sich zum Ziel gesetzt, die Lebensumstände ihrer Zeit mittels der Stimmen und Alltagserfahrungen von mehreren Hundert Zeitgenossen festzuhalten. Man gab dem Projekt den Namen »Mass-Observation«, und das Archiv der Experimentatoren vermittelt ein überraschend bewegendes Bild von dem Stoff, aus dem seinerzeit der Alltag war.

Bei der ersten Informations-Sammelrunde wurden die Leute gebeten, ihre Träume aus der Nacht vom 11. Mai und vom Morgen des 12. Mai 1937 aufzuzeichnen, an diesem Tag wurde George VI gekrönt. Es handelte sich bei den Befragten nicht um Leute in Versuchslabors oder besondere Testpersonen, sondern um ganz gewöhnliche Männer und Frauen, die lediglich aufschrieben, was sie geträumt hatten.

Diese Träume von vor mehr als siebzig Jahren zeigen, dass sich zwar die Zeitumstände ändern mögen, die seelischen Nöte jedoch dieselben bleiben. Es gibt immer noch die Angst, sich zu blamieren, die Furcht vor seltsamen Begegnungen oder verpassten Terminen. Einer der Teilnehmer aus Norfolk berichtete:

Ich war wieder in der Schule (eine Mischung aus Schule und Universität). Die Stunde sollte der Bischof von Norwich halten. Ich konnte mich nicht erinnern, in welches Klassenzimmer ich gehen sollte oder wo das Klassenzimmer war, und das hat mich völlig durcheinandergebracht. Ich hatte meinen Stu-

dententalar und mein Fahrrad vergessen und musste
Meilen weit laufen, um sie zu holen, weil meine Frau
das Auto genommen hatte. Dann war ich plötzlich
auf einer Cocktailparty. Ich erinnere mich, dass ich
zu der Gastgeberin sagte: »Ich fürchte, ich bin ohne
Einladung gekommen, aber ich dachte der Polizei-
chef sei hier.«

Ein anderer Traum spiegelt die Tatsache wider, dass zu jener
Zeit gerade der Spanische Bürgerkrieg tobte:

Ich traf General Franco am Ufer eines Sees. Er sagte
zu mir: »Ich habe Bilbao eingenommen.« Ich entgegnete »Ach herrje! Gerade habe ich den ganzen Ort
neu gestrichen!«, darauf er drohend: »Wissen Sie
was ich tun werde? Ich werde Ihre ganze frische
Farbe herunterkratzen.«

Und dieser Traum aus Lancashire fängt die Atmosphäre
ein, dass in Träumen ewig alles falsch läuft, und die Dinge
irgendwann sehr bizarr werden.

Ich saß auf einer Wiese und etwas, das ich für eine
Kuh hielt, kam auf mich zu, ich hatte aber anscheinend keine Angst. Es stellte sich heraus, dass es ein
Bulle war, und der warf mich in die Luft. Ich schlug
einen Purzelbaum und landete auf den Füßen, da
ging der Bulle wieder auf mich los. Das geschah viele
Male hintereinander, bis ich schließlich über einen
Zaun geworfen wurde und aufwachte, bevor ich auf-
schlug. Ich erinnere mich, dass ich wieder einschlief,
und auch ganz verschwommen daran, dass ich mit

jemandem von unserem Büropersonal sprach, der vor achtzehn Monaten verstorben war. Er äußerte sich abfällig über die Arbeit einer bestimmten Person, und die war er selbst.

Aus Buckinghamshire gab es zudem ein paar schlichte Verrücktheiten: »Der Mann rief mich, weil ich eine seltsame Begebenheit in einem Blumenbeet anschauen sollte: eine Schildkröte, die von einer Taube attackiert wurde.« Ja, wir kennen das alle.

Am besten von allen vielleicht jenes hervorragend zeittypische Kleinod von einem Studenten aus Cambridge, der die politische Mode und den aktuellen Musikgeschmack seiner Zeit in einen einzigen Traum verpackte: »Ich habe geträumt, ich saß beim Frühstück und sang die Internationale als Swing (wie, weiß ich nicht mehr).«

Siehe auch Schuldbewusste Raucherträume, Seite 179

Traumgläubige

Es muss etwas zu bedeuten haben. Immer wieder haben Sie diesen total lebensechten Traum. Was versucht er Ihnen zu sagen? Er scheint zu diffizil und eigenartig, um reiner Zufall zu sein. Bis zurück zu dem mesopotamischen Bestseller, dem *Gilgamesch*-Epos, das vor über 3000 Jahren geschrieben wurde, gibt es Berichte über Leute, die Träume zu deuten versuchen. Die Bibel ist voll von Menschen, die sich zum Schlafen legen und dann in einer Traumvision Anweisungen erhalten.

Die alten Ägypter mit ihrer Faszination für die Verbindungen zwischen der Welt der Lebenden und der Toten, dem Sterblichen und dem Göttlichen, waren an Träumen besonders interessiert. Sie zeichneten ihre Deutungen in »Traumbüchern« auf, wobei sie auflisteten, ob ein Traum sich als ein gutes oder ein schlechtes Omen erwiesen hatte. Eines dieser ägyptischen Traumbücher ist uns erhalten geblieben, es ist 3200 Jahre alt und gehört dem British Museum. Darin finden wir die Feststellung: »Wenn ein Mann sich im Traum selbst sieht, wie er aus einem Fenster schaut, ist das gut, es bedeutet, dass sein Ruf gehört wird.« Aber: »Wenn ein Mann sich im Traum selbst sieht, wie sein Bett Feuer fängt, ist das schlecht. Es bedeutet, dass er seine Frau aus dem Haus treibt.«

Andere ägyptische Traumbücher halten noch seltsamere Botschaften bereit. Wenn eine Frau träumt, dass sie ein Krokodil zur Welt bringt, so ist das angeblich eine gute Nachricht, denn es bedeutet eine große Familie. Weniger seltsam mag vielleicht scheinen, dass es als ein gutes Zeichen galt, wenn jemand von einer fetten Katze träumte, denn das wurde als Vorbote einer richtig guten Ernte betrachtet. Ein tiefer Brunnen war kein so tröstliches Omen, galt er doch als Vorbote eines Gefängnisaufenthalts. Träumte ein ägyptischer Mann von einem Spiegel, war das ein Zeichen, dass eine zweite Frau ins Haus stand. Sicher einer jener Träume, die für angeregtes Geplauder am Frühstückstisch sorgten.

Traumdeutungen konnten auch sehr viel kompliziertere Wege gehen: Der Traum vom Verzehr eines Esels galt zum Beispiel als Glück verheißend, denn das Wort für Esel klang so ähnlich wie das Wort für groß.

Von dem griechischen Wahrsager Artemidor von Daldis, der im zweiten Jahrhundert v. Chr. lebte und wirkte, wurde dieses Archivieren und Entschlüsseln von Traumbotschaften noch ein gutes Stück weitergetrieben: Er verfasste ein fünfbändiges Traumbuch, das unter anderem eine Art

Traumlexikon, ein Nachschlagewerk zur Bedeutung verschiedener Träume, enthielt. Antike Traumdeuter wie Artemidor interessierten sich für Träume als Mittel, die Zukunft vorherzusagen, sie glaubten weniger, dass Träume etwas über ein Individuum preisgaben, sondern vielmehr, dass sie Hinweise auf künftige Ereignisse vermittelten. Träume dienten der Projektion in die Zukunft, nicht der Reflexion von Vergangenem. Ein Parfümverkäufer beispielsweise, der träumt, dass ihm seine Nase abhandenkommt, wird seinen Lebensunterhalt verlieren, ein Mann, der träumt, dass sein Stab bricht, wird seiner Gesundheit verlustig gehen.

Artemidor beschäftigte sich auch mit der Vorstellung, dass ein und derselbe Traum je nach dem Charakter dessen, der ihn träumt, möglicherweise unterschiedliche Ereignisse voraussagen könnte. Eine gebildete Frau, die träumt, dass sie eine Schlange zur Welt bringt, könnte womöglich ein Kind bekommen, das sich als aalglatter und erfolgreicher Redner erweist, wohingegen eine Frau in ärmlichen Verhältnissen, die denselben Traum hat, einen künftigen Räuber zur Welt bringen könnte.

Die Logik kann unergründliche Wege gehen. Eine Katze im Traum kann Gefahr durch einen Vergewaltiger bedeuten, denn eine Katze ist ein Vogelräuber, und Frauen ähneln Vögeln. Liegt auf der Hand. Und wenn ein Sklave träumt, er habe drei Penisse, dann ist das ein gutes Zeichen für alle Beteiligten, denn der Sklave wird befreit werden und zu Ehren dessen, der ihn freigelassen hat, zwei Extranamen annehmen. Was wohl Freud aus derselben Konstellation gemacht hätte?

Interessanterweise gibt es tatsächlich eine Vergleichsmöglichkeit, denn Artemidor betrachtete auch jenen zeitlosen Klassiker unter den Träumen: das Ausfallen von Zähnen. Er führte dazu eine ganze Reihe von Deutungen an, darunter unterschiedliche Bedeutungen, die mit dem Verlust bestimmter Zähne assoziiert sind. Ein Traum, in dem Sie beispielsweise Ihre Schneidezähne verlieren, könnte den Verlust eines jungen Verwandten oder Ihres Vermögens bedeuten.

Die Vorstellung, dass ein Traum eine Botschaft enthält, wirft andere, übergreifende Fragen auf. Woher kommt die Botschaft, und warum sollten wir annehmen, dass der Vorsatz dahinter ein wohlwollender ist? Ein Veteran aus dem Ersten Weltkrieg erinnert sich in seinen Memoiren beispielsweise daran, dass er in seinem Schützengraben schlief, als ihn mit einem Mal ein machtvolles Gefühl von drohender Gefahr überkam. Er wachte auf, nahm den Traum als Botschaft und verließ seinen Platz – gerade rechtzeitig, um einer Granate zu entgehen, die ihn getötet hätte, wäre er in seinem Unterstand geblieben. Dieser Soldat, der sich durch die Intervention einer Traumbotschaft gerettet sah, war Adolf Hitler, damals Gefreiter im deutschen Heer.

Wenn Träume uns wirklich etwas sagen, wer ist dann für das Drehbuch verantwortlich? Wer hat beschlossen, Hitler zu retten und nicht jemand anderen, der es eher verdient gehabt hätte? Doch auch wenn Träume blanker Zufall sind, bleibt noch immer die Frage, wodurch der Inhalt dieser wahllosen Bilder bestimmt wird. Wenn Träume völlig bedeutungslos sind, warum haben wir sie dann überhaupt? Wenn Sie aus unserem Innersten heraus entstehen und von unseren ureigenen Absichten geprägt werden, warum haben wir dann in unseren eigenen Träumen so oft das Gefühl, keine Kontrolle mehr zu haben?

Je mehr Sie sich mit dem Phänomen des Träumens befassen, desto mehr Fragen werfen Sie auf. Träume suchen uns spontan heim in dem Sinne, dass ihnen jedweder Vorsatz unsererseits abgeht, aber sie werden nicht außerhalb unserer selbst kreiert. Wir sind Verfasser und gleichzeitig Publikum. Wenn wir zu uns selbst sprächen, wären Träume unsere Worte. Warum also sind sie nicht vergnüglicher?

Falls es überhaupt einen Ort gibt, an dem wir das Gefühl haben, dass das Leben viele Ebenen hat, dann mit Sicherheit im Traum. Hier treffen wir auf einen anderen, verborgenen Teil unserer Identität, etwas, das unterhalb der Oberfläche unserer alltäglichen bewussten Realität verborgen liegt. Jedes Mal, wenn wir aus einem Traum erwachen, bleibt uns das Gefühl einer Begegnung mit dem Unerklärlichen.

Siehe auch Was geschieht mit uns, wenn wir einschlafen?, Seite 113

Zirkadiane Rhythmen

Schlaf ist integraler Bestandteil unseres Lebens. Er ist etwas, das uns mit den Mustern und Lebensrhythmen aller möglichen anderen Lebewesen verbindet. Die innere Uhr, die diesen Zyklus aus Wachen und Schlafen steuert, bezeichnet man als »zirkadianen Rhythmus«, wobei »zirkadian« so viel bedeutet wie »ungefähr einen Tag«.

Dieser Tag von ungefähr vierundzwanzig Stunden ist der Rahmen, in dem sich der Wechsel von Schlafen und Wachen abspielt. Pflanzen öffnen und schließen ihre Blütenblätter zum Schlag dieser biologischen Uhr, Taufliegen werden im Rhythmus dieses großen Taktgebers aktiv oder träge, Menschen erwachen oder schlafen mit den Vorgaben ihrer inneren Uhr.

Zirkadiane Rhythmen sind ein zutiefst integraler Teil tierischen Lebens – dabei spielt es keine Rolle, ob es sich

nun um einen Büroangestellten oder ein Säugetier in den
Gewässern der Arktis handelt. Dieser Rhythmus tickt dahin,
unser Körper verändert sich mit dem täglichen Durchlaufen
des Zyklus, wir werden müde, wach, hungrig. Die Körpertemperatur, die Hormone, die wir freisetzen, Müdigkeit und
Wachsein haben allesamt damit zu tun, und er selbst ist an
Aufgang und Untergang der Sonne und den Wechsel der
Jahreszeiten gekoppelt. Ohne dabei zu grasgrün-esoterisch
werden zu wollen: Er ist etwas, das uns Menschen mit den
fundamentalen Mustern der Natur verbindet. So wie sich
die Erde dreht und der Tag zur Nacht wird, so tickt unsere
Körperuhr vor sich hin, macht sich zum Schlafen bereit.
Signale wie das Zu- und Abnehmen des Tageslichts ent-
locken dieser inneren Uhr gewisse Reaktionen. Wir ziehen
uns vielleicht einen Schlafanzug an und schlüpfen unter
die Bettdecke, aber so groß ist der Unterschied zu Pflanzen, die ihre Kelchblätter zur Nacht zusammenfalten, genau
genommen nicht.

Wie unzählige Zeilen aus ebenso vielen Bluesballaden
verkünden, denen zufolge man immer erst weiß, was man
hatte, wenn man es nicht mehr hat, fällt uns unser zirkadi-
aner Rhythmus eigentlich immer nur dann auf, wenn wir
daran herumzudrehen versuchen. Jetlag oder die Erschöpfung nach Phasen der Schichtarbeit sind das Ergebnis unserer Versuche, uns über den natürlichen Gang der biologischen Uhr hinwegzusetzen. Doch diese Rhythmen wurzeln
tief, es handelt sich dabei nicht um etwas, das wir einfach
neu einstellen können, als ginge es um die Zeiger einer
Uhr. Experimente haben gezeigt, dass Lebewesen, auch wir
Menschen, wenn man sie von sämtlichen äußeren Hinweisen auf das Verstreichen von Zeit – wie der Veränderung
der Lichtverhältnisse – isoliert hält, weiter in einem Vier-

undzwanzigstundenzyklus leben. Er scheint ein Teil unserer Physiologie zu sein.

Wie tief dieser Rhythmus in uns eingegraben ist, war Thema vieler Untersuchungen, von denen einige vermuten lassen, dass diese biologische Uhr jeder einzelnen Zelle unseres Körpers innewohnt. Wie lassen sich diese Massen an Uhren verbinden und miteinander synchronisieren?

Und wann hat diese Uhr in uns zu ticken begonnen? Neueren Untersuchungen zufolge, die man an Schwärmen diensteifriger Zebrafische durchgeführt hat, wird diese Uhr womöglich bereits vor der Geburt gestellt. Wohl ausgehend von Genen der Mutter wird sie wie ein altes Chronometer von einer Generation zur nächsten vererbt.

Auch ist es eine faszinierende Frage, wie diese innere Uhr mit den Jahreszeiten verknüpft ist. Sie steuert das Herunterschalten bei Tieren, die Winterschlaf halten; aber welche saisonalen Muster ticken in den körpereigenen Uhren des Menschen? Sind wir darauf programmiert, sommers und winters unterschiedlich lange zu schlafen – wobei unser Arbeitsleben danach keinen Augenblick fragt?

In einem faszinierenden Experiment hat man Versuchspersonen unter simulierten Sommer- und Winterbedingungen getestet, ohne dass ihnen eine Uhr zur Verfügung stand, die ihnen hätte sagen können, wann sie zu schlafen oder wach zu sein haben, und man hat festgestellt, dass die Menschen ihren Tagesschlaf im Sommer am Stück absolvieren. Im Winter aber, unter dem Einfluss längerer Dunkelperioden, ergab sich ein anderes Muster. Ließ man die Leute jeweils nach ihrer Fasson gewähren, schliefen sie deutlich länger, dies aber in zwei Phasen, unterbrochen von einer längeren Wachphase in der Nacht. Das klingt bemerkenswert ähnlich jener Tradition von »erstem

Schlaf« und einem zweiten »Morgenschlaf«, der in europäischen Dörfern des vorindustriellen Zeitalters vermutlich vorgeherrscht hat.

Ein bisschen wie jene unterirdischen Flüsse, die unter den modernen Städten dahinziehen, sind zirkadiane Rhythmen immer noch vorhanden, wenn auch außer Sichtweite und oftmals nicht im Takt mit unserem unnatürlichen, übervoll gestopften Leben.

Siehe auch Der Vierstundentag der Fledermaus, Seite 152

Schlafwandeln

Schlafwandeln nennt man es, wenn jemand aus tiefstem Tiefschlaf plötzlich aufsteht und umherläuft oder einfache Handlungen vollführt, ohne dabei aufzuwachen. Es ist etwas anderes als Träumen oder das Ausleben von Träumen, vielmehr so, als funktioniere ein tief schlafender Körper auf Autopilot.

Wenn jemand sich im Traumstadium des Schlafs befindet, vibriert sein Gehirn vor Aktivität. Der Schlafwandler aber geht seinen nächtlichen Weg, wenn das Gehirn am verschlafensten und völlig lahmgelegt ist. Es hat unter Umständen den Anschein, als blicke sich der Schlafwandelnde um und sei sich seiner Bewegungen bewusst, aber wenn er tatsächlich aufwacht, hat er in aller Regel keinerlei Erinnerung daran, wo er sich gerade befindet.

Auch wenn es durchaus vorkommt, dass Erwachsene schlafwandeln, so zeigt sich dieses Verhalten doch hauptsächlich in Kindheit und Jugend. Bei vielen Menschen wächst es sich aus, ohne dass man je eine Erklärung dafür gefunden hat, warum es dazu gekommen ist oder warum es aufgehört hat. Genauso wie sie schlafwandeln, können die

Betroffenen auch im Schlaf reden oder sich ein Glas Wasser holen – all das in jenem seltsam entrückten Zustand.

Es kommt vor, dass der Schlafwandler seine Aktionen durcheinanderbringt, zum Beispiel im falschen Zimmer versucht, wieder ins Bett zu gehen, oder, peinlicher noch, am falschen Ort (beispielsweise in der Schlafzimmerecke) auf die Toilette geht. Es gibt den unausrottbaren Mythos, dass es gefährlich sei, jemanden in diesem Zustand aufzuwecken, als würde derjenige wie ein vom Tageslicht getroffener Vampir zu einem Häufchen Asche zerfallen. Tatsächlich aber ist das größte Problem, dass ein Schlafwandler so extrem schwer aufzuwecken ist – er befindet sich ganz in den Tiefen des Schlafs, weit weg von der übrigen Welt, und ihn zurück in diese zu bekommen kann dauern. Natürlich lebt der Schlafwandler gefährlich: Er könnte beispielsweise in der Küche ein scharfes Messer erwischen, versuchen, gefährliche Treppenstufen zu bewältigen, oder beschließen, dass er mit dem Auto davonfahren will. In solchen Fällen ist es eindeutig ratsam, ihn zu wecken.

Wenn das Schlafwandeln sich zu einem ernsteren Problem auswächst, kann man ihm unter Umständen mit Hypnotherapie oder auch mit Beruhigungsmitteln beikommen. Eine einfachere Möglichkeit wäre, mehr zu schlafen, denn man zieht auch Schlafmangel als Ursache in Betracht. Auch eine bessere Schlafqualität wird empfohlen – Alkohol meiden und regelmäßige Schlafenszeiten einhalten, sodass der Schlaf weniger leicht gestört oder zerstückelt wird. Allerdings könnte es auch sein, dass Schlafwandeln schlicht etwas ist, für das Menschen aufgrund ihrer jeweiligen genetischen Konstitution anfällig sind, denn Eltern, die schlafwandeln, haben mit erhöhter Wahrscheinlichkeit auch Kinder, die schlafwandeln.

In der Regel ist Schlafwandeln eine eher geringfügige Unliebsamkeit – lässt einen vielleicht um drei Uhr früh eine Schüssel Müsli verdrücken –, aber sie kann auch dramatischere Dimensionen annehmen. Ein Koch in Schottland musste seinen Arzt um Hilfe bitten, weil er Nacht für Nacht aufstand, um Pfannkuchen mit Pommes zu machen. Ein weitaus ehrgeizigeres fünfzehnjähriges Mädchen im Süden von London musste gerettet werden, nachdem es im Schlaf einen vierzig Meter hohen Kran erklommen hatte, und eine Umfrage in Hotels ergab, dass schlafwandelnde Gäste mit Vorliebe nackt an der Rezeption erscheinen.

Die groteske Situation des Schlafwandelns ist ein ewiges Gesprächsthema. Im November 1787 war auf der Titelseite der *Times* ein Aufmacher mit der Überschrift »Remarkable Account of a Sleep Walker« zu lesen, in dem berichtet wurde, dass Schlafwandler imstande seien, zu komponieren, Predigten zu schreiben und zu schwimmen, ohne sich über ihr Tun bewusst zu werden. Er erwähnte auch eine todsichere Therapie, mit der sich ein Schlafwandler kuriert hatte: »Er ließ sich aus einem Fenster fallen, brach sich den Arm und hatte nie wieder auch nur den kleinsten Rückfall«.

Siehe auch Schnarchen, Seite 221

Im Schlaf lernen

Mehr und mehr deutet darauf hin, dass Schlaf mit Gedächtnis zu tun hat, indem er dazu beiträgt, Lernen und Erinnern zu festigen. Die Umkehrung dieser Erkenntnis – dass Menschen Schlaf zu entziehen die Leistungsfähigkeit ihres Gedächtnisses beeinträchtigt – scheint nicht minder wahr.

In den letzten Jahren hat die Forschung versucht zu klären, inwieweit dies das Lernen beeinträchtigen kann. Denn es ist nicht nur so, dass ein müder Mensch weniger erfolgreich lernt, sondern das Schlafen selbst scheint Teil eines physiologischen Prozesses zu sein, der aus einer Erfahrung etwas macht, das wir als Erinnerung behalten.

Experimente haben gezeigt, dass Menschen, denen man eine Fertigkeit beigebracht hatte oder die irgendeine Abfolge von Handlungen lernen sollten und denen man dann vor dem Abfragen des Ergebnisses ein Stündchen Schlaf gestattete, nach eben diesem Schlummer ein sehr viel besseres Erinnerungsvermögen zeigten. Das Zwischenschalten von Schlaf erhöht also die Abrufbarkeit statt sie zu verringern. Schlaf scheint eine Art Kleber zu sein, der dazu beiträgt, dass Erinnerungen haften bleiben.

Neurowissenschaftler in der Schweiz haben Studien vorgelegt, die zeigen, dass eine erholsame Nachtruhe den Lernprozess fördert und die Fähigkeit des Gehirns, Informationen zu speichern, merklich verbessert. In einem ihrer Experimente schnitt eine Gruppe von Personen, die man durchschlafen ließ, in Gedächtnistests weit besser ab als eine Kontrollgruppe, bei der man den Schlaf immer wieder unterbrochen hatte. Eine 2008 veröffentlichte Studie der Universität Düsseldorf kam zu dem Schluss, dass sogar ein Schlaf von nur sechs Minuten die Erinnerungsfähigkeit deutlich verbessern kann. In diesem Test wurde Studenten aufgetragen, sich Wortfolgen zu merken, und diejenigen, die sich ein kurzes Nickerchen leisten durften, erwiesen sich im anschließenden Gedächtnistest als deutlich erfolgreicher.

Ein Zusammenhang zwischen Schlaf und Gedächtnis ist möglicherweise auch der Grund dafür, dass Kinder so viel Schlaf brauchen. Kinder haben tagtäglich ein Riesenpensum an Informationen aufzunehmen, lernen unablässig neue Dinge und Fertigkeiten, und so vermutet man, dass diese Erfahrungsflut in den langen Schlafstunden verarbeitet wird. Auch Gedächtnisprobleme älterer Menschen werden im Zusammenhang mit der Beziehung zwischen Schlaf und Gedächtnis untersucht. Forscher haben herauszufinden versucht, warum manche älteren Menschen es schwieriger finden, Neues zu lernen und neue Dinge im Gedächtnis zu behalten.

Experimente mit jungen und alten Ratten haben gezeigt, dass die jungen Ratten ihre Erinnerung an das Wegemuster eines Labyrinths durch Schlaf vertiefen. Wissenschaftler haben die neuronale Aktivität von Ratten getestet, während diese das Labyrinth inspizierten und dann erneut, wenn sie schliefen. Die jungen Ratten schienen im Schlaf neuronale Aktivitätsmuster hervorzubringen, die denen ähnelten, die sie im Labyrinth auch gezeigt hatten, sodass man annehmen konnte, dass sie die Information im Schlaf »zurückspulen« und als Erinnerung ablegen, die ihnen am nächsten Morgen zugutekommt, wenn sie sich auf Nahrungssuche begeben.

Die armen älteren Ratten hingegen hatten an der Aufgabe buchstäblich zu knabbern, sie waren nicht imstande, sich das Muster einzuprägen und vermochten es auch nicht als Erinnerung zu speichern. Das ließ die Vermutung aufkommen, dass es womöglich mit einer Beeinträchtigung der Schlafqualität zusammenhängen könnte, die das Verarbeiten von Erinnerungen verhinderte, sodass sich die alten Ratten am anderen Tag im Labyrinth verliefen. Ersetzen Sie das experimentelle Wegelabyrinth im Labor durch die Gänge eines Supermarkts, ich glaube, dann wissen Sie, worum es geht.

Für jeden, der auf eine Prüfung lernt oder dessen Kinder sich etwas für die Schule anzueignen versuchen, sind dies wichtige Erkenntnisse. Wenn junge Leute ihren Schlaf beschneiden, beschneiden sie auch ihre Lernfähigkeit.

Siehe auch Wie lange hat ein Kind zu Beginn des 20. Jahrhunderts geschlafen?, Seite 118

Schlaf und Tod

Blicken Sie dem Schlaf ins Gesicht, und Sie blicken dem Tod ins Auge – nach der griechischen Mythologie haben Sie es mit den Gesichtern von Zwillingsbrüdern zu tun. Der Gott des Schlafes, Hypnos, ist der Zwillingsbruder von Thanatos, dem Gott des (friedlichen) Todes. Beide sind Söhne von Nyx, der Göttin der Nacht. Ein Familienstammbaum von heftiger Symbolik: Tod und Schlaf. Zwei Kinder der Nacht, einander so ähnlich und doch so verschieden. Schlaf ist der Friedensbringer, der Heilende, sein Zwillingsbruder der Zerstörer des Lebens.

Die Familienähnlichkeit ist unübersehbar. Beide, Schlaf und Tod, bedeuten einen Schritt weg vom Bewussten, deshalb wurde der Schlaf lange Zeit hindurch als kurze Übung für die ewige Abwesenheit betrachtet. An beiden Zuständen ist etwas, das sich unserer Kontrolle entzieht, wobei Schlaf der willkommene Gast ist, der Tod der gefährliche Fremde. Es ist so etwas wie die mythologische Version von »guter Bulle/böser Bulle« in unseren Fernsehkrimis.

Der Zusammenhang zwischen Schlaf und Tod ist von den Dichtern viele Male besungen worden, so als sei der Schlaf eine lebende Metapher für das Verstehen der Bedeutung von Tod. Shakespeare kommt wieder und wieder auf dieses Motiv zurück. Seine Worte »Sterben – schlafen –/

Schlafen! Vielleicht auch träumen!« in Hamlets berühm-
tem Sein-oder-Nichtsein-Monolog sind so oft zitiert worden,
dass ihre Bedeutung schon beinahe wieder in Vergessenheit
geraten ist. Doch Hamlet webt seine Gedanken von Leben
und Sterben um den Todesschlaf, unsicher freilich, ob der
Tod ihm wirklich die Ruhe schenken wird, die der Schlaf
ihm gewährt.

Große Familien, Tod in jungen Jahren, plötzlich auf-
tretende unheilbare Krankheiten, mangelnde Hygiene und
unvollkommene ärztliche Heilkunst sorgten dafür, dass der
Tod zu Zeiten Elisabeths in einer Weise Teil des Lebens war,
die uns heute fremd ist. Die Dichter blickten daher in das
Gesicht des Schlafes, um die bedrohliche Allgegenwart des
Todes zu beschreiben.

John Donne beschreibt in seinem Gedicht »Death be
not proud« (zu Deutsch etwa »Tod sei nicht stolz«) den Tod
als kurzen Schlaf vor dem ewigen Leben. Der Tod könne
uns nicht schrecken, schreibt er, »Von dir strömt stärkste
Freude sicherlich, schenkt schon der Schlaf, dein Bild, uns
Freuden licht …« und jenseits dieses letzten Schlafes harrt
unser die Erlösung.

Das Empfinden, dass der Tod sich mit der Sprache des
Schlafes fassen lässt, ist in die Grabsteine unserer Friedhöfe
gemeißelt – man denke an Worte wie »Ruhe in Frieden« –
und erscheint in Todesanzeigen als schüchternes »entschla-
fen«. Einiges mehr an Grandezza zeigen die Grablegen der
Großen und Mächtigen, auf ihnen findet sich häufig eine in
Stein gehauene Statue des Verstorbenen, die ihn schlafend
zeigt. Wenn Sie sich einmal die königlichen Ruhestätten in
Westminster Abbey anschauen, werden Sie feststellen, dass
die Tudor-Gräber an Prunkbetten mit Baldachin erinnern.
Beredter Ausdruck des Glaubens daran, dass der Tod zwar

das irdische Dasein beendet, die Seele jedoch nicht ausgelöscht wird, sondern wie der Schlafende darauf wartet, wieder erweckt zu werden. Es gibt ein altes Synonym für das Wort Friedhof: Zömeterium. Es leitet sich von dem griechischen Wort *koimeterion* her, das so viel wie »Schlafstätte« oder »Schlaf« bedeutet. Im Englischen wurde daraus das Wort *cemetery*, im Französischen *cimetière*.

Der griechische Mythos, demzufolge Schlaf und Tod Brüder sind, hat etwas Verführerisches. Shakespeare nennt den Schlaf »das zweite Ich« des Todes, und Menschen, die jemanden verloren haben, begegnen den verstorbenen Lieben nicht selten im Traum, wobei diese Begegnungen im Schlaf sich ebenso schmerzhaft wie tröstend real anfühlen können.

Im Mythos der Griechen hatte all das bereits seinen Platz. Die Götter des Schlafes und des Todes, so stellte man sich vor, verbringen ihre endlosen Tage zusammen in einer dunklen Höhle an einem mit Mohn und anderen schlafbringenden Kräutern bewachsenen Ufer. Ihre Mutter, die Nacht, wacht schützend über sie. An ihnen vorbei rauscht Lethe, der Fluss des Vergessens.

Siehe auch Traumland, Seite 240.

Dank

Ein Dankeschön an meine Frau Estelle und meine Töchter Anna, Maeve und Josephine, dir mir halfen zu erkennen, wie sehr ich meinen Schlaf genieße. Und an meine Schwester Maura, die mich abends mit ihrem *Hänsel und Gretel*-Buch geängstigt hat. Danke an Tim Bates bei Pollinger für seine Kreativität und Unterstützung, an Melanie Haselden und Peter Ward für die Bildrecherche und die Gestaltung sowie an Caroline Pretty, Nicola Taplin, Stephen Dumughn und Trevor Dolby von Preface für ihre Verbesserungsvorschläge.

Über den Autor

Sean Coughlan, geboren 1963, ist Journalist bei der BBC. Seit Kindheitstagen hegt er eine tiefe Abneigung dagegen, früh aufzustehen. Er lebt in London und hat als Vater von drei kleinen Kindern mehr denn je ein Interesse daran, genügend Schlaf zu bekommen.

Die Originalausgabe erschien 2009 unter dem Titel
The Sleepyhead's Bedside Companion bei Preface Publishing,
einem Imprint von
The Random House Group Limited, London.

FSC
Mix
Produktgruppe aus vorbildlich
bewirtschafteten Wäldern und
anderen kontrollierten Herkünften
Zert.-Nr. GFA-COC-001262
www.fsc.org
© 1996 Forest Stewardship Council

Verlagsgruppe Random House FSC-DEU-0100
Das für dieses Buch verwendete FSC-zertifizierte Papier *EOS*
liefert Salzer, St. Pölten.

1. Auflage
Copyright © Sean Coughlan 2009
Copyright © der deutschsprachigen Ausgabe
2010 Deutsche Verlags-Anstalt, München,
in der Verlagsgruppe Random House GmbH
Alle Rechte vorbehalten
Lektorat: Anne Nordmann, Berlin
Umschlaggestaltung: www.buero-jorge-schmidt.de
Umschlagabbildung: © Archiv Büro Jorge Schmidt
Abbildungen im Inhalt: © Interfoto/Mary Evans Picture Library
Typographie und Satz: DVA/Brigitte Müller
Gesetzt aus der Cochin
Druck und Bindung: Friedrich Pustet KG, Regensburg
Printed in Germany
ISBN 978-3-421-04439-6

www.dva.de

Dennis DiClaudio
Der kleine Erotiker
Lexikon der unzüchtigen
Vergnügungen

Aus dem Englischen von
Anne Uhlmann

208 Seiten mit Abbildungen
Gebunden mit Schutzumschlag
ISBN 978-3-421-04410-5

In seinem jüngsten Werk widmet sich Dennis DiClaudio, der schwarzhumorige Spezialist für Störungen jeglicher Art, ebenso merkwürdigen wie zügellosen erotischen Vorlieben: Von Androidismus, dem Verlangen, Sex mit einem gefühllosen Automaten zu haben, über Kuscheltierfetischismus bis hin zur Podophilie, auch als Leidenschaft für Füße bekannt, lässt dieses Lexikon nichts aus, was der menschlichen Libido in den Sinn kommt. Ein unterhaltsames und gleichermaßen skurriles Kompendium über die schönste Nebensache der Welt.

www.dva.de